L'Amour dure plus qu'une vie

Titre original : *My name is memory*

© Ann Brashares, 2010, pour le texte
© Gallimard Jeunesse, 2011, pour la traduction française

Ann Brashares

L'Amour dure plus qu'une vie

Traduction d'Anne Krief

GALLIMARD

À mon très cher Nate, à la mémoire sans pareil

Sans exiger du ciel qu'il condescende à mon bon vouloir,
Que, gratuitement et pour l'éternité, je dispense à la ronde.

Walt Whitman,
Chanson de moi-même

J'ai vécu plus d'un millier d'années. Je suis mort des milliers de fois. Je ne les compte plus. Ma mémoire est fabuleuse, mais elle n'est pas infaillible. Je ne suis qu'un être humain.

Mes premières vies sont un peu floues. La trajectoire de l'âme suit le parcours de chacune de nos vies. Macrocosmique. Il y a eu mon enfance. Il y a eu plusieurs enfances. Et, au tout début, j'ai même atteint l'âge adulte plusieurs fois. En ce temps-là, lors de chacune de mes petites enfances, la mémoire revient plus vite. Nous avançons sans comprendre. Nous regardons, ébahis, le monde autour de nous. Nous nous rappelons.

Quand je dis «nous», je parle de moi, de mon âme, de mes multiples vies. Quand je dis «nous», je parle aussi de ceux qui comme moi possèdent la Mémoire, le souvenir conscient d'une présence sur terre qui survit aux morts successives. Nous sommes peu à en avoir fait l'expérience ; peut-être un individu par siècle, un sur des millions. Nous en croisons rarement mais, croyez-moi, ils existent. L'un d'entre eux au moins possède une mémoire infiniment plus fabuleuse que la mienne.

Je suis né et je suis mort de nombreuses fois dans toutes sortes de lieux. Le laps de temps entre mes morts et mes renaissances était sensiblement le même. Je n'étais pas à Bethléem pour la naissance du Christ. Je n'ai pas assisté à l'apogée de l'Empire romain.

Je ne me suis jamais prosterné devant Charlemagne. À l'époque, je vivais péniblement du travail de la terre en Anatolie et parlais un dialecte incompréhensible hors de mon village. Mon Dieu et le diable étaient mes seules et uniques sensations fortes. Les grands événements historiques passent souvent inaperçus de la plupart des gens et se déroulent loin d'eux. Je les ai découverts dans les livres, comme tout un chacun.

Parfois, je me sens plus proche des maisons et des arbres que de mes congénères humains. Je contemple autour de moi ces vies qui viennent et disparaissent par vagues. Elles sont brèves, tandis que la mienne est longue, longue. Parfois, je me vois comme un pieu planté au bord de l'océan, immuable.

Je n'ai jamais eu d'enfant et je ne suis jamais devenu vieux. Je ne sais pas pourquoi. J'ai vu la beauté dans toutes sortes de choses. Je suis tombé amoureux, et c'est elle qui continue à vivre. Je l'ai tuée une fois et je suis mort pour elle plusieurs fois, et tout cela en vain. Je la cherche désespérément; son souvenir me hante. Je garde espoir qu'un jour ou l'autre elle se souviendra de moi et me reconnaîtra.

HOPEWOOD, VIRGINIE, 2004

Elle ne l'a pas vu très longtemps. Il avait débarqué au début de l'année de première. C'était une petite ville et un petit établissement scolaire où l'on retrouvait les mêmes élèves d'une année sur l'autre. Il avait le même âge qu'elle quand il est arrivé, mais il paraissait plus.

Elle avait entendu raconter des tas de choses sur la façon dont il avait vécu les dix-sept années de sa vie et les lieux qu'il avait traversés, mais elle avait de sérieux doutes sur leur authenticité : il était censé avoir fait un séjour en hôpital psychiatrique avant d'entrer à Hopewood ; son père était en prison et il était livré à lui-même ; sa mère avait été assassinée, vraisemblablement par son père. Il portait en permanence des manches longues parce qu'il avait, paraît-il, les cicatrices de terribles brûlures aux bras. Il n'avait jamais démenti ces histoires, pour autant qu'elle le sût, ni n'avait jamais cherché à proposer d'autres explications.

Et si Lucy ne croyait pas à ces rumeurs, elle en comprenait la raison. Daniel, en dépit de ses efforts, était différent. Il faisait le fier, mais il émanait de tout son être un certain sentiment tragique. On aurait dit que personne ne s'était jamais occupé de lui et qu'il n'avait pas même conscience de ce drame. Un jour, elle l'avait surpris au réfectoire, près

11

de la fenêtre, tandis que les autres élèves passaient autour de lui avec leur plateau, discutant à toute vitesse, et il avait l'air complètement perdu. Elle avait donc eu ce jour-là la nette impression qu'il était seul au monde.

À son arrivée au lycée, il déclencha un certain émoi car il était extrêmement beau. Il était grand, bien bâti, plein d'assurance, et ses vêtements étaient un peu plus chic que la moyenne. Au début, les entraîneurs le repérèrent à cause de sa taille et voulurent le faire jouer au football, mais ça ne l'intéressait pas. Comme c'était une petite ville où l'on s'ennuyait ferme et où l'on ne vivait que d'espoir, les jeunes se mirent à parler et les rumeurs commencèrent. Tout d'abord, elles étaient plutôt élogieuses, mais il commit un certain nombre d'erreurs : il ne vint pas à la fête d'Halloween de Melody Sanderson, alors qu'elle l'avait personnellement invité devant tout le monde, en plein couloir ; il adressa la parole à Sonia Frye lors du pique-nique annuel du collège et du lycée, alors qu'aux yeux des filles comme Melody elle n'était qu'une dingue à tenir à distance. Ils évoluaient dans un écosystème social très fragile et, dès le premier hiver, la plupart des gens le fuyaient.

À l'exception de Lucy. Elle ne savait pas pourquoi elle-même. Elle n'avait aucune estime pour Melody ni sa bande de suiveuses, mais elle était prudente. Elle démarrait avec un gros handicap et ne tenait pas à être une paria. Elle ne pouvait pas faire ça à sa mère, pas après ce qu'elle venait d'endurer avec sa sœur aînée. Et Lucy n'était pas non plus du genre à aimer les garçons à problèmes. Non, ce n'était pas son truc.

Elle nourrissait l'idée saugrenue, une sorte de fantasme, à vrai dire, qu'elle pourrait en quelque sorte l'aider. Elle savait comment les choses se passaient quand on était en dehors des clans de l'école ou dedans, et elle savait aussi ce que cela coûtait de faire bonne figure dans les deux cas. Elle avait le sentiment qu'il supportait un fardeau beaucoup plus lourd que le commun des mortels, et elle éprouva une curieuse et douloureuse empathie envers lui. Elle se plaisait à l'idée qu'il avait peut-être besoin d'elle, qu'elle pouvait être celle qui le comprendrait.

Rien ne lui indiqua qu'il partageait son point de vue. En deux ans, il ne lui avait pas adressé une seule fois la parole. Enfin, si, un jour où elle avait marché sur son lacet et s'était excusée, il l'avait regardée et avait marmonné quelque chose. Ça l'avait embêtée et tourmentée par la suite, et elle ne cessait d'y repenser, cherchant à deviner ce qu'il avait bien pu lui dire, mais elle avait fini par conclure qu'elle n'avait rien à se reprocher et que s'il voulait se balader dans le couloir des terminales avec un lacet défait, c'était son problème.

– Tu crois que je me pose trop de questions ? avait-elle demandé à Marnie.

Son amie la regarda, comme si elle se retenait à deux mains pour ne pas lui arracher les cheveux.

– Oui, exactement. Je pense que tu penses trop à tout ça. Si on faisait un film sur toi, il s'appellerait *La Fille qui pensait trop*.

Elle rit sur le coup et s'inquiéta ensuite. Marnie n'avait pas voulu être méchante : elle l'aimait plus et surtout plus sincèrement que quiconque, à l'exception peut-être de sa mère qui l'aimait à la folie à défaut de sincèrement. Non, Marnie souffrait de la voir s'intéresser à quelqu'un qui manifestement n'avait rien à faire d'elle.

Lucy le soupçonnait d'être une sorte de génie. Non que son comportement ou ses propos l'aient laissé croire. Mais elle en avait eu le sentiment un jour où elle était assise à côté de lui en cours d'anglais et où ils travaillaient sur Shakespeare. Elle l'avait surpris, penché sur son cahier, en train de recopier les sonnets de mémoire, l'un après l'autre, d'une belle écriture

13

penchée qui lui évoqua Thomas Jefferson en train de rédiger la Déclaration d'indépendance. L'expression qu'il arborait l'avait convaincue qu'il était aussi éloigné que possible de cette salle de classe exiguë, avec son néon tremblotant, son linoléum gris et son unique et minuscule fenêtre. «Je me demande d'où tu viens. Je me demande comment tu es arrivé ici.»

Un jour, prise d'une soudaine audace, elle lui avait demandé quel était le sujet du devoir d'anglais. Il s'était contenté de lui indiquer le tableau où il était écrit qu'ils devaient préparer une dissertation sur *La Tempête*, à rédiger ensuite en classe, mais elle avait eu l'impression qu'il voulait lui dire autre chose. Elle savait qu'il n'était pas muet : elle l'avait déjà entendu parler à d'autres. Elle lui jeta donc un regard encourageant, mais à peine eut-elle croisé ses yeux, qui avaient la couleur des petits pois en conserve, qu'elle se sentit envahie par une gêne telle qu'elle dut baisser la tête pour ne plus la relever de tout le cours. C'était la première fois que cela lui arrivait. D'habitude, elle avait plutôt confiance en elle. Elle savait qui elle était et ce qu'elle voulait. Elle avait grandi principalement parmi des femmes, mais entre le bureau des étudiants, l'atelier de céramique et les deux frères de Marnie, elle avait un grand nombre d'amis garçons. Aucun d'eux ne lui avait jamais fait l'effet de Daniel.

Puis il y eut le jour, à la fin de l'année de première, où elle vidait son casier. Elle était désespérée à l'idée de ne plus le voir de tout l'été. Elle avait garé le gros 4 x 4 de son père à cheval sur le trottoir, à deux pâtés de maisons du lycée. Elle avait posé par terre des piles de papiers et de livres, ainsi qu'un carton qui contenait ses poteries, pendant qu'elle s'efforçait d'ouvrir la portière.

Elle aperçut Daniel du coin de l'œil. Il n'allait nulle part et avait les mains vides. Il était simplement planté là, les bras ballants, et la fixait d'un air perdu. Il paraissait triste et quelque peu lointain, semblant regarder autant à l'intérieur de lui-même qu'il la regardait, elle. Elle se retourna et croisa son regard : cette fois, ni l'un ni l'autre ne se dérobèrent. On aurait dit qu'il cherchait à se rappeler quelque chose.

Une partie d'elle-même était tentée de lui faire un signe ou une réflexion fine ou mémorable, tandis qu'une autre retenait simplement son souffle. Elle avait la nette impression de le connaître, et ce non pas parce qu'elle avait passé toute l'année scolaire à penser à lui de façon obsessionnelle. On aurait dit qu'il savait qu'elle se contenterait de rester là, à le regarder fixement quelques instants, comme s'ils avaient tant de choses à se dire qu'il devenait inutile de se les dire. Après quelques secondes d'hésitation, il s'éloigna, et elle ne sut ce que cela signifiait. Par la suite, elle essaya de démontrer à Marnie que c'était la preuve qu'il y avait véritablement quelque chose entre eux, mais son amie qualifia cet incident de «non-événement».

Marnie se sentait le devoir de calmer les espoirs de Lucy et elle avait même forgé une espèce de formule pour la circonstance : «S'il t'aimait, tu le saurais.» Elle lui répétait à tout bout de champ cette phrase qu'elle avait dû trouver dans un livre, supposait Lucy.

Lucy avait en effet envie d'aider Daniel, mais il n'y avait pas que cela. Elle n'était pas si altruiste, elle était aussi terriblement attirée par lui. Tout l'attirait en lui, y compris les choses les plus étranges, tels sa nuque, ses pouces posés sur le rebord de sa table, la façon dont un épi de cheveux se dressait comme une petite plume, juste au-dessus de l'oreille. Le jour où son odeur lui parvint aux narines, elle n'en dormit pas de la nuit tant elle en avait été étourdie.

Et, à la vérité, il avait un énorme avantage sur tous les autres garçons du lycée : il ne connaissait pas Dana. Dana avait toujours été «ingérable», ainsi que le présentait pudiquement sa mère, mais, quand elles étaient petites, sa sœur aînée était l'idole de Lucy. C'était la fille la plus intelligente et au débit le plus rapide qu'elle ait jamais connue, sans compter son courage à toute épreuve. Courageuse, mais également imprudente. Quand Lucy avait fait la moindre bêtise, même dérisoire, comme d'entrer dans la maison avec des chaussures pleines de boue ou de renverser du ketchup par terre, c'était Dana qui s'accusait. Elle le faisait malgré les protestations de Lucy, car elle prétendait que ça ne lui faisait ni chaud ni froid de se faire gronder, contrairement à Lucy.

Dana commença à faire parler d'elle alors qu'elle était en troisième et Lucy en sixième. Au début, Lucy ne comprenait pas ce que signifiaient toutes ces messes basses parmi les grands élèves et les adultes, mais elle savait qu'il s'agissait de quelque chose de honteux. «J'ai eu ta sœur...», lui disait tel ou tel professeur d'un ton toujours lourd de sous-entendus. Certains de ses camarades de classe ne voulaient plus venir chez elle, ni ne l'invitaient chez eux, et c'est alors qu'elle comprit que sa famille avait fait quelque chose de mal, sans vraiment savoir de quoi il s'agissait au juste. Seule Marnie lui conserva une indéfectible amitié.

En quatrième déjà, Dana était un peu l'Alice de *L'Herbe bleue*, l'exemple de l'école à ne pas suivre, et au sujet de ses parents, les spéculations allaient bon train : buvaient-ils ? Se droguaient-ils ? La mère travaillait-elle quand ses filles étaient petites ? Et cela se terminait invariablement par cette phrase : «Pourtant, ils ont l'air bien gentils.»

Ses parents recevaient tous ces commentaires la tête si basse que c'en était une incitation à les accabler davantage. Leur honte était sans bornes, et il était plus facile d'encaisser ces reproches que de réagir. Dana, quant à elle, gardait la tête haute, tandis que le reste de la famille subissait les coups avec l'air de s'excuser perpétuellement.

De temps en temps, Lucy s'efforçait de se montrer loyale et, à d'autres moments, regrettait de ne pas s'appeler Johnson, comme une quinzaine d'autres élèves de son école. Elle essaya de parler à Dana et, voyant que cela ne changeait absolument rien, elle se persuada que tout cela lui était parfaitement égal. Pendant combien de temps peut-on renoncer à quelqu'un qu'on aime? «Lucy est différente des autres Broward», entendit-elle son prof de maths dire à la conseillère d'orientation quand elle entra au lycée, et elle éprouva un terrible sentiment de culpabilité à s'accrocher à cette idée. Elle était convaincue qu'avec suffisamment d'efforts elle parviendrait à effacer cette tache ignominieuse.

Dana fut obligée de redoubler plusieurs fois à cause de son manque d'assiduité aux cours et de toutes sortes de délits qui n'avaient aucun rapport avec le lycée : drogue, violence, fellations dans les toilettes. Un jour, Lucy aperçut sur le bureau de son père une lettre annonçant que Dana bénéficiait d'une bourse au mérite fondée sur ses résultats au brevet. Ce que Dana choisissait de réussir ou non était très mystérieux.

Elle quitta le lycée pour de bon l'avant-dernier jour de classe, une semaine pile avant d'avoir obtenu son diplôme. Elle réapparut le jour de la remise de ceux-ci et fit une sortie spectaculaire au beau milieu de la «Marche n° 1». Daniel devait être le seul garçon à ne pas avoir vu Dana se déshabiller sur la pelouse centrale, cernée par les médecins qui l'embarquaient pour la dernière fois à l'hôpital et qu'elle griffait comme une furie.

Cette année-là, juste avant Thanksgiving, Dana fit une overdose et tomba dans le coma. Elle s'éteignit tout doucement à Noël. On l'enterra le jour de l'An, en présence de sa famille et de Marnie, de ses deux grands-parents encore en vie et de sa tante complètement dingue de Duluth. L'unique représentant du lycée était M. Margum, professeur de physique et le plus jeune du corps enseignant. Lucy ne savait pas très bien s'il était là parce que Dana avait brillé à ses cours ou parce qu'elle lui avait fait une fellation ou pour ces deux raisons.

Parmi le lourd héritage de Dana, ce qu'elle légua de plus tangible était un serpent des blés de plus de un mètre de long, du nom de Passe-Partout, qui revint à Lucy par la force des choses. Comment aurait-il pu en être autrement? Ce n'était pas sa mère qui allait s'en occuper! Semaine après semaine, elle décongelait les souris et les lui faisait ingurgiter avec le même dégoût. Elle lui changeait consciencieusement sa lampe chauffante. Elle nourrissait l'espoir qu'il mourrait, une fois privé de la forte personnalité de Dana, et le jour où elle découvrit dans sa cage de verre une réplique du même, toute desséchée et inerte, elle crut, avec un mélange d'horreur et de soulagement, que c'était arrivé. Mais il ne s'agissait que de sa mue. Il se prélassait dans son morceau de bois creux, plus vivant que jamais. Lucy se rappela brusquement les longues peaux grises que Dana avait punaisées sur les murs de sa chambre, seule et unique tentative de décoration.

C'est en première que Lucy s'autorisa enfin à être autre chose que la sœur de Dana. Comme elle était jolie, les garçons furent plus rapides à oublier que les filles, mais tous finirent par la fréquenter.

Lucy fut élue déléguée de classe à la fin de l'automne. Deux de ses poteries, un vase et un bol, furent choisies pour figurer à une grande exposition. Mais à chaque moment de liberté ou de succès correspondait un moment de culpabilité et d'affliction. Elle s'en voulait terriblement d'attendre quoi que ce soit de ses camarades, mais c'était ainsi.

« Tu sais, Lucy, je n'ai aucun ami dans ce lycée », lui avait confié Dana, comme si c'était une découverte.

– Il ne viendra peut-être même pas, lui dit Marnie au téléphone tandis qu'elles se préparaient toutes les deux pour le bal de fin d'année, dernier grand événement avant d'en avoir fini avec le lycée.

– Il viendra s'il veut récupérer son diplôme signé ! lui fit remarquer Lucy avant de raccrocher et de retourner à ses placards.

Marnie la rappela une deuxième fois.

– Même s'il passe, ça ne veut pas dire qu'il te parlera.

– C'est peut-être moi qui lui parlerai.

Lucy sortit précautionneusement de l'armoire sa robe à bretelles en soie lavande toute neuve et lui ôta son plastique. Elle l'étala délicatement sur son lit puis troqua son soutien-gorge ordinaire contre un autre en dentelle crème. Elle se mit du vernis rose pâle sur les ongles des pieds et passa un bon quart d'heure à se laver les mains et à se brosser les ongles pour en ôter la terre. Elle se frisa les cheveux au fer sachant fort bien qu'au bout d'une heure ils seraient aussi raides qu'avant. Tout en traçant un trait d'eye-liner noir au bord de sa paupière, elle imagina Daniel en train de la regarder et de se demander pourquoi elle se mettait un crayon dans l'œil.

Ça lui arrivait souvent. Et c'était plutôt gênant. Quoi qu'elle fasse, elle imaginait Daniel, et tout ce qu'il avait en tête. Et, bien qu'ils ne se soient jamais vraiment parlé, elle savait toujours parfaitement ce qu'il pensait. Ainsi, ça ne lui aurait pas plu qu'elle se maquille trop. Le sèche-cheveux lui aurait paru trop bruyant et inutile, et le recourbe-cils un instrument de torture. Il aimait bien ses graines de tournesol, mais pas son Pepsi allégé. Lorsqu'elle écoutait son iPod, elle savait quelles chansons il appréciait et lesquelles il trouvait stupides.

Il aimait bien cette robe, décida-t-elle en faisant lentement glisser le tissu soyeux sur sa tête et le long de son corps. C'est pour cela qu'elle l'avait choisie.

Marnie rappela.

– Tu aurais dû venir avec Stephen, il te l'a gentiment proposé.

– Je n'en avais pas envie.

– Oui, mais il t'aurait apporté des fleurs, et il est très photogénique.

– Il ne me plaît pas. Et je n'ai aucune envie de me faire prendre en photo avec lui !

Lucy passa sous silence le principal problème avec Stephen : Marnie était complètement folle de lui.

– Et tu aurais pu danser avec lui, il se débrouille très bien. Daniel ne va même pas t'inviter à danser. Que tu sois là ou non, il ne verra même pas la différence.

– Peut-être que si. Tu n'en sais rien.

– Si. Ce ne sont pas les occasions qui lui ont manqué et il n'a jamais fait attention à toi.

Après avoir raccroché pour la dernière fois, Lucy resta un moment à se regarder dans la glace. C'est vrai que l'absence de fleurs la chagrinait un peu. Elle cueillit trois petites violettes dans le pot qui était sur sa fenêtre, deux pourpres et une rose, et les fixa avec une pince juste au-dessus de son oreille. Voilà qui était mieux.

Marnie sonna à la porte à huit heures moins le quart. Lucy décrypta aussitôt l'expression de sa mère en descendant l'escalier. Celle-ci avait espéré secrètement ouvrir à quelqu'un du genre de Stephen, un beau garçon en smoking avec un petit bouquet à la main, mais pas à Marnie, encore elle, avec ses collants noirs filés. Elle avait eu deux filles, deux blondes ravissantes, et il n'y avait pas un seul joli garçon pour s'intéresser à elles. Autrefois, il suffisait d'être belle.

Lucy eut ce pincement au cœur qui lui était si familier. Elle savait pour quelle raison sa mère tenait aux photos du bal de promotion : elle aurait pu se rappeler en les regardant que tout n'allait pas si mal à présent. Lucy calma sa culpabilité croissante par les moyens habituels : elle ne se droguait pas, n'avait pas de piercing sur la langue ni d'araignée tatouée dans le cou. Elle portait une robe lavande, du vernis rose et des violettes dans les cheveux. Elle ne pouvait pas être parfaite sur tous les plans.

– Oh, non, c'est pas vrai ! s'exclama Marnie en découvrant Lucy. Tu étais vraiment obligée de faire tout ça ?

– Tout ça, quoi ?

– Non, rien.

– Tout ça, quoi ?

– Rien.

Lucy en avait trop fait. Elle le savait. Elle contempla sa robe et ses chaussures dorées.

– C'est peut-être la dernière fois que je le vois, déclarat-elle d'une voix plaintive. Je ne sais pas ce qui se passera après. Il faut qu'il se souvienne de moi.

– Je déteste cette chanson. Sortons.

Lucy suivit Marnie et quitta la salle de bal du lycée. Marnie détestait toutes les chansons, et Lucy se balançait d'avant en arrière, faisant crisser ses souliers dorés. Lorsque Marnie s'accroupit pour rallumer sa cigarette au filtre marqué de rouge à lèvres, Lucy vit les racines blond clair qui gagnaient sur la teinture noire.

– Je ne vois pas Daniel, dit Marnie, d'un ton plus contrarié que triomphant.

– Avec qui Stephen doit-il venir ? demanda Lucy, avec plus de malice qu'elle ne l'aurait voulu.

– Tais-toi, lui répondit son amie, qui elle aussi avait ses raisons d'être déçue.

Lucy se tut pendant quelques instants, suivant du regard les volutes de fumée. Elle songea au diplôme de Daniel, abandonné sur la table du gymnase, et elle prit ce geste contre elle. Il ne viendrait pas ce soir. Il n'en avait rien à faire d'elle. Lucy eut l'impression que son fond de teint se figeait sur son visage. Elle eut brusquement envie de se démaquiller. Elle considéra sa robe, qui lui avait coûté un semestre entier de travail tous les dimanches à la boulangerie. Et si elle ne le revoyait plus jamais ? Un sentiment de panique l'envahit. C'était impossible.

– Qu'est-ce que c'est ? demanda Marnie en tournant brusquement la tête.

Lucy avait entendu aussi. Une sorte de tumulte à l'intérieur du lycée et, soudain, un cri. On criait beaucoup aux fêtes de fin d'année, mais ce cri était du genre à paralyser tout le monde.

Marnie se releva d'un air surpris que Lucy lui avait rarement vu. Les élèves se ruaient vers les portes principales. Lucy sursauta en entendant des bris de verre. Il se passait vraiment quelque chose de grave.

Et à qui pense-t-on quand on entend du verre se briser et des gens crier ? C'était clair. Marnie était avec elle et sa mère à la maison. Donc Lucy pensa aussitôt à Daniel. Et s'il était à l'intérieur ? La foule était dense et paniquée près des portes. Il fallait qu'elle aille voir.

Elle entra par la porte latérale. Le hall était plongé dans le noir ; elle courut en direction des cris et s'arrêta en arrivant à proximité du couloir réservé aux terminales. On entendait encore des bruits de verre au loin. En voyant les traces sombres sur le sol, elle devina tout de suite de quoi il s'agissait. Le sang coulait en fins filets en direction du couloir et elle se fit froidement la réflexion qu'elle l'aurait cru parfaitement plat, ce sol. Elle avança de quelques pas et se figea sur place. Quelqu'un, un garçon, gisait par terre, dans l'ombre, tandis que tout le monde partait en courant. C'était son sang qui coulait.

– Qu'est-ce qu'il se passe ? hurla-t-elle.

Elle sortit fébrilement son portable de son sac. Alors qu'elle l'ouvrait, elle entendit les sirènes et les gens revinrent sur leurs pas. Quelqu'un essaya de la tirer par le bras, mais elle se dégagea. La mare de sang avait atteint la pointe de sa chaussure dorée. Un garçon marcha dedans et partit en courant, laissant des empreintes rouges sur le linoléum, et cela lui parut incongru.

Elle s'approcha du corps à terre, s'appliquant à ne pas marcher dans le sang. Elle se pencha pour voir son visage. C'était un garçon de première, qu'elle connaissait seulement de vue. Elle s'accroupit auprès de lui et lui toucha le bras. Il gémissait à chaque respiration. Au moins était-il en vie.

– Ça va ?

Manifestement, ça n'allait pas du tout.

– Les secours arrivent, le rassura-t-elle tout bas.

La police fit irruption dans un brouhaha de voix et de pas. Les policiers hurlaient. Ils bloquèrent les issues et ordonnèrent à la foule de se calmer ; eux-mêmes ne semblaient pas particulièrement calmes.

– Y a-t-il une ambulance ? demanda-t-elle trop doucement pour être entendue, avant de reposer sa question.

Elle ne s'était pas aperçue qu'elle pleurait.

Deux policiers se précipitèrent vers le garçon à terre, l'obligeant à reculer. Ils crièrent des ordres dans leurs radios avant de dégager un passage.

– Ça va aller ? demanda-t-elle encore trop bas pour qu'on lui réponde.

Puis elle recula un peu plus et ne vit plus rien de la scène.

À ce moment, une policière la saisit sans ménagement.

– Hep, vous, ne partez pas ! ordonna-t-elle à Lucy qui n'en avait aucunement l'intention.

La femme l'emmena dans le couloir des salles de sciences et lui indiqua une porte sur la droite.

– Entrez là et attendez qu'un inspecteur vienne vous interroger. Et ne bougez pas, compris?

Elle ouvrit la porte du labo de chimie où elle avait fait des expériences avec les becs Bunsen quand elle était en seconde.

À la lueur des gyrophares rouges des voitures de police, elle zigzagua entre les tables et les chaises pour s'approcher de la fenêtre. Il y avait probablement une dizaine de véhicules garés en travers de la pelouse, à l'arrière du lycée, où ils allaient en récréation quand le temps le permettait. À chaque passage des faisceaux de lumière, elle découvrait à quel point l'herbe avait été arrachée par les pneus, et cela vint s'ajouter à sa détresse.

Sans y voir grand-chose, elle se dirigea par habitude vers l'évier de la salle de classe. Elle aurait pu facilement trouver l'interrupteur, mais elle ne tenait pas à s'exposer aux regards de tous ces gens qui s'agitaient sous les fenêtres. Elle ouvrit l'eau et se pencha sous le robinet pour effacer son maquillage et ses larmes. Elle s'essuya le visage avec une serviette rêche en papier brun. Ses violettes piquaient du nez. Elle se croyait seule dans la salle jusqu'au moment où elle distingua une silhouette assise à un bureau, dans un coin, et elle sursauta. Elle s'approcha néanmoins, cherchant à percer la relative obscurité.

– Qui est là? demanda-t-elle dans un souffle.

– Daniel.

Elle s'arrêta net. Les lueurs rouges éclairaient ses traits par intermittence.

– Sophia, ajouta-t-il.

Elle s'approcha davantage afin qu'il la voie véritablement.

– Non, c'est Lucy, corrigea-t-elle avec hésitation.

Un garçon était en train de se vider de son sang juste à côté, et tout ce qu'elle ressentait c'était une immense frustration à l'idée qu'il ne la reconnaissait toujours pas.

– Viens t'asseoir.

Il arborait une expression stoïque, résignée, semblant regretter de ne pas avoir affaire à Sophia.

Elle longea le mur de la salle, se frayant un chemin entre les chaises, les vestes et les sacs abandonnés par les élèves. Sa robe paraissait soudain trop légère, déplacée, dans ce contexte. Il était assis contre le mur, dans un de ces combinés chaise-tablette, les pieds croisés, comme s'il attendait quelque chose.

Elle ne savait pas très bien où s'asseoir, mais il tira un autre combiné chaise-tablette qu'il installa face au sien, de sorte que les deux écritoires s'imbriquèrent tels les symboles du yin et du yang. Elle frissonna en s'approchant de lui et retira timidement les violettes de ses cheveux.

– Tu as froid, remarqua-t-il.

Il jeta un regard aux petites fleurs sur la tablette.

– Non, ça va, mentit-elle.

Il se retourna et considéra les vêtements posés en tas sur les chaises, les tabourets et les tables. Il en sortit un sweat-shirt blanc orné d'un faucon et le lui tendit. Elle le jeta sur ses épaules, sans chercher à l'enfiler ni à remonter la fermeture Éclair.

– Tu es au courant de ce qui s'est passé ? lui demanda-t-elle en se penchant en avant, de sorte que ses cheveux frôlèrent ses mains à lui.

Il posa ses deux mains à plat sur l'écritoire ainsi qu'elle l'avait vu faire maintes fois en cours d'anglais. C'était des mains d'homme et non d'adolescent. On aurait dit qu'il cherchait, pour quelque raison, à les empêcher de bouger.

– Des élèves de première ont saccagé le foyer et le couloir

des terminales. Deux d'entre eux avaient des couteaux et il y a eu une bagarre. Je crois que deux garçons ont été légèrement blessés et un autre a reçu un coup de couteau.

– Oui, je l'ai vu ; il était par terre.

Il hocha la tête.

– Il va s'en sortir. C'est la jambe. Ça saigne beaucoup, mais il s'en sortira.

– C'est vrai ? dit-elle tout en se demandant comment il pouvait en être aussi sûr.

– Est-ce que les secours sont là ?

Elle acquiesça.

– Alors oui, il s'en sortira.

On aurait dit que ses pensées étaient ailleurs.

– C'est bien...

Elle le crut, qu'il ait raison ou pas, et cela la réconforta. Elle claquait des dents et dut fermer la bouche pour s'en empêcher.

Il se pencha pour prendre quelque chose dans un sac, par terre. C'était une bouteille de bourbon à moitié pleine.

– Quelqu'un l'a planquée ici...

Il alla à l'évier et prit un gobelet au distributeur.

– Tiens...

Il le remplit sans lui demander son avis et le posa sur la tablette, devant elle, en se penchant si près qu'elle sentit la chaleur de son corps. Elle en eut le souffle coupé et la tête lui tourna. Elle porta la main à sa gorge, sachant qu'elle rougissait terriblement, comme chaque fois qu'elle était fortement émue.

– Je ne savais pas que tu étais là, dit-elle, sans réaliser à quel point elle se dévoilait en prononçant ces mots.

– Je suis arrivé tard. J'ai entendu les cris depuis le parking. Je voulais voir ce qui se passait.

Elle aurait bien bu une petite gorgée de bourbon, mais elle

avait les mains tremblantes et ne tenait pas à ce qu'il s'en aperçoive. Peut-être s'en douta-t-il, car il se pencha vers la paillasse, s'éloignant ainsi d'elle, et alluma un bec Bunsen. De petits points incandescents luisirent autour du bec, avant que la flamme ne prenne. Elle se refléta sur la porte vitrée et diffusa une faible lueur dans la pièce. Lucy s'empressa de boire une gorgée, et l'alcool brûla ses lèvres glacées. Elle s'efforça de ne pas faire la grimace : elle n'avait pas l'habitude de boire du whisky.

– Tu en veux ? lui proposa-t-elle alors qu'il se retournait vers elle.

Leurs genoux se frôlèrent. Il ne semblait pas en avoir envie, mais il la regarda, puis regarda le gobelet. Il le prit, et elle le vit avec stupéfaction poser ses lèvres à l'emplacement même où elle avait posé les siennes et boire une longue goulée. Elle aurait pensé qu'il aurait pris un autre gobelet, mais jamais qu'il aurait bu dans le sien. Que dirait Marnie de cela ? C'était un geste tellement intime, familier, qu'elle avait du mal à y croire. Elle était assise tout près de lui, bavardait avec lui, buvait avec lui. Tout cela était arrivé si vite qu'elle ne réalisait pas encore.

Elle but une autre gorgée sans réfléchir. Et tant pis s'il s'apercevait qu'elle tremblait. Sa main avait pris la place de la sienne et ses lèvres celle des siennes.

« Sais-tu seulement combien je t'aimais ? »

Il inclina la tête et l'observa. Leurs genoux se touchaient. Elle attendait qu'il parle le premier, mais il restait silencieux.

Elle serra le gobelet entre ses doigts, l'écrasant, puis le relâchant.

– J'ai cru que l'année allait se terminer et qu'on serait partis chacun de notre côté sans qu'on se soit parlé, se lança-t-elle courageusement.

Ses paroles semblaient résonner dans le silence de la salle

déserte et cela la gêna terriblement. Elle aurait tellement voulu qu'il dise quelque chose pour couvrir ces mots.

Il lui sourit. Elle ne l'avait jamais vu sourire. Il était beau.

– Je me serais débrouillé pour que ça n'arrive pas, répondit-il.

– Ah, oui? Et pourquoi? ne put-elle s'empêcher de demander tant elle était sincèrement surprise.

Il continua à scruter son visage, bien qu'il eût beaucoup de choses à lui avouer et ne fût pas certain d'être prêt à les lui dire.

– Je voulais te parler…, hésita-t-il. Je ne savais pas très bien… comment choisir le moment.

Elle aurait tellement aimé que Marnie l'entende.

– Mais c'est une drôle de soirée, poursuivit-il. Et justement ce n'est peut-être pas le bon moment. Ce soir, je voulais simplement m'assurer que tu allais bien.

– Ah, bon?

Elle était si impatiente d'en entendre davantage qu'elle craignit d'être ridicule tant cela se voyait sur sa figure.

– Mais oui, répondit-il avec le même sourire.

Elle but encore une gorgée de bourbon et lui tendit étourdiment le gobelet, comme à une vieille connaissance. Avait-il seulement idée des heures qu'elle avait passées à penser à lui, à fantasmer sur lui, à décortiquer le moindre de ses gestes et de ses regards?

– Qu'est-ce que tu voulais me dire?

– Eh bien…

Il était en train de la jauger, mais elle ne comprenait pas pourquoi. Il but une nouvelle gorgée de whisky.

– Je ne devrais peut-être pas faire ça, dit-il en secouant la tête, l'air grave.

Elle ne savait pas s'il faisait allusion au fait de boire ou de lui parler.

– Faire quoi?

Il la fixait si intensément qu'elle en prit presque peur. Elle désirait plus que tout au monde qu'il la regarde au fond des yeux, mais ce regard-là était plus qu'elle ne pouvait supporter. On aurait dit des flots d'eau glissant sur une terre assoiffée.

– J'y ai beaucoup réfléchi. Il y a tant de choses que j'avais envie de te dire. Je ne voudrais pas te... t'effaroucher, dit-il après avoir cherché ses mots.

Jamais aucun garçon ne lui avait parlé ainsi. Il ne se cachait pas derrière des propos débiles, de la drague, il ne cherchait pas à la séduire de façon grossière, non, mais son regard était incandescent. Il était différent de tous ceux qu'elle avait pu connaître jusqu'alors.

Elle avala plusieurs fois de suite sa salive afin d'apaiser son émotion. Un peu plus, et elle lui avouait tout. Elle devait à tout prix garder son sang-froid, mais il n'était pas question de le lâcher.

– Sais-tu que j'ai beaucoup pensé à toi?

Ils étaient assis face à face et leurs genoux se touchaient, de sorte que, lorsque brusquement sa jambe à lui glissa, celle de Lucy vint s'imbriquer loin entre les deux siennes. Elle avait les jambes nues, et sentit le genou de Daniel frôler sa culotte, lui mettant les nerfs à fleur de peau. Elle avait du mal à réaliser ce qui lui arrivait. Elle se demandait si tout cela n'était pas simplement le fruit de son imagination tant elle désirait voir ses rêves prendre forme.

– C'est vrai? s'étonna-t-il.

Elle comprit seulement alors et sut sans le moindre doute qu'il s'imprégnait en quelque sorte de sa personne, qu'il buvait ses paroles tant il avait soif d'elle.

Il tendit le bras, la prit par le cou et l'attira à lui. Elle retint son souffle, stupéfaite qu'il approche sa bouche de la sienne. Il l'embrassa. Elle se laissa envahir par son haleine, sa chaleur, son odeur. Elle était tellement penchée en avant que le bord de la tablette lui rentrait dans les côtes, juste sous la poitrine, et son cœur battait à tout rompre.

Il heurta du coude le gobelet de bourbon qui tomba par terre et se renversa. Elle eut vaguement conscience du liquide qui se répandait sous son pied, mais n'y prêta aucune attention. Elle n'avait qu'une idée en tête : faire durer ce baiser le plus longtemps possible, jusqu'à la mort si nécessaire, mais une étrange sensation monta en elle, tel un pressentiment. Elle réussit à le tenir à distance pendant quelque temps, jusqu'à ce qu'il s'impose avec force.

C'était à la fois une sensation et une réminiscence, telles deux bombes se percutant et démultipliant leur puissance. C'était une impression de déjà-vu, mais en beaucoup plus fort. Elle se sentit soudain mal et prit peur. Des larmes coulaient sur ses joues, des larmes d'une nature différente aussi.

– Qui es-tu ? murmura-t-elle.

Les pupilles de Daniel semblèrent se dilater avant de se fixer de nouveau sur elle.

– Tu te souviens ?

Elle n'arrivait plus à regarder droit devant elle. La salle se mit à tournoyer si violemment qu'elle dut fermer les yeux, mais il était toujours là, présent derrière ses paupières, comme surgi du fond de sa mémoire : il était couché dans un lit et elle le regardait ; puis elle se sentit submergée par une bouffée de désespoir qu'elle ne comprit pas.

Il lui tenait à présent les deux mains, serrées dans les siennes. Lorsqu'elle rouvrit les yeux, son regard était si ardent qu'elle dut détourner la tête.

– Tu te souviens ? insista-t-il.

On aurait dit que sa vie dépendait de sa réponse.

Elle s'affola. Une autre scène lui revint à l'esprit, qu'elle ne sut où situer. C'était encore lui, mais dans un lieu bizarre, inconnu. Elle avait l'impression d'être parfaitement réveillée et, en même temps, de rêver.

– Est-ce que nous nous connaissions, avant?

Elle en était persuadée, mais elle savait également que c'était impossible. Elle était terrorisée à l'idée de ne plus savoir très bien où elle était.

– Oui.

Il avait les yeux pleins de larmes.

Il l'aida à se lever et la tint serrée contre lui. De violents battements résonnaient contre sa poitrine et elle ne put déterminer s'il s'agissait de son propre cœur ou du sien.

– Tu es Sophia. Tu le sais, non?

Elle avait posé sa tête au creux de son épaule et sentit une larme couler dans ses cheveux.

S'il ne l'avait pas soutenue, elle se serait effondrée. Elle se sentait glisser. Elle ne savait plus ni où elle était ni qui elle était, de même qu'elle ne savait plus ce qu'elle se rappelait. Elle se demanda si par hasard le bourbon n'avait pas agi comme une sorte d'hallucinogène ou si elle n'était pas simplement en train de devenir folle.

Était-ce ainsi que cela se passait? Dana adorait perdre tout contrôle, mais ce n'était pas le cas de Lucy, au contraire. Elle imagina l'ambulance qui venait la chercher. Elle songea à sa mère et se libéra brusquement de son étreinte.

– Ça ne va pas du tout, déclara-t-elle dans un sanglot.

Il ne voulait pas la laisser partir, mais elle était blême et manifestement terrorisée.

– Que se passe-t-il?

– Il faut que je parte.

– Sophia.

Elle s'aperçut alors qu'il tenait à deux mains sa robe et ne la lâchait pas.

– Non, c'est Lucy, corrigea-t-elle.

Était-il fou ? Oui, certainement. Il avait l'esprit dérangé et la prenait pour quelqu'un d'autre. Il devait être atteint de quelque maladie mentale et il était si fou qu'il était en train de la rendre folle à son tour.

Elle eut soudain la conviction irrépressible qu'elle était en danger : elle tenait trop à lui, et il était dangereux de l'aimer. Il ne l'aimerait jamais en retour. Il l'entraînerait dans sa folie en la prenant pour une autre, et elle ne saurait plus qui elle était véritablement car elle aurait trop envie de le croire.

– Lâche-moi, s'il te plaît.

– Mais... Attends... *Sophia*. Dis-moi seulement que tu te souviens.

– Non, pas du tout. Tu me fais peur. Je ne comprends pas. Je ne comprends pas de quoi tu parles.

Les mains tremblantes, elle sanglotait entre chaque phrase et ne pouvait se résoudre à lever les yeux sur son visage empreint de désespoir.

– J'aimerais tellement pouvoir tout de dire. J'aurais voulu que tu saches déjà. Je t'en prie, laisse-moi t'expliquer.

Elle recula si brusquement que sa robe se déchira. Elle baissa les yeux puis le fixa. Le morceau de tissu entre les mains, il avait l'air surpris et horrifié.

– Oh, non ! Je suis désolé.

Il essaya de l'envelopper dans le sweat-shirt.

– Je suis désolé, répéta-t-il en la tenant toujours dans ses bras, refusant obstinément de la lâcher. Je suis désolé. Je t'aime. Est-ce que tu le sais ?

Il la serrait toujours contre lui, le visage désespérément enfoui dans sa chevelure.

– Je t'ai toujours aimée.

Elle se libéra violemment de son étreinte, renversant la tablette et la chaise et, se frayant un chemin entre les sièges et les sacs, elle gagna la porte. Non, elle ne pouvait être aimée de la sorte. Non, pas elle. Et pas lui.

– Ce n'est pas vrai, répliqua-t-elle sans se retourner. Tu ne sais même pas qui je suis.

Elle ne savait pas comment elle avait réussi à rejoindre les portes du lycée, mais c'est là qu'un policier la trouva, en larmes, incapable de sortir car elles étaient toutes fermées. C'était du moins ce qu'il avait dit à sa mère lorsqu'elle était venue la chercher, mais Lucy n'en avait aucun souvenir.

Après son départ, il resta un long moment assis par terre dans la salle de chimie. Il avait encore le goût de ses lèvres sur les siennes et la chaleur de son corps contre le sien, mais ils représentaient une sorte de reproche à présent. Il contemplait, hébété, les trois fleurs fanées et avait encore à la main le bout de la robe qu'il avait déchirée.

Il ne lui restait plus que des regrets. Et un dégoût de lui-même. Il n'osait bouger de peur d'ouvrir d'autres brèches en lui et que tout cela, voire pire, ne s'y engouffre. Il aurait préféré garder le goût de sa peau et de son baiser plutôt que celui de son échec, mais c'est ce dernier qui l'emporta. Il avait ruiné tout espoir à son sujet. Il l'avait blessée et perturbée. Comment avait-il pu lui faire ça ?

« Elle s'est souvenue de moi. »

C'était sa plus grande faiblesse, son poison le plus violent. Il était tellement désireux qu'elle se souvienne de lui qu'il était prêt à tout imaginer, à tout faire, à tout croire.

« Oui, elle se souvenait de moi. Elle savait. »

Il quitta le lycée comme un somnambule longtemps après que tout le monde fut parti. Seuls restaient encore quelques agents de sécurité occupés à nettoyer les lieux. Personne ne fit attention à lui. Ses échecs n'appartenaient qu'à lui seul et étaient invisibles aux yeux des autres.

«Mais pas à ceux de Sophia.»

Il l'avait perturbée. Il lui avait fait peur. Il l'avait assaillie. Il s'était pourtant promis de ne pas le faire et il l'avait fait. Il s'était contenu pendant si longtemps que le jour où il décida de se lancer, il le fit avec toute la force des siècles passés. Il n'éprouvait plus que de la haine envers lui-même, envers ses projets et ses désirs. Il haïssait tout ce qu'il avait envisagé ou voulu.

«Je l'aime. J'ai besoin d'elle. J'ai tout abandonné pour elle. Je voulais simplement qu'elle me reconnaisse.»

Il marcha jusqu'à s'être suffisamment éloigné du bâtiment, hors de vue et loin des bruits. Il découvrit une clairière au-delà du terrain de foot et s'allongea dans l'herbe humide. Il ne pouvait pas faire un pas de plus. Il n'avait aucun endroit où aller, personne à voir, rien à désirer ni à espérer. Il avait imaginé cette rencontre depuis tant d'années et avait tout gâché en quelques secondes.

«Elle est à la fois mon œuvre et ma perte.»

Elle l'avait toujours été. Et elle l'avait payé très cher!

Il ne pouvait rester où il était. Les lumières rouges des gyrophares balayaient encore le lourd ciel de juin. Il se leva, le dos humide d'être resté allongé par terre. Il descendit la colline pour s'éloigner du lycée. C'était terminé pour lui, il n'y remettrait plus jamais les pieds et le laissait dans l'état lamentable où il semblait laisser toute chose. Il aurait dû laisser le monde en paix.

Il s'aperçut qu'il avait oublié de prendre son diplôme. Il l'imagina, posé sur la longue table du gymnase, parmi les reliefs de la fête, perdu au milieu des serpentins et des ballons dégonflés. Ce diplôme était réservé à ceux qui y attachaient de l'importance, qui y tenaient comme s'il était le premier et le dernier de leur vie. On ne la lui faisait plus. Que pouvait bien lui importer un diplôme de plus ou de moins? Il resterait là où il était, avec son nom joliment calligraphié.

Pourquoi était-il obligé de vivre toujours la même vie alors que les autres pouvaient repartir de zéro ? Pourquoi était-il toujours là tandis qu'elle disparaissait chaque fois ? Il avait souvent l'impression d'être seul sur cette terre. Il était différent. Il l'avait toujours été. Ses tentatives de vivre comme tout le monde lui semblaient absurdes et illusoires.

«Je l'ai de nouveau perdue.»

On aurait pu croire que quelqu'un qui, comme lui, avait tant vécu, en avait tant vu, aurait eu une vision des choses à plus long terme et fait preuve de davantage de patience. Mais il avait refoulé trop de choses, en avait trop demandé aussi. Elle était là, en face de lui, et il n'avait pas réussi à se contrôler. Il s'était plu à croire qu'en le regardant simplement dans les yeux elle se serait souvenue, que l'amour aurait été plus fort que tout. Il s'était trompé. Le bourbon aussi était trompeur.

«Personne d'autre que moi ne se souvient.» En règle générale, cette pensée était bien enfouie au fond de lui mais, cette nuit, il la laissa s'exprimer. Il y avait des moments où cette solitude était insupportable.

Il traversa des champs et longea une route à deux voies. Il marcha le long du fleuve, et cela lui fit du bien d'être proche de quelque chose d'ancien, de plus vieux que lui. Il songea à la campagne d'Appomattox et à la bataille de High Bridge. Quelle quantité de sang s'était-il déversé dans ce fleuve ? Et pourtant il continuait à couler. Il se purifiait et oubliait. Comment pouvait-on se purifier si on n'oubliait jamais ?

«Je ne veux plus jamais vouloir ce que je veux. Je ne veux plus jamais lui faire ce que je lui ai fait. Je veux en finir.»

Rien ni personne ne le retenait là. Il n'avait pas de vraie famille. Dans sa vie antérieure, il avait eu la chance de naître dans l'une de ces très grandes familles, qu'il avait imprudemment laissée tomber pour suivre Sophia. La vie qu'il avait eue ensuite n'avait donc rien de surprenant : une mère droguée qui l'avait abandonné avant l'âge de trois ans et une famille adoptive aussi épouvantable qu'il pouvait le mériter. Ces deux dernières années, il avait été livré à lui-même, survivant essentiellement d'espoir. Il avait sacrifié tous ces bienfaits dont il ne s'était pas montré digne dans l'espoir de la retrouver et, à présent, il avait tout perdu.

«Que se passerait-il si ta vie s'arrêtait définitivement là?» C'était une des hypothèses qu'il n'avait pas encore envisagées. «Est-ce que mourir changerait quelque chose? Rencontrerais-tu Dieu?»

Il s'assit au bord du fleuve, sur la berge glacée et boueuse et, toujours gêné par le froid et l'humidité, se demanda pourquoi il était impossible de se défaire de ses goûts et aversions. Quelle que soit la durée de la vie. Tel le condamné à mort qui ne peut s'empêcher de jeter un regard sur la pendule. On n'arrive jamais à faire coïncider les petites rotations avec les grandes, n'est-ce pas?

Il ramassa des cailloux et mit les plus petits dans ses poches. Il jeta au hasard les plus gros dans le fleuve, guettant leur impact lorsqu'ils touchaient le fond et la claque sourde de l'eau qui se refermait sur eux. Il remplit donc les poches de son pantalon de cailloux et de terre, mettant au défi son cerveau autonome et engourdi de lui résister. Il glissa encore quelques pierres acérées dans sa poche de poitrine, quelque peu déconcerté par sa propre mise en scène en un moment pareil. Il n'existait pas de moment si important qu'il en vînt à annihiler toute lucidité.

«Sauf quand tu l'as embrassée.»

Des décisions comme celle-ci étaient plus empreintes de dignité dans le passé ou l'avenir, ou lorsqu'elles survenaient dans la vie des autres. «La pauvre mécanique de ta cervelle d'oiseau a eu raison de toi, et l'oubli seul était ta planche de salut. » Sa malédiction voulait qu'il se rappelât tout.

Ainsi lesté, il marcha vers la route et la suivit jusqu'au pont. La brise nocturne et fraîche soufflait par rafales au-dessus de l'eau. Les phares d'une voiture surgirent sur la rive opposée et poursuivirent leur chemin sans traverser le pont. Arrivé au point le plus élevé, il enjamba le garde-fou, s'assit dessus, face aux eaux noires, se sentant étonnamment jeune. Les pierres lui entaillaient la chair, comme de loin ; ce n'était déjà plus lui qu'elles blessaient.

Il se mit debout, faisant osciller la rambarde sous ses semelles rigides, et leva les bras afin de garder l'équilibre. Pourquoi semblait-il si important de sauter et non de tomber, alors que cela revenait au même ? L'air était si chargé d'humidité que son visage lui semblait mouillé. Une autre voiture passa.

Parmi tout ce qu'il aurait pu emporter avec lui, il lui restait le morceau de la robe en soie mauve de Lucy, serré dans son poing fermé, et l'acidité du bourbon au fond de la gorge. Il avait encore en mémoire son regard affolé quand elle avait essayé de lui échapper et qu'il cherchait à la retenir, ruinant des siècles d'espoir amoureusement entretenu, conscient de ce qu'il faisait et pourtant incapable de s'en empêcher.

Il n'en fallait pas plus pour qu'il prît son élan et se jetât dans le vide.

Afrique du Nord, 541

J'ai été jadis quelqu'un de tout à fait normal, mais ça n'a pas duré longtemps. C'était au cours de ma première vie. Le monde était alors nouveau pour moi, et j'étais moi-même nouveau à mes propres yeux. Tout a commencé vers l'an 520 après Jésus-Christ, mais je ne suis pas absolument sûr de la date. Ce n'était pas le genre de chose que je cherchais à me rappeler à l'époque. C'était donc il y a très longtemps, et je ne pouvais pas savoir que j'allais m'en souvenir.

Je considère cette vie-là comme la première que j'ai vécue, pour la simple raison que je n'ai aucun souvenir antérieur. Néanmoins, il est fort possible que j'aie vécu d'autres vies avant. Il est même probable que j'aie vécu avant la naissance du Christ, mais il est survenu dans cette vie particulière un événement qui est à l'origine de mon étrange mémoire. Ce n'est pas absolument certain, mais c'est possible.

Et le fait est que la plupart de mes vies très anciennes sont assez floues. J'ai dû mourir jeune une ou deux fois, de maladies infantiles plutôt banales, et je ne vois pas très bien comment les associer à une sphère d'événements plus vaste. Il m'en reste des souvenirs épars, la chaleur d'une fièvre terrible, une main ou une voix familières, mais mon âme n'était pas encore véritablement enracinée.

Il m'est pénible de penser à cette première vie et de tenter de vous la relater. J'aurais mieux fait de mourir de la rougeole ou de la varicelle dans ma prime enfance.

Dès que j'ai été en mesure de décrypter mes souvenirs, j'ai commencé à considérer mes actes de manière différente. Je sais que la souffrance ne s'achève pas avec la mort. C'est vrai pour chacun de nous, que l'on se souvienne ou non. Je l'ignorais à l'époque. Peut-être cela contribue-t-il à expliquer les raisons pour lesquelles j'ai fait ce que j'ai fait, mais cela n'excuse rien.

J'ai vu le jour pour la première fois dans le nord d'une ville qui alors s'appelait Antioche. Le premier souvenir gravé dans ma mémoire est le tremblement de terre de 526. Je n'en avais pas pris la mesure sur le coup, mais j'ai lu depuis tous les récits existants pour les comparer à ce qui m'en restait. Ma famille y a survécu, mais on a eu à déplorer de nombreuses victimes. Ce jour-là, nos parents étaient partis au marché, et j'étais en train de pêcher avec mon frère aîné au bord de l'Oronte quand c'est arrivé. Je me rappelle être tombé à genoux tandis que la terre roulait sous nous par vagues. Je ne sais trop comment, j'ai réussi à me relever et à entrer tant bien que mal dans le fleuve. Je me revois encore immergé jusqu'au cou, sentant sous moi le roulement syncopé des flots et de la terre, puis plongeant soudain sous l'eau, les yeux grands ouverts et les bras écartés pour garder l'équilibre. J'ai soulevé les pieds et j'ai fait la planche, parallèle au lit du fleuve. Remontant progressivement à la surface, j'ai fini par entrevoir le ciel à travers l'eau. J'ai constaté la façon dont la lumière pouvait être aléatoire, et j'ai eu l'impression de saisir quelque chose de son caractère éphémère. J'ai eu l'occasion de fréquenter un véritable mystique, suffisamment pour me convaincre que je n'en étais pas un mais, pendant quelques instants, le temps a suspendu son vol et j'ai entrevu l'éternité à travers la trame de ce monde. Je n'y ai pas fait attention sur le moment, mais j'en ai rêvé des milliers de fois depuis.

Mon frère me hurlait de revenir et, comme je n'en faisais rien, il est allé me chercher. Je crois qu'il avait l'intention de m'assommer et de me ramener sur la berge, mais les sensations dues au tremblement de terre étaient si étranges qu'il est resté à quelques mètres de moi, la tête hors de l'eau, l'air hagard. Je suis remonté à la surface et nous avons attendu que la rive se stabilise. Une fois le calme rétabli, je me souviens d'être rentré à la maison en observant d'un œil incrédule le sol sous mes pieds.

Nous étions alors de fiers sujets de Byzance. Appartenir à un grand empire faisait peu de différence dans notre petite vie domestique, mais cette simple idée nous a transformés. Nos collines en sont devenues un petit peu plus hautes, nos mets un peu plus savoureux et nos enfants un peu plus beaux, car nous nous étions battus pour eux. Tous les hommes valides de notre famille ont combattu sous les ordres du célèbre général Bélisaire. C'est lui, plus que quiconque, qui a donné sens et dignité à nos vies qui, sinon, n'auraient rien eu de glorieux. Mon oncle, que nous vénérions, a trouvé la mort lors d'une campagne destinée à mater un soulèvement berbère en Afrique du Nord. Le peu d'informations que nous ayons eu concernant cette mort a suffi à nous faire exécrer l'Afrique du Nord jusqu'au dernier de ses habitants. J'ai découvert par la suite que cet oncle avait été vraisemblablement poignardé par un de ses compagnons pour lui avoir volé un poulet mais, encore une fois, je l'ai appris trop tard.

Mon frère et moi, ainsi qu'une centaine de soldats de l'Empire, avons traversé la Méditerranée pour l'Afrique du Nord. Nous avions soif de vengeance. Comme beaucoup de jeunes âmes, je n'ai jamais été mieux disposé à la condition de soldat que dans cette vie-là. J'obéissais aux ordres avec un aveuglement absolu. Je n'ai jamais remis en question l'autorité de mes supérieurs, même en mon for intérieur. J'étais engagé corps et âme, prêt à tuer, prêt à mourir pour ma cause.

Si l'on m'avait demandé pourquoi telle ou telle tribu berbère, qui ne partageait ni notre culture, ni notre religion, ni notre langue, devait être exterminée ou assujettie quelques années encore à l'Empire byzantin, j'aurais été bien incapable de répondre. Nous n'étions pas les premiers à les conquérir et ne serions pas les derniers, mais j'avais la foi. Je n'avais pas besoin de connaître précisément la cause de ma ferveur : elle était elle-même la cause. Et, ainsi que je croyais aveuglément en la vertu de mes convictions, je croyais également en la noirceur de mes ennemis. C'est la caractéristique d'une âme très jeune, et la preuve, qui ne justifie rien, qu'il s'agissait bien de ma première vie. En tout cas, je l'espère. Autrement, je m'en voudrais d'être resté aussi bête avec le temps.

Dès cette première vie, j'ai toujours su que j'étais différent. J'ai vite compris que ma vie intérieure devait rester secrète. Je me suis toujours tenu à l'écart des autres, je me suis fort peu livré, hormis en certaines occasions extrêmement rares. Mais ce n'était pas le cas au début.

J'étais follement impatient de me battre lors de ma première mission, mais nous avons dû passer ce qui m'a paru des semaines à bâtir un camp digne de ce nom pour notre commandant. Nous nous sommes donné un mal fou pour faire de ce désert africain un lieu aussi civilisé et confortable que sa demeure des collines de Thrace. Ce n'était pas le genre de réflexion que je me faisais à l'époque. Je ne suis pas sûr d'ailleurs d'avoir réfléchi à quoi que ce soit. J'étais loin de m'imaginer alors que j'aurais autant à réfléchir et que je serais autant taraudé par les remords.

Les endroits les plus mouvementés sont bien souvent aussi très ennuyeux. Les lieux de conflits. Les plateaux de cinéma. Les urgences des hôpitaux. Ce n'était encore qu'une autre forme de guerre que nous livrions en passant presque tout notre temps à jouer à des jeux d'argent, à fanfaronner, à nous saouler et à regarder les pires des ivrognes chercher la bagarre, mon frère en l'occurrence. Mais toutes les guerres auxquelles j'ai participé se ressemblaient, y compris la Première Guerre mondiale. Les moments les plus mémorables, quand on tue ou qu'on se fait tuer, sont extrêmement fugaces.

Notre ordre de mission a fini par arriver : nous devions lancer un raid sur un campement situé à une journée de marche de Leptis Magna. Il est devenu assez vite évident qu'il ne s'agissait pas d'un camp militaire mais d'un village. Un village où, nous avait-on dit, l'armée était cantonnée.

– Est-ce un village touareg ? ai-je demandé, assoiffé de sang.

Il s'agissait de la tribu que je tenais pour responsable de la mort de mon oncle.

Mon supérieur direct était passé maître dans l'art de motiver ses troupes et savait ce qu'il fallait me répondre.

– Oui, évidemment.

Je me suis lancé, armé d'un couteau et d'une torche éteinte. Je me revois, le couteau entre les dents, mais il s'agit d'un souvenir émotionnel et non de la réalité. Je m'efforce d'éliminer ces derniers autant que possible, mais il y a des exceptions, certaines plus agréables que d'autres.

Lorsque je me revois dans cette vie, c'est en général d'un point de vue extérieur. J'ai l'impression, malgré le souvenir que j'en ai, que ce n'était pas encore moi. Que c'était quelqu'un qui allait devenir qui je suis, et que j'observe cette personne de loin. Peut-être est-ce ainsi qu'il faut procéder pour pouvoir vivre avec. Il n'y avait aucun rapport entre l'apparence chétive et maladroite de ce jeune homme boutonneux et la tempête de violence et de suffisance qui faisait rage dans sa tête.

Mes camarades me ressemblaient : ils étaient les plus jeunes, les plus cruels et prêts à tout. Nous voyions tout en noir et blanc et, après un combat, nous étions ou morts ou sains et saufs.

Jamais de demi-mesure. Nous nous sommes déployés dans la vallée, résolus à nous battre.

À une certaine heure de cette nuit sans lune, un quart environ des effectifs de notre troupe a fait un détour pour aller chercher de l'eau. Mon frère a pris la tête du détachement et je l'ai suivi. Nous avons bien trouvé de l'eau, mais n'avons pas réussi à retrouver notre troupe. Nous étions une vingtaine à errer parmi la végétation desséchée. J'ai bien vu que mon frère était perplexe, mais il ne tenait pas à le montrer. Il était si sensible aux charmes du pouvoir qu'ils l'ont corrompu sans délai.

Il a rassemblé ses hommes.

– Nous allons marcher sur le village. Je connais le chemin.

Il semblait en effet le connaître. Les premières lueurs de l'aube poignaient à peine lorsque nous avons aperçu les premières maisons à l'horizon.

– Allons-y, a ordonné mon frère.

Nous nous sommes regroupés un instant, le temps d'allumer nos torches à une flamme commune. Je me rappelle les regards ardents à la lueur du feu. Nous étions tous impatients de faire notre part.

Le village n'était rien d'autre qu'un petit hameau de maisons rudimentaires au toit de chaume. J'imaginais déjà les soldats ennemis tapis à l'intérieur, menaçants. Le chaume brûlait facilement. J'ai ressenti un pincement de satisfaction en voyant le feu prendre et se propager aussitôt. Je brandissais mon couteau, prêt à affronter tout homme qui surgirait. Je me suis dirigé vers la masure suivante et j'ai tendu ma torche. J'ai entendu des cris derrière moi, mais ils se sont mêlés à mes propres rugissements de fauve.

À la troisième maison, les odeurs et les bruits que mes narines et mes oreilles percevaient ont peu à peu atteint mon cerveau, s'insinuant à l'intérieur tels des vers de terre. L'incendie avait créé une aube artificielle, mais à présent le soleil faisait naître l'authentique. Je distinguais parfaitement la maison devant moi. Je fonçais dessus instinctivement, la torche pointée en avant vers le bord du toit mais, contrairement aux autres, il ne s'est pas embrasé tout de suite. J'ai fait le tour pour essayer par un autre côté, quand j'ai été brutalement arrêté dans mon élan par une corde tendue en travers. J'ai cru avoir affaire à un piège, mais en reculant, j'ai vu qu'il s'agissait d'une corde à linge où étaient suspendus des vêtements. Une rafale de vent a dissipé un instant la fumée et j'ai découvert un jardin où s'entremêlaient plusieurs cordes à linge sur lesquelles séchaient des habits de petite taille dans l'air chargé de cendre.

Je suis retourné vers le devant de la maison, à la fois troublé par la vision de ces petits vêtements sur la corde à linge et furieux que ce toit refuse de s'embraser. La torche, qui semblait si lumineuse dans l'obscurité, avait l'air faible et factice à mesure que le soleil s'élevait dans le ciel. Le vent a chassé la fumée et je me suis aperçu que la plupart des jardins étaient traversés par des cordes à linge. Aucun soldat ne s'y cachait; ils n'étaient envahis que de pastèques, de melons et de linge en train de sécher. Certains jardins étaient déjà en feu.

Alors, je n'ai plus su que faire hormis incendier la maison. Je n'avais pas d'autre idée. L'action m'a aidé à surmonter mon désarroi. J'ai incendié la maison à partir de ses fondations, un solide cadre en bois, et songé involontairement à celui que nous avions construit pour notre propre maison. Je me suis précipité de l'autre côté et j'ai découvert un petit pan de chaume bien sec, prêt à s'embraser. Le feu a fini par prendre et les flammes ont léché le toit en crépitant. Il m'a semblé entendre des vagissements de bébé à l'intérieur.

Le feu a très bien pris. Je suis incapable de dire si l'émotion qui m'a submergé était due à l'horreur de la scène ou à l'orgueil. Je n'arrivais pas à bouger. Je n'arrivais pas à me détacher de la chaleur du brasier.

La maison m'apparaissait telle une tête à la chevelure en feu. Les deux fenêtres étaient les yeux et la porte la bouche. À ma stupéfaction, la bouche s'est ouverte et quelqu'un a surgi sur le seuil. C'était une jeune fille en chemise de nuit.

Lorsque j'y repense, j'essaie de la revoir avec détachement, comme l'inconnue qu'elle était alors, et non comme la jeune fille que j'aime. Mon souvenir l'a un peu transformée, j'en suis conscient.

Elle avait les cheveux longs et défaits, et elle a tourné la tête vers moi avec une expression des plus étranges. Elle devait savoir ce que j'avais fait. J'étais devant sa maison en feu, une torche à la main. La torche était éteinte à présent. Elle avait pourtant suffi à détruire sa maison et à ravir des vies. J'entendais le bébé pleurer derrière elle.

Je voulais faire sortir la fille de cette maison. Je voulais la voir partir en courant. Elle avait la grâce d'une biche, de grands yeux verts dans lesquels luisaient les flammes orangées. J'ai été pris de panique. Qui allait lui porter secours ?

J'avais changé de camp. J'étais horrifié. J'avais envie d'éteindre le feu. Un bébé allait probablement périr. Peut-être son frère ou sa sœur. Sa mère se trouvait-elle encore à l'intérieur ? « Va vite la réveiller, avais-je envie de lui crier. Je vais t'aider. »

Il me semblait ne plus savoir du tout qui était responsable de ce crime affreux, mais elle, elle le savait. Les flammes rugissaient, attisées par le vent qui les propageait. Elles dansaient autour d'elle.

– Cours ! lui ai-je crié.

Elle avait les yeux hagards et empreints de tristesse, mais dénués de la peur, de l'agitation et de la folie que reflétaient les miens. Son visage était aussi impassible que le mien était tourmenté. J'ai fait un pas vers elle, mais le rideau de chaleur était infranchissable. Les flammes virevoltaient et se dressaient entre nous.

Elle a dirigé son regard vers les masures et les jardins qui brûlaient alentour, puis sur moi. Elle a tourné la tête et jeté un coup d'œil à l'intérieur de sa maison en feu. J'ai prié pour qu'elle sorte. Il était inconcevable que sa fin fût imminente. Elle est rentrée dans la maison.

– Non ! ai-je hurlé.

La bouche de la maison était de nouveau béante. Quelques secondes plus tard, la charpente s'est soulevée avant de s'affaisser, tandis que les flammes poursuivaient leur œuvre funeste.

– Je suis désolé, me suis-je entendu lui crier. Je suis désolé, ai-je répété en araméen, pensant qu'elle pouvait comprendre cette langue. Je suis désolé. Je suis désolé.

J'étais dans un état d'insensibilité quasi totale lorsque nous avons regagné notre camp de base, mais j'ai néanmoins remarqué une épaisse fumée à l'horizon. Je me suis rappelé, confusément, que nous n'avions pas rejoint le gros de la troupe, et à mesure que nous nous approchions de la fumée, j'en ai compris la raison. J'étais trop sidéré pour réfléchir ou faire attention à ce que je disais.

– Ce n'était pas le bon village, ai-je déclaré.

Seul mon frère m'a entendu. Il avait dû voir ce que j'avais vu et savoir aussi bien que moi ce que je savais.

– Si, a-t-il répliqué fermement.

Ma détresse était telle à ce moment que je n'ai pu que répéter la même chose :

– Ce n'était pas le bon village.

– Si, a-t-il insisté.

Il n'a pas manifesté la moindre culpabilité, le moindre doute, le moindre regret, seulement de la colère à mon égard, et j'aurais mieux fait de me taire et de ne plus jamais reparler de cette nuit.

J'ai été le témoin de maintes morts et maintes tragédies. J'en ai causé un bon nombre depuis. Mais je n'ai plus jamais ôté la vie à des innocents. Je n'ai plus jamais été responsable de la disparition d'une telle beauté ni éprouvé une telle honte. J'essaie de garder mes distances, mais je continue à ressentir un malaise au fond de mon âme quand j'y repense et ce malaise ne faiblit pas avec le temps.

L'odeur âcre du bois calciné, du bitume et de la chair était si puissante qu'elle s'est inscrite irrémédiablement dans mes narines. La fumée gris cendré m'a voilé la vue et a altéré mes sens à tout jamais.

CHARLOTTESVILLE, VIRGINIE, 2006

– Qu'est-ce que tu peux être rabat-joie, ma vieille. Allez, viens...

– Ça fait deux nuits que je ne dors pas, se défendit Lucy. Cet endroit est un véritable dépotoir! Il faut que je fasse le ménage.

Marnie contempla leur petite chambre universitaire.

– Tu ne peux pas la nettoyer sans moi, parce que je vais me sentir coupable. On s'en occupera demain. Allez, viens. Jackie et Soo-Mi sont déjà en bas. Il faut fêter ça.

– Et si je n'ai pas envie de fêter quoi que ce soit?

Lucy était effectivement rabat-joie, et comme elle était aussi superstitieuse, elle ne voulait pas fêter son diplôme avant de l'avoir tenu en main.

– Et si Lawdry s'aperçoit que j'ai rendu ma dissertation avec deux jours de retard?

La résistance de Lucy n'était qu'un fétu de paille face à la tornade qu'était la détermination de Marnie.

– Tiens. Mets tes chaussures, dit celle-ci en lui lançant ses sandales l'une après l'autre. Et prends un peu d'argent.

– Et en prime je vais devoir payer pour quelque chose dont je n'ai pas envie?

– Oui, vingt dollars. Il y a des tas de gens qui paient pour des choses qu'ils n'ont pas envie de faire. Le dentiste... La guerre en Irak... Les souris pour nourrir le serpent de Dana...

– On ne peut pas dire que tu sois encourageante!

Lucy prit son sac et mit ses chaussures, mais pas les sandales que lui avait lancées Marnie. Elle avait retrouvé assez d'énergie pour se rebeller un tout petit peu.

– Ne t'en fais pas pour Lawdry. Il t'adore, conclut Marnie en ouvrant la porte et poussant Lucy dehors.

– Non, ce n'est pas vrai.

– Si, si, je le crains.

– On prend quelle voiture?

– La tienne.

– Je vois...

Sur la route 53, en direction de Simeon, le soleil déclinait, illuminant le toit plat d'un grand magasin de décoration. Marnie mit à fond une des géniales compiles de rap de son frère Alexander, tandis que Jackie et Soo-Mi ouvraient des bières à l'arrière du véhicule.

– Chez qui on va? cria Lucy pour couvrir le vacarme.

– Mme Esme, répondit Marnie tout en déchiffrant dans la semi-pénombre les indications notées sur un bout de papier. À trois kilomètres, tourner vers Bishop Hill.

– Tu n'as pas envie de rester sobre pour ta consultation à vingt dollars, chez la voyante? interrogea Lucy en lançant un regard à Soo-Mi dans le rétroviseur.

Celle-ci leva sa bouteille de bière.

– Non, pas spécialement.

– C'est vraiment là que tu nous emmènes? demanda Lucy en s'engageant sur une route gravillonnée flanquée de mobile homes plus ou moins vétustes, dont certains réduits à l'état de carcasses rouillées.

Marnie essayait de trouver l'endroit.

– Vous voyez des numéros? On va au 232.

– Je crois que c'est là, dit Lucy en arrivant à la hauteur d'un vieux mobile home entouré d'un treillis croulant sous les rosiers grimpants.

Il avait dû être équipé de roues autrefois, mais aujourd'hui il semblait condamné à l'immobilité totale.

– Vous croyez que ce sont des vraies roses ? s'étonna-t-elle.

– Je crois que oui, répondit Marnie.

– Je crois que non, objecta Lucy en se garant.

Mme Esme les attendait sur le pas de la porte, telle que Lucy se l'était imaginée : une longue robe verte, un gros chignon, beaucoup de rouge à lèvres, de grands gestes théâtraux.

– On commence par qui ? s'enquit la voyante.

– Marnie, c'est toi qui as tout organisé, dit Jackie. Vas-y.

– Vous pouvez vous asseoir ici en attendant, dit Mme Esme en indiquant un minuscule salon-cuisine avec une table en bois peint et quatre chaises dépareillées. Suivez-moi, ajouta-t-elle à l'adresse de Marnie.

Elles disparurent dans une pièce faiblement éclairée par la flamme vacillante de quelques bougies, avant que la voyante ne referme la porte sur elles.

– Qu'est-ce qu'on fiche là ? s'exclama Lucy en s'asseyant sur une chaise pliante.

– Alicia Kliner dit qu'elle est vraiment époustouflante, chuchota Soo-Mi.

Lucy ne comprenait absolument pas ce qu'il pouvait y avoir de si époustouflant. Sa mère allait tous les deux ans consulter des voyantes et elle était chaque fois époustouflée de s'entendre dire : « Vous vous sentez en paix au bord de l'eau. Les livres sont la nourriture de votre âme. Vous ne pouvez vous empêcher de faire le bien autour de vous. » Sa mère était également époustouflée par la polarité, les chakras, les massages plantaires et autres sujets de prédilection de certaines émissions télévisées. Lucy la soupçonnait de se laisser époustoufler par tout et n'importe quoi.

Lucy était assez contente d'être la dernière à passer avec la fameuse Mme Esme, mais elle avait du mal à garder les yeux ouverts. Surtout quand Marnie réapparut, l'air entendu, tout en déclarant qu'elle ne pouvait rien dire avant que tout le monde n'ait eu sa consultation.

– Allez, raconte.

– Je peux pas. Je t'assure.

– Qui compte le plus pour toi? Moi ou Mme Esme?

– Ne m'oblige pas à choisir.

Lucy secoua la tête et la reposa sur la table.

La voyante finit par émerger pour la troisième fois et laissa sortir Jackie.

– Je suis à vous, dit-elle à Lucy.

Celle-ci se leva en bâillant. La petite pièce n'était en effet éclairée que par trois bougies tremblotantes, posées sur une table de jeu. Deux chaises pliantes les attendaient près de la table. À mesure que ses yeux s'habituaient à l'obscurité, Lucy distingua deux étagères chargées de vêtements. Des pulls, des pantalons et une pile de chaussettes. C'était plus qu'elle n'en attendait et cela entama sérieusement le caractère mystérieux de la situation. Il y avait aussi une affiche, mais elle était en partie masquée par une étagère.

Mme Esme ferma la porte et s'assit. Lucy prit place en face d'elle. La voyante ferma les yeux et tendit les deux mains, paumes en l'air. Lucy ne savait pas très bien ce qu'elle était censée faire.

– Donnez-moi vos mains, ordonna Mme Esme.

Lucy obéit avec quelque hésitation. Les mains de la voyante étaient chaudes et se refermèrent sur les siennes avec une énergie étonnante. C'était assez difficile à dire à cause de l'épais maquillage, mais en étant si près d'elle et les mains dans les siennes, Lucy eut la sensation que Mme Esme ne devait pas être beaucoup plus âgée qu'elle. Comment en était-elle arrivée à exercer cette activité ? Cela exigeait un certain aplomb et une bonne dose de culot.

Les yeux fermés, la voyante se balança d'avant en arrière. Comme performance, ce n'était pas vraiment terrible. Mais que demander de plus pour vingt dollars ? Lucy tenta de réprimer un nouveau bâillement.

Esme ouvrit la bouche, comme pour dire quelque chose, puis la referma. Elle resta silencieuse pendant un long moment assez gênant. Lucy essaya d'entendre ce que disaient ses amies de l'autre côté de la porte.

– Je vois une flamme, des lumières rouges, beaucoup de bruit, finit par déclarer Esme. Il s'agit d'un lycée ?

– Je n'en sais rien.

Tout ce qu'elle savait, c'était qu'elle était fatiguée et de mauvaise humeur, et qu'elle n'avait pas particulièrement envie de se prêter à ce jeu.

– On dirait bien un lycée, insista la voyante. Beaucoup de monde qui court dans tous les sens, mais vous êtes seule.

Ça, Lucy s'y attendait un peu. « Vous êtes seule parmi la foule. Vous êtes plus timide qu'on ne le croit. » Le baratin classique des voyantes.

Les yeux de Mme Esme roulèrent sous les paupières jusqu'au moment où ils s'immobilisèrent. Son expression changea du tout au tout.

– Vous n'êtes pas seule. Il est là, avec vous.

– D'accord...

Lucy se demanda si elles n'en étaient pas déjà arrivées à la phase « j'exauce tous les vœux des amoureux » de la séance.

– Il vous attendait. Pas seulement là, maintenant, mais depuis longtemps.

Esme resta silencieuse quelques instants. Le silence s'éternisa et Lucy se demanda si c'était terminé. Mais Esme reprit la parole et, cette fois, sa voix était différente, plus basse et grave :

– Vous n'avez pas voulu l'écouter.

– Pardon ?

– Il essayait de vous dire quelque chose. Il avait besoin de vous à ce moment. Pourquoi ne l'avez-vous pas écouté ?

Sa voix était plus aiguë à présent, et plaintive.

– Écouté qui ? demanda Lucy en se raclant la gorge. Je ne vois pas très bien de quoi vous parlez.

– Un bal. Une fête. Quelque chose dans le genre... Je crois que vous aviez peur. Mais quand même..., poursuivit Esme en lui serrant les mains un peu trop fort à son goût.

Lucy ne tenait pas particulièrement à savoir à quoi Esme faisait allusion. Elle-même ne devait pas savoir ce qu'elle disait. Elle se contentait de lancer des pistes. Elle débitait des banalités et allait à la pêche en attendant que Lucy morde à l'hameçon.

– Vous auriez dû écouter.

– Écouter quoi ?

Une voyante était-elle supposée prodiguer des conseils ?

– Ce qu'il vous disait.

La voix d'Esme était encore plus grave et plus étrange, son état de transe de plus en plus convaincant. Lucy eut une envie irrésistible et sadique de lui donner un coup de pied sous la table.

– Parce qu'il vous aimait.

– Qui m'aimait ?

En général, les voyantes ne donnent jamais de noms. Elles attendent qu'on les leur propose.

– Daniel, répondit-elle.

Lucy inspira profondément et se cala contre le dossier de la chaise.

– Qui ça ?

– Daniel.

– D'accord..., dit-elle lentement en se penchant en avant et en faisant craquer sa chaise.

Mais que savait donc cette femme à son sujet ? Les avait-elle croisés au lycée ? Marnie lui avait-elle fourni quelque indice ?

– Daniel voulait que vous vous souveniez. Il vous a embras-sée, et en effet vous vous êtes souvenue, l'espace de quelques secondes, n'est-ce pas ? Mais vous vous êtes enfuie en cou-rant.

Marnie n'avait pas pu lui raconter ça. Personne ne l'aurait pu. Lucy se sentit envahie par une peur irrépressible, suivie d'une brusque nausée tandis que son cerveau galopait pour trouver une explication rationnelle. Elle n'avait plus envie de parler. Elle voulait que ça s'arrête, mais Esme n'en avait pas terminé avec elle.

– Vous avez dit que vous alliez essayer. Quand vous étiez Constance, vous avez promis de vous souvenir, mais vous n'avez pas tenu votre promesse. Vous n'avez même pas essayé.

Lucy sentit des larmes brûlantes lui monter aux yeux. Deux ans plus tôt, elle avait décidé d'oublier cette fameuse nuit, elle l'avait reléguée au fond d'un placard fermé à dou-ble tour. Comment cette femme avait-elle pu en avoir eu connaissance ?

– Il se sentait seul. Vous le savez. Vous êtes Sophia, son grand amour, et vous lui avez dit que vous essayeriez..

– De quoi étais-je censée me souvenir ?

Lucy ne reconnaissait presque plus sa propre voix, un filet de voix qui sortait on ne sait d'où, ténu et aérien.

– Vous étiez censée vous souvenir de... *lui*, rétorqua Esme avec force et indignation. Vous étiez censée vous rappeler combien vous l'aimiez. Il vous avait dit qu'il reviendrait, et vous lui aviez promis de vous souvenir de lui.

La tête d'Esme vibrait presque, et même si elle tenait toujours fermement les mains de Lucy, la jeune fille eut la nette sensation que le reste de son corps était ailleurs, loin, très loin.

– Pendant la guerre. Vous l'avez soigné. Il ne pouvait plus respirer. Vous saviez qu'il était en train de mourir. Il ne voulait pas vous quitter, mais vous lui avez dit que vous ne l'oublieriez jamais. Vous avez oublié et il s'est souvenu. Il vous a expliqué ce qu'il était. Il vous a fait confiance. Vous le savez, n'est-ce pas?

Lucy eut un mouvement de recul. Elle se sentait attaquée et critiquée.

– Non, je ne sais rien.

Cette jeune femme avait contourné les défenses de Lucy.

– Vous savez ce qu'il est. Vous comprenez.

– Non! Qu'est-ce qu'il est?

– S'il vous plaît... Vous êtes Sophia et il a besoin de vous.

– Ça suffit! Qui est Sophia? Pourquoi me parlez-vous tout le temps d'elle?

Aujourd'hui comme hier, Daniel avait réussi une fois de plus à lui faire peur.

– C'est de vous que je parle.

– Non! Je suis Lucy, protesta-t-elle avec véhémence.

Un jour, elle avait vu un film où il était question d'une fille qui souffrait d'un dédoublement de la personnalité. De même, Lucy avait l'impression que ce n'était pas elle qui écoutait Esme et lui répondait, et cette simple idée la terrifia.

– Aujourd'hui, vous êtes Lucy, mais avant...

– Avant quoi?

– Il faut que vous le retrouviez.

– Mais comment? Je ne lui ai parlé qu'une seule fois! Je ne le connais même pas.

– Si, vous le connaissez. Ne mentez pas.

Lucy retira ses mains d'un coup sec.

– On peut arrêter, non ?

Elle perçut l'écho de ses larmes, son propre trouble déchirant, celui de sa trahison personnelle. De quel droit une voyante pouvait-elle vous faire des reproches ? Elle serra ses bras autour d'elle, comme pour retrouver une certaine unité, une cohérence.

Esme rouvrit les yeux et dévisagea Lucy, l'air étonné de la trouver en face d'elle. Elle battit plusieurs fois des paupières. Les deux jeunes femmes se regardèrent comme si elles se voyaient pour la première fois.

– Vous devriez le retrouver parce qu'il vous aime, susurra Esme, revenant peu à peu à la réalité.

C'était pire lorsque Esme avait les yeux ouverts et fixés sur elle. Lucy ne voulait pas que les mots se gravent en elle. Mais c'est pourtant ce qui arriva.

– Ça fait longtemps que je ne pense même plus à lui, affirma-t-elle dans l'espoir qu'Esme accepterait d'oublier ce qui venait de se passer.

La situation était extrêmement désagréable pour toutes les deux. Et Lucy devait encore lui payer sa consultation.

Esme lui jeta un regard de vif reproche. Elle avait perdu son air juvénile. Oui, malgré ses yeux trop fardés, on aurait dit le juge le plus vieux du monde.

– Comment osez-vous dire ça ?

Lucy secoua la tête. Elle aurait tellement aimé ne pas pleurer. Elle aurait tellement aimé faire comme si elle n'avait pas peur, comme si elle ne croyait pas un mot de ce qu'elle venait d'entendre.

– Je ne sais pas…

Et c'était la stricte vérité.

Nicée, Asie Mineure, 552

Je vous ai parlé de la fille du village situé près de Leptis, en Afrique du Nord, au cours de ma première vie. Ma deuxième existence a commencé une trentaine d'années plus tard, dans une autre région de l'Anatolie. Certaines vies ont tendance à se situer dans un même territoire, voyez-vous. Cette deuxième vie, vue de l'extérieur, a été assez banale, mais dans mon esprit, elle a été extraordinaire. Pourtant, elle avait commencé plutôt normalement. Je ne savais pas encore ce que j'étais : une exception.

Mais dès que j'ai été en âge de réfléchir, ou du moins en âge de me rappeler toutes mes pensées, j'ai resongé à la fille de la petite maison au toit de chaume. J'ai revu son visage dans l'encadrement de la porte. Puis j'ai vu les flammes et j'ai compris ce que je lui avais fait subir.

Je pensais à elle dès que je fermais les yeux. Je criais la nuit. Je pleurais en rêvant. J'ai commencé à penser à elle pendant la journée aussi. Je n'avais que deux ou trois ans et n'étais pas assez grand pour avoir conscience de ma culpabilité, de ma honte ou même de ce que représentait pour moi son visage. Mais j'en éprouvais toute l'horreur chaque jour, comme si tout cela m'était arrivé personnellement.

J'avais une mère douce et aimante en cette vie-là, mais même elle s'est lassée de moi à la longue. Je vivais dans un autre monde dont je ne parvenais pas à me détacher.

J'ai une mémoire exceptionnelle, mais je ne suis pas le seul dans ce cas, même si elle n'a jamais été égalée. J'ai connu en Saxe un petit garçon, Karl, qui habitait avec sa famille à quelques maisons de chez moi. Un jour, quand il était tout petit, sa mère est venue chez nous pour nous apporter ou nous emprunter quelque chose, je n'ai pas prêté attention à ce détail, et Karl a aperçu mon couteau, mon bien le plus précieux. Je devais avoir dix ou onze ans à l'époque, et il n'en avait même pas trois. Ce petit garçon, qui savait à peine parler, m'a suivi dans le jardin, brûlant de me raconter comment, sur une route de Silésie, un brigand lui avait donné trois coups de poignard dans les côtes. Il a remarqué mon air stupéfait et a voulu à tout prix me faire comprendre son histoire. Il n'arrêtait de me répéter en écartant les bras : «Pas maintenant, mais avant, quand j'étais grand... Quand j'étais grand.»

Il a soulevé sa chemise et a rentré le ventre pour me montrer la cicatrice en dents de scie sur son thorax. Inutile de dire que j'étais fasciné et ébahi par tout cela, et je l'ai assailli de questions. J'ai cru avoir enfin rencontré un semblable. Lorsque sa mère est venue le chercher, le voyant si exalté, elle m'a jeté un long regard douloureux.

– Est-ce qu'il t'a parlé du voleur qui l'a agressé sur la route? m'a-t-elle demandé avec lassitude.

J'ai dû partir peu de temps après pour entrer en apprentissage chez un forgeron, dans un village situé à plusieurs kilomètres. Je n'ai plus revu Karl pendant cinq ans, mais je n'ai jamais cessé de penser à lui. Quand je l'ai revu, je lui ai immédiatement parlé de ses coups de couteau. Il m'a regardé d'un air intéressé, mais sans le moindre souvenir de l'incident.

– Le voleur sur la route, en Silésie..., lui ai-je rappelé. La cicatrice sur ta poitrine...

Cette fois, c'était moi qui cherchais désespérément à le convaincre.

Il m'a regardé en secouant la tête.

– Je t'ai vraiment raconté tout ça ? s'est-il étonné avant de repartir en courant jouer avec ses amis.

J'ai découvert depuis qu'il n'est pas si rare que de très jeunes enfants conservent des souvenirs de leurs vies antérieures, surtout s'ils ont subi une mort violente lors de la dernière en date. Souvent cette violence les incite plus que d'autres à communiquer. En général, ils expriment leurs souvenirs antérieurs dès qu'ils savent parler et les ressassent pendant deux ans. Et, habituellement, à mesure que le temps passe, ils s'éloignent toujours plus de leur mort précédente, et leurs parents sont soit effrayés soit simplement lassés de ces histoires. Les souvenirs finissent par s'estomper et ils les mettent de côté. Ils font de nouvelles expériences. Aux alentours de l'âge de raison, vers sept ou huit ans, ils ont presque tous oublié et poursuivent leur chemin.

Je me suis beaucoup documenté et sérieusement penché sur la question. Des savants ont recueilli des milliers de témoignages et étudié des milliers de cas de ce genre. Mais les meilleurs d'entre eux rechignent à révéler ce que cela signifie véritablement. Et qui pourrait les en blâmer ? Je sais mieux que quiconque combien il est inutile d'essayer de convaincre des êtres rationnels.

Mon cas était différent. En ce qui me concerne, en grandissant, ma mémoire n'a cessé de se développer et mes souvenirs d'affluer. Plus s'affirmaient mes capacités de raisonnement, plus je me rappelais des choses, les petites comme les grandes, les noms, les lieux, les odeurs. C'était comme si ma mort n'avait été qu'un long sommeil après lequel, à mon réveil, tout me serait revenu à l'esprit. Je ne me rappelle pas ces choses comme étant arrivées à quelqu'un d'autre, mais bien à moi. Je me souviens des paroles que j'ai prononcées et des sentiments que j'ai éprouvés. Je me souviens de moi-même.

Vers l'âge de dix ans, j'ai compris que je n'étais pas comme tout le monde, mais j'ai cessé d'en parler. Je savais que j'avais vécu d'autres vies. Je n'avais aucun besoin de convaincre qui que ce soit pour être persuadé de cette vérité. Je me demandais si les autres avaient vécu d'autres vies ou si j'étais le seul à avoir fait cette expérience. Je me demandais si j'étais une anomalie dans le vaste dessein de Dieu, qui serait rectifiée à la fin de ma vie.

J'ai toujours un peu l'impression d'être une anomalie et j'attends toujours qu'elle soit rectifiée.

Dans toutes mes vies, cela a commencé sensiblement de la même manière : mon esprit baigne dans les brumes de la petite enfance, quand soudain, inévitablement, je vois son visage apparaître dans l'encadrement de la porte. Je la distingue de plus en plus nettement, elle est de plus en plus présente, et je vois les flammes. Je me contrains à ne plus en être aussi bouleversé. Je sais ce qui va se produire, et je me dis : «C'est encore moi.» Toutes mes vies commencent avec elle, mon péché originel. Je me reconnais et me retrouve à travers elle.

CHARLOTTESVILLE, VIRGINIE, 2006

– Qu'est-ce qui se passe ? lui chuchota Marnie en sortant du mobile home.

– Rien, répliqua Lucy sans la regarder.

Elle tira doucement la porte derrière elle, s'assurant qu'elle était bien fermée et que l'étrange atmosphère du lieu y resterait confinée. Jackie et Soo-Mi les attendaient à la voiture.

– C'était si atroce ? Pourquoi tu me racontes pas ce qu'elle t'a dit ?

– Parce que c'était rien que des conneries.

Lucy avait du mal à mentir à Marnie, et encore plus si elle croisait son regard. Elle garda donc la tête basse.

Il faisait nuit, mais la lumière qui venait de la fenêtre du mobile home éclairait les roses. Certaines étaient en plastique, entrelacées dans le treillis blanc sale et, en y regardant de plus près, Lucy s'aperçut qu'il y en avait également des vraies, de belles roses roses qui se frayaient un passage entre les fausses, en quête de lumière et d'espace vital.

– Quel genre de conneries ? Ça va pas ?

Mais Marnie ne cherchait pas à embêter son amie. Elle la connaissait trop bien pour savoir qu'elle était sincèrement ébranlée. Il devenait d'autant plus difficile, et nécessaire, à Lucy de la rembarrer.

– Alors comme ça, il paraît que j'aime bien l'eau, raconta Jackie. Et que je suis mon meilleur guide.

– Ah, non! C'est moi qui suis mon meilleur guide! objecta Soo-Mi.

Marnie essayait de se rappeler ce que Mme Esme lui avait dit.

– Je crois bien que moi aussi, je suis mon meilleur guide.

– Vous trouvez que ça vaut vingt dollars? demanda Jackie.

– Peut-être pas, mais est-ce que ton énergie circule bien? s'enquit Soo-Mi.

– Oh, non! s'exclama Jackie en éclatant de rire. Moi aussi elle circule très bien. C'est grave, ça?

Marnie n'avait pas quitté Lucy des yeux, et cette dernière comprit qu'il serait opportun de rire ou du moins de sourire. Ce qu'elle s'efforça de faire.

– Ça t'ennuie de conduire? demanda-t-elle à Marnie.

– Non, non, répondit-elle en lui prenant les clés des mains, toute disposée à la laisser tranquille un moment.

Lucy s'assit à l'avant, côté passager, et colla sa joue brûlante contre la vitre froide pendant tout le trajet.

– Et toi, Lucy, tu es aussi ton meilleur guide? voulut savoir Soo-Mi, réalisant qu'on ne lui avait pas posé la question.

– Non, murmura Lucy, si lasse qu'elle avait le plus grand mal à soulever la tête. Mais ça m'étonnerait...

Lucy quitta discrètement Whyburn House dès leur retour. Elle déambula dans le campus plongé dans l'obscurité. La plupart des élèves étaient à des fêtes ou faisaient leurs valises. Certains étaient déjà partis. Quelques-uns étaient probablement en train de terminer en vitesse leurs mémoires. Elle remonta Jefferson Park Avenue jusqu'au village académique, traversa la grande pelouse vers l'un de ses jardins préférés, à l'ouest, et se jucha sur le mur serpentin construit par son idole, Thomas Jefferson. Une douce brise ou quelques gouttes de pluie lui auraient fait le plus grand bien. Elle n'était plus la même.

Elle s'allongea sur le mur courbe. Elle était fatiguée, mais redoutait de s'endormir. Daniel avait trouvé le moyen de s'immiscer dans ses rêves et elle était persuadée qu'il interviendrait cette nuit d'une manière ou d'une autre pour la déstabiliser.

«Pas de rêves cette nuit», s'ordonna-t-elle. Et cela fonctionna étonnamment bien. Depuis l'age de neuf ans, où elle avait regardé une émission épouvantable avec des requins, elle avait trouvé une technique efficace pour ne plus faire de cauchemars. À seize ans, alors qu'elle était en train de rédiger son exposé sur *Jane Eyre*, elle avait demandé à ses rêves de lui donner des idées ou des réponses à ses questions. Cela marchait quelquefois.

Encore Sophia. Une guerre. Un hôpital où elle le soignait. Tels étaient les éléments disparates qu'elle gardait au fond d'elle-même, détachés de tout vécu, de toute discussion, ou de tout souvenir réel. Il n'était pas normal non plus qu'ils aient pu exister en dehors d'elle.

Était-elle folle? Avait-elle tout imaginé? Mme Esme n'avait dit que des banalités aux trois autres filles. Avait-elle fait la même chose avec Lucy, dit des banalités qu'elle avait enjolivées en quelque chose de fantastique? Et tout en se posant ces questions sur sa santé mentale, elle fut forcée de se demander si Daniel existait pour de vrai. Ou n'était-il qu'un personnage romantique, issu de l'imagination d'une jeune fille qui rêvait de rencontrer un bel inconnu?

La crainte d'être fou était-elle le signe qu'on ne l'était pas? Ou pas complètement? Elle opta pour la deuxième hypothèse

Plus tard, dans sa chambre d'étudiante, elle prit une douche. Il arrive que cela ait des effets bénéfiques.

– Tu as envie de me parler ? lui proposa Marnie alors que Lucy grimpait dans son lit, enveloppée dans sa serviette de bain.

– Je vais essayer...

Elle se mit à gratouiller son vernis à ongles orange. C'était très amusant quand on en avait deux ou trois couches, mais Lucy n'en avait qu'une et elle dut s'escrimer sur ses ongles sans plaisir aucun.

– Daniel existe-t-il pour de vrai ?

– Daniel ? Ton ancien flirt ?

– Oui.

– Je crois.

– Tu te souviens de lui, hein ?

– Je me souviens davantage de toi me parlant de lui.

– Tu ne t'es jamais demandé ce qu'il lui était arrivé ?

– Pas vraiment, non. Il y a de drôles de bruits qui ont couru. Mais je me suis bel et bien demandé ce qui t'était arrivé à la fête de fin d'études et pourquoi tu avais brusquement cessé de m'en parler.

Lucy hocha la tête. Elle jeta un regard autour d'elle. Bien qu'elles ne soient pas dans la même chambre que l'année précédente, elle lui ressemblait fort : les mêmes meubles en pin, les mêmes couvre-lits et coussins, la carpette crasseuse et râpée, les mugs qui traînaient sur leur bureau, les chaises, le désordre identique... Des livres différents mais posés aux mêmes endroits. Le même petit bazar en hommage aux Pink Floyd du côté de Marnie et, du côté de Lucy, les deux mêmes poteries qui dataient du lycée, le terrarium de Passe-Partout, et les deux mêmes photos encadrées : l'une d'elle et de Dana, prise à New York quand elles étaient petites, et l'autre en noir et blanc de ses parents le jour de leur mariage, devant la rotonde de l'université.

– Ensuite, tu as reporté tout ton amour sur Thomas Jefferson, lui rappela Marnie. Et, bien qu'il soit mort depuis longtemps, tu es beaucoup plus payée en retour !

Lucy ne démentit pas.

– J'ai cru que tu avais fini par tirer un trait sur Daniel et décidé de passer à autre chose, mais je m'aperçois que j'ai dû rater des épisodes.

Lucy secoua la tête.

– Je l'ai vu à cette fameuse soirée. Je lui ai parlé.

– Tu lui as parlé ? Vous avez échangé quelques mots ? Plus de deux ou trois ? Il a dit quelque chose ?

– Oui. Des tas de mots. C'est lui qui a parlé presque tout le temps.

– Pas possible !

Marnie s'assit en tailleur sur le lit de son amie et cala son oreiller entre ses genoux. Elle n'avait plus l'air fatiguée du tout.

– Et qu'est-ce qu'il t'a dit ?

Lucy ne se sentait pas capable de raconter son histoire telle quelle, mais elle fut bien obligée d'en confier quelques bribes à son amie.

– Est-ce que tu peux me promettre quelque chose ?

– Je ne sais pas, répondit Marnie en toute sincérité.

– C'est la première et la dernière fois que nous en parlons, d'accord ?

– On peut toujours essayer.

Lucy poussa un soupir.

– Il m'a embrassée.

– Tu plaisantes ?

– Non, je t'assure. J'ai moi-même du mal à y croire, dit-elle en se prenant le front. Quand j'y repense, je me demande si ce n'est pas un faux souvenir.

– Tu ne pourrais pas oublier une chose pareille, non ?

– Non, non. Mais c'était une drôle de soirée. J'ai vraiment eu l'impression de devenir folle. Il n'arrêtait pas de me répéter qu'il y avait quelque chose dont j'étais censée me souvenir. Et il m'appelait tout le temps Sophia.

– Peut-être qu'il ne savait pas qui tu étais. Il était bourré ?

– Un peu, d'une certaine manière. C'est possible... Il avait bu un tout petit peu aussi. Et je me posais toujours la même question : sait-il qui je suis ? Dans un sens, je suis certaine que oui. J'avais même l'impression qu'il me connaissait beaucoup mieux que moi-même.

– Que veux-tu dire ?

– Tout me semblait étrangement familier. Les choses qu'il me racontait, j'y avais déjà pensé avant, ou j'en avais rêvé.

– Lucy, je ne comprends pas pourquoi tu ne m'as jamais parlé de tout ça.

– Parce que ça me faisait peur. Je ne voulais plus y penser, et le fait de t'en parler aurait donné une réalité à ces choses. C'est cet été-là que j'ai commencé à avoir des crises d'angoisse, tu te rappelles ?

Marnie acquiesça.

– J'aurais quand même préféré que tu m'en parles.

Lucy gratta le vernis de son ongle de pouce.

– Je savais que tu trouvais que je perdais mon temps avec lui. D'abord, j'ai agi de façon totalement irrationnelle. Je le reconnais. Mais là, c'était encore autre chose. J'ai eu l'impression que mes fantasmes me faisaient exploser la tête. Je continue à me demander si tout cela a vraiment eu lieu. Pour te dire à quel point c'était bizarre. Soit il est dingue, soit c'est moi.

– J'opte pour lui !

– Je sais, répondit Lucy en s'allongeant.

Marnie savait la chambrer, mais elle savait aussi quand il fallait s'arrêter. Lucy se massa l'arrière du crâne contre le mur, consciente que l'écheveau serait de plus en plus embrouillé.

– Et ce soir, cerise sur le gâteau : ta Mme Esme ! J'aurais nettement préféré avoir affaire à un charlatan.

– Et moi, qu'elle ne le soit pas.

– Peut-être que c'en était un. Peut-être que notre énergie circule bien, après tout. Je le souhaite. Mais, moi, elle m'a dit autre chose.

– Quoi donc ? demanda gentiment Marnie.

Lucy savait qu'elle n'insisterait pas.

– Toujours ce nom : Sophia. Elle m'a parlé de Daniel et de cette soirée, et elle m'a presque reproché de ne pas l'avoir écouté ni d'avoir cherché à comprendre ce qu'il voulait me dire.

– Comment peux-tu savoir qu'elle parlait de Daniel ?

– Parce qu'elle me l'a dit !

– Elle a prononcé son nom ? demanda Marnie dont l'expression trahit une très légère inquiétude.

– Oui, je sais..., répondit Lucy en hochant la tête.

– Normalement, ça n'arrive jamais. Tu crois qu'elle a pu le connaître ?

Lucy secoua la tête, calée contre le mur.

– Pourquoi pas ? C'est possible.

– Ce serait une drôle de coïncidence. Mais ça pourrait expliquer les choses.

– Mais il n'y a pas que ça.

– Quoi d'autre ?

– Elle a dit des trucs sur Daniel que je connaissais. Des images que j'ai, des choses dont je rêve depuis longtemps. Depuis plus longtemps que je ne le connais. Comme, par exemple, quand il ne pouvait plus respirer. Je me revois penchée sur lui, sachant qu'il était en train de mourir. Je n'ai jamais raconté ça à Daniel.

Marnie était perplexe. Elles étaient là, entre elles, dans leur petite chambre, assises en tailleur l'une en face de l'autre, sur le lit de Lucy, le perchoir à partir duquel elles organisaient leur petit monde.

– Elle m'a dit que je devrais le retrouver.

– Que tu retrouves Daniel ? Mais pour quelle raison ?

– Parce que... parce qu'il m'aime.

– Elle t'a dit ça ?

Lucy acquiesça. Ça lui fit réellement quelque chose de l'avouer, mais ce n'était pas précisément agréable.

– Bon sang, cette femme m'a fourgué de l'énergie, et à toi du crack !

– Tu crois que je devrais le faire ?

– Quoi ? Retrouver Daniel ? demanda Marnie avant de faire une pause pour réfléchir. Je n'en sais rien... Tu en as envie ? ajouta-t-elle en mettant son oreiller en boule.

– Je ne sais pas...

– Tu as l'air si malheureuse.

Lucy approuva d'un signe de tête.

– Il y a deux possibilités.

Lucy hocha de nouveau la tête ; elle ne se sentait plus la force de parler et sut gré à Marnie de prendre le relais.

– Soit tu essaies de retrouver Daniel pour voir de quoi il retourne. Soit tu remballes toute cette histoire et tu essaies de l'oublier.

Lucy n'eut pas besoin de réfléchir longtemps.

– Je voudrais l'oublier.

Constantinople, 584

C'est dans la grande cité de Constantinople que ma troisième vie a commencé et s'est achevée et, bien que misérable, violente et brève, elle a comporté un événement capital : j'ai reconnu quelqu'un, autre que moi-même, d'une de mes vies antérieures. Et, naturellement, c'était la jeune fille d'Afrique du Nord.

Avant ce jour, j'avais croisé bien des gens qui m'étaient familiers. J'en étais arrivé à croire que je ne devais pas être le seul à revenir sur cette terre. Il y avait certaines personnes que j'étais sûr et certain d'avoir connues. Un de mes très jeunes frères m'avait fait irrésistiblement penser à un voisin décédé. Mais je ne savais pas encore comment reconnaître une âme et j'ignorais même que c'était possible.

J'avais onze ans environ, et je me trouvais auprès d'un éventaire, sur un marché non loin du Bosphore. Il s'est produit une certaine agitation à quelques mètres de moi, lorsque est passée une longue colonne de domestiques escortant et portant une litière. Je me suis approché parce que j'étais curieux. Je les ai même suivis à une certaine distance. Je savais que, si je m'approchais trop, ils me chasseraient comme une mouche. Mais je voulais voir.

Les rideaux étaient d'un tissu fin que soulevait le vent par intermittence. Chaque fois, je découvrais un genou, une main ou la manche d'un vêtement richement brodé. Il s'agissait assurément d'une femme, et très probablement d'une princesse. Je n'imaginais personne de plus raffiné et distingué qu'une princesse.

À un certain moment, les domestiques ont obliqué, et j'ai entraperçu des doigts, puis un visage qui jetait un regard furtif au-dehors. J'ai su instantanément et sans le moindre doute qui elle était. J'ai dû avoir un mouvement de recul, émettre un petit cri de surprise, car elle m'a regardé. La courbe de son cou, ses yeux noirs qui me fixaient... Ce n'était pas précisément les mêmes traits, mais c'était la même jeune fille. Elle était alors plus âgée que moi et devait avoir au moins vingt-cinq ans.

Je ne peux expliquer comment je savais que c'était elle. Les années précédentes, j'avais appris à reconnaître les âmes d'une vie à l'autre. C'est extrêmement troublant, mais c'est ainsi. En outre, je ne suis pas le seul en mesure de le faire. Ce n'est pas très différent de la façon dont on peut reconnaître quelqu'un à soixante ans d'intervalle, bien que ses traits se soient considérablement altérés avec l'âge. Un ordinateur serait incapable de le faire, mais nous oui ; et les animaux également.

Que reconnaissons-nous donc ? L'âme est une chose mystérieuse. Elle ne l'est pas moins à mes yeux, quoique j'aie vu la mienne et tant d'autres se réfracter dans des centaines de corps au fil du temps.

À la lumière de ma propre expérience, je sais combien les âmes se révèlent dans nos traits et notre corps. Voyez, par exemple, les gens assis autour de vous dans un train. Choisissez un visage au hasard et observez-le attentivement. C'est encore mieux si le sujet est âgé et parfaitement inconnu. Demandez-vous ce que vous savez de cette personne et, si vous êtes suffisamment ouvert, vous vous apercevrez que vous savez beaucoup de choses. Nous nous protégeons de toutes les vérités que nous transmettent les inconnus autour de nous. Il se peut donc qu'en commençant à observer véritablement, vous vous sentiez un peu mal à l'aise et déstabilisé par la masse des informations. Plus on vit, plus on a tendance à simplifier, de sorte que lorsqu'on baisse sa garde, la complexité est déroutante. Il existe une certaine catégorie d'individus, souvent des poètes ou des guérisseurs, ou encore des gens en contact avec les animaux, qui ont cette capacité de percevoir la complexité. Je les admire et ils ont toute ma sympathie, mais je ne suis plus comme eux. J'ai beaucoup pratiqué la simplification dans ma vie.

Donc, en observant attentivement le visage d'un inconnu, on peut déterminer assez précisément son âge, son origine et sa classe sociale. Et, en l'observant davantage, si l'on s'autorise à voir véritablement, toutes sortes de subtilités apparaîtront. Les doutes, les compromis, les déceptions, petites et grandes, se fixent généralement autour des yeux, mais il n'y a pas de règle en la matière. Les espoirs se concentrent la plupart du temps autour de la bouche, de même que l'amertume et l'obstination. On décèle le sens de l'humour vers les sourcils, ainsi que l'aveuglement sur soi-même. Si vous ajoutez à vos observations le port de tête, la position des épaules, celle du dos, vous en aurez appris encore davantage.

Il s'agit là des caractéristiques de l'âme engrangées au cours des ans, qui se retrouveront d'une vie à l'autre. Au moment où une personne aura atteint un très grand âge, l'âme aura imprégné son corps à un point tel qu'elle aura exactement la même apparence au même âge, si elle est amenée à l'atteindre, lors de toutes ses vies. Elle n'aura presque plus à se soucier de sa nouvelle enveloppe corporelle. Ce qui ne signifie pas que les âmes ne changent ni n'évoluent dans le temps, car c'est bien ce qu'elles font.

La première fois que l'on rencontre une personne connue dans un corps nouveau provoque une sensation très étrange et même gênante, mais on finit par s'y habituer. On commence par reconnaître les points distinctifs où l'âme s'exprime : les yeux, naturellement ; les mains, le menton, la voix. Reste à savoir ce que nous voulons bien livrer de nous-mêmes aux regards d'autrui, et c'est là que réside toute la difficulté !

C'était en effet plus que troublant de croiser cette jeune femme sur le marché, près du Bosphore. Je me suis spontanément lancé à sa poursuite. J'ai saisi les rideaux de mes mains sales et m'y suis agrippé sans cesser de courir.

– Je... je... J'étais... Tu étais... Je voudrais...

J'étais incapable de lui communiquer ce qui nous liait.

– Tu te souviens de moi ?

En lui posant cette question si naïve, je ne faisais aucune différence entre ce que j'avais vécu et ce qu'elle avait pu vivre.

J'ignore pourquoi j'ai dit cela. Si j'avais réfléchi davantage, jamais je n'aurais tenu à ce qu'elle se souvienne de moi.

Je doute qu'elle m'ait compris. Je ne me rappelle même pas en quelle langue je me suis adressé à elle. Quoi qu'il en soit, il n'a pas fallu plus de quelques secondes pour que l'un de ses imposants domestiques ne me tombe dessus. J'étais petit et fluet ; il m'a soulevé de terre et m'a jeté de l'autre côté de la ruelle. Puis il est venu vers moi et m'a donné des coups de pied dans les côtes et dans le ventre.

– Arrêtez ! s'est-elle écriée en ouvrant les rideaux.

Le pied du malabar était déjà levé et s'écrasait sur mon visage.

– C'est l'épouse de notre magistrat, insolente vermine ! a-t-il grommelé.

Elle est descendue de sa litière, à la stupéfaction de son escorte, tandis que les badauds commençaient à approcher.

– C'est un enfant ! Je vous interdis d'y toucher, a-t-elle ordonné en s'exprimant dans un grec raffiné.

– Je suis désolé, me suis-je excusé, également en grec.

Elle s'est penchée vers moi et m'a caressé la joue. Je sentais le sang chaud couler de mes narines. J'avais une telle dette envers elle alors que je n'aurais dû lui inspirer que du dégoût, mais elle s'est montrée douce et charitable. Je me demandais comment faire pour me racheter auprès d'elle.

– Je suis désolé, ai-je répété, en araméen cette fois, dans cette langue que j'avais utilisée pour m'excuser auprès d'elle la première fois.

J'ignore si cela a éveillé en elle le moindre souvenir. Je pouvais toujours l'espérer. Mais elle avait l'air triste.

– Je suis désolée pour toi, m'a-t-elle répondu en se relevant. Reconduisez-le chez lui, auprès de sa mère, a-t-elle ordonné à une servante avant de disparaître derrière les rideaux de sa litière.

Je n'avais alors ni chez-moi, ni mère, de sorte que j'ai préféré échapper à sa servante avant qu'elle ne me frappe à son tour.

Tous les jours, pendant plus d'un an, je suis revenu au marché, auprès du même éventaire, dans l'espoir de la revoir. J'imaginais dans les moindres détails tout ce que je ferais en la voyant. J'écrivais toutes les choses que je lui dirais si j'avais la chance de l'approcher. J'avais trouvé un petit emploi chez un vendeur d'épices non loin, et lui achetais de menus trésors avec l'argent que je gagnais : une orange, un morceau de gâteau au miel. Mais jamais je ne l'ai revue. Je suis mort du choléra avant d'avoir eu cette chance.

Quand je regarde en arrière, c'est à compter de ce jour qu'a commencé le long enchaînement d'infortunes qui allaient me poursuivre durant des siècles : le fait que nos vies n'aient pas coïncidé dans le temps, qu'elle ait été l'épouse d'un autre, qu'elle m'ait oublié.

Malgré les coups que j'ai reçus, la voir a été le moment le plus doux de ma vie. J'étais complètement perdu et à la recherche de repères. Quand bien même n'était-elle qu'une illusion, cette illusion était réconfortante. Elle était revenue. Elle était de nouveau vivante, malgré ce que je lui avais fait subir. Elle était de nouveau belle. Elle était riche. Je pourrais donc de nouveau la voir ; et si ce n'était en rien une certitude, du moins était-ce une possibilité. Dans un sens, c'est alors que j'ai saisi toute la puissance régénératrice de la vie.

Je me suis accroché à l'idée qu'il y avait une raison à toutes mes réincarnations et à mon étrange mémoire. J'ai pensé que cela me donnerait l'opportunité de racheter ma grande faute et de réparer mes torts. J'étais loin de me douter combien le chemin jusque-là serait long et semé d'embûches.

On a l'habitude de souligner l'importance des premières impressions, et il y a beaucoup de vrai, j'en suis persuadé. Le chemin de notre vie peut bifurquer en une seconde. Non seulement le chemin d'une vie, mais celui de toutes nos vies, le chemin de notre âme. Que nous en ayons souvenir ou pas. Cela nous oblige à y réfléchir à deux fois avant d'agir.

Que se serait-il passé si je n'avais pas incendié sa maison ? Combien de fois me suis-je posé cette question ? Et si j'avais pris conscience de la folie de nos actes et y avais mis un terme ? Et si j'avais cherché à la sauver, elle, sa famille et son village ? J'aurais été tué, et alors ? De toute manière, j'ai été tué quelques années plus tard, et ma mort n'a servi à rien.

Si je l'avais secourue au lieu de l'assassiner, nous aurions pu revenir ensemble au monde, sans difficulté et avec bonheur, vie après vie. Je ne veux pas dire que tout cela est aisé. C'est rare, mais possible. Certaines âmes restent unies pour l'éternité, comme les oies ou les homards. J'en ai été le témoin à plusieurs reprises. Mais cela exige l'existence de deux déterminations puissantes, et la mienne ne compte que pour une. Désirer la retrouver ne suffisait pas à ce que ma volonté se réalise. Il fallait qu'elle aussi le désire et elle avait d'excellentes raisons de vouloir me fuir.

La mort est une région impossible à connaître, mais j'ai appris une ou deux choses à son sujet au fil du temps. L'état de conscience après la mort et avant la naissance ne ressemble en rien à celui dans lequel on se trouve quand on se réveille et qu'on est en vie, mais il me reste des sensations et des souvenirs de ces moments. J'ai le plus grand mal à estimer l'écoulement du temps durant ces obscures transitions. Je ne saurais dire s'il s'agit d'un mois ou de deux. Peut-être de neuf...

En tant que gardien de cette mémoire aussi ancienne qu'étrange, et étant l'un des rares individus sur terre capable de témoigner sur la mort, j'ai senti qu'il était de mon devoir de consigner ce processus et d'essayer de le comprendre mieux. Je ne sais pas très bien à qui profitera cette longue étude, ni s'il y aura quelque profit à en tirer, mais c'est ainsi. Rapporter, ce n'est pas faire, me dirait mon vieil ami Ben, se souvenir n'est pas vivre mais, plus j'avance en âge, plus il me semble que c'est ce que j'ai de mieux à offrir.

Je peux vous expliquer ce que c'est de mourir pour se retrouver dans une communauté d'âmes : vous comprenez que vous n'êtes plus en vie, mais vous sentez autour de vous d'autres êtres, et c'est profondément réconfortant. Des gens que vous avez pu connaître à divers degrés, qui vous connaissent et vous estiment, sont auprès de vous. Vous ne leur parlez pas ni ne communiquez explicitement avec eux, mais vous savez que vous n'êtes pas seul et qu'ils prendront soin de vous en quelque sorte. À ce stade, vous ne pouvez pas poser de questions, mais vous êtes en état de connaissance tacite.

Je sais aussi ce que c'est de mourir pour se retrouver dans le néant. Nous mourons tous seuls, mais cela n'a rien à voir. Vous faites l'expérience du néant. Vous avez l'impression d'errer, et cela peut durer un temps infini. Vous aspirez ardemment à la présence d'un autre être humain.

Il y a un sens à cela. Votre mort est le reflet négatif de votre vie. Si vous avez eu dans votre vie des attachements forts et affectueux, vous resterez liés à votre communauté d'âmes. Vous reviendrez probablement assez vite à la vie et parmi les vôtres. Vos vies se dérouleront dans une même unité géographique et ethnique. Si vous devez changer de lieu, vous émigrerez la plupart du temps en compagnie de ceux que vous aimez. Si votre communauté est métissée, d'un point de vue ethnique, vous serez plus susceptible de changer de «race».

Si vous êtes distant et misanthrope, égoïste ou cruel, vous serez seul dans la vie comme dans la mort. Vous mourrez dans le néant et reviendrez parmi des étrangers ou, plus rarement, des ennemis. Et vous resterez seul et en conflit permanent jusqu'à ce que vous en ayez assez. Trouver une communauté nécessite beaucoup de temps et d'efforts, et davantage encore s'il s'agit de celle que l'on convoite. En fait, le repentir et la réinsertion représentent l'effort à fournir et le prix à payer. Vous reviendrez, certes, mais cela prendra un certain temps. Vous resterez parmi des étrangers jusqu'au jour où vous vous serez constitué une sorte de famille. Et cela n'adviendra que si vous le désirez ardemment.

Je ne sais rien du paradis et de l'enfer, et je n'ai toujours pas rencontré Dieu. Mais l'idée est digne d'admiration.

La volonté peut encore opérer entre deux vies, mais pas de la façon que l'on connaît. Dans la mort, je crois que l'on est branché sur la plus haute fréquence de la volonté, mais c'est un son que l'on a rarement l'occasion d'entendre dans la vie, car il est couvert par le tumulte du vivant, par la place spécifique que l'on occupe dans le monde et les désirs immédiats du corps. Dans la mort, on est momentanément libéré de la brutale emprise du temps. On a fait table rase, il n'y a plus d'enjeu, de sorte que la volonté opère sans tiraillements. On aspire à payer ses dettes et à retrouver un équilibre. Et si cet équilibre est salutaire pour l'âme, il n'apporte pas obligatoirement de réconfort ni de plaisir au corps de son vivant.

Naturellement, il existe des limites à la volonté, comme, par exemple, l'expression de celle des autres. C'est pourquoi mon histoire aurait été un peu plus courte et plus gaie si j'avais simplement aimé Sophia dès le début et trouvé le moyen de m'en faire aimer. Je n'aurais pas passé un millier d'années à l'attendre, à la rechercher et à essayer de la garder auprès de moi assez longtemps pour surmonter la tragédie de notre première rencontre.

Mon châtiment a en partie consisté à ce que je ne la revoie pas pendant encore deux cents ans. Mais nos retrouvailles ont scellé mon destin pour le restant de mes jours.

HOPEWOOD, VIRGINIE, 2006

Lucy était assise dans son jardin, baignant dans l'odeur entêtante de l'herbe fraîchement tondue. Il était près de sept heures du soir, mais il faisait encore si chaud qu'elle avait trempé ses pieds dans une bassine d'eau froide.

Depuis qu'elle avait grandi et découvert les splendeurs des jardins de Jefferson sur le campus de l'université, elle voyait bien que le sien n'avait rien d'extraordinaire. Mais, quand elle était petite, il représentait son «dôme de plaisir». Aussi loin qu'elle se souvienne, elle avait toujours aimé faire des trous dans la terre et des flaques d'eau avec le tuyau d'arrosage. Elle adorait avoir les mains sales, d'où son goût pour l'argile. C'était un plaisir sensuel et une de ses modestes rébellions.

Elle avait fait un jardin potager en dernière année d'école primaire et récolté ses propres concombres, mais les lapins et le chevreuil y avaient fait une razzia deux ans plus tard, alors qu'elle passait le mois de juillet à Virginia Beach, dans la famille de Marnie.

C'était en troisième qu'elle avait planté des framboisiers. Sa mère s'était plainte du compost que Lucy amassait et des tuteurs qui occupaient tout le fond du jardin. Il était vrai que Lucy était généreuse en matière d'engrais et plutôt réticente à tailler. Mais ils eurent de délicieuses framboises de la fin de l'été à l'automne, sans compter la confiture, le coulis et les framboises congelées qu'ils savourèrent le reste de l'année.

– Tu achètes une fortune une petite barquette au supermarché, et à côté des tiennes, elles n'ont aucun goût, avait reconnu sa mère, non sans quelque fierté.

Son premier projet de paysagiste, Lucy l'avait réalisé à seize ans pour leur piscine. Leurs voisins de droite, de gauche et de derrière s'étaient tous fait construire des piscines, et son père avait décrété qu'ils en auraient une aussi. Elle avait fait des centaines de croquis dans son carnet. Elle ne voulait pas d'un rectangle bleu turquoise comme leurs trois voisins. Elle dessina un petit bassin, de la couleur et de la forme d'un étang, avec une plate-bande de fleurs et de gazon naturel qui affleurait jusqu'à l'eau. Le revêtement de ciment était lui-même invisible, à moins de s'approcher tout au bord. Elle essaya de dresser la liste des matériaux dont ils auraient besoin, étudia les évacuations d'eau, chiffra du mieux possible l'investissement et établit la commande pour la pépinière.

Mais ce n'était jamais le moment de se lancer dans les travaux. Année après année, elle revint à la charge, présentant à son père chaque fois de nouveaux projets, toujours plus aboutis, jusqu'au jour où elle le surprit à faire des chèques à la table de la salle à manger et découvrit qu'il était encore en train de rembourser les factures de l'hôpital pour Dana. Elle ne fit plus jamais allusion à la piscine. Et, de toute façon, se dit-elle, cette piscine une fois construite n'aurait jamais été aussi belle que celle qu'elle avait imaginée.

Cet été, Lucy avait été très impatiente de rentrer chez elle pour retrouver sa chambre, ses framboisiers et son petit jardin pas extraordinaire. Elle était angoissée depuis la fin du semestre, dormant peu et mal, et réveillée en sursaut par des cauchemars. Elle avait dit à sa mère que c'était à cause du stress des examens. Elle faisait des rêves de poursuite, d'incendie, de violences, de torture mentale et de larmes, où apparaissait souvent la ridicule Mme Esme se disputant avec Dana. Et Daniel était présent, visiblement ou pas, dans presque tous. Lucy était physiquement éreintée par ces épreuves nocturnes.

Elle avait espéré que le retour à la maison l'apaiserait et la fatiguerait, comme d'habitude. Elle pensait qu'il suffirait de changer de rythme de vie pour que cessent ces rêves. Elle était à présent chez elle, les examens terminés et Mme Esme à des kilomètres, mais les rêves persistaient. Elle n'arrivait pas à laisser son cerveau à la fac. Tout le problème était là. Autrement, elle aurait pu passer d'excellentes vacances.

Elle entendit s'ouvrir la porte-moustiquaire et se retourna vers sa mère, vêtue d'un ensemble rose.

– Tu as fait visiter une maison ? lui demanda Lucy.

– J'avais des portes ouvertes à Meadow.

La veste rose en coton présentait de larges auréoles sous les aisselles.

– Ça s'est bien passé ?

– J'ai mis des fleurs, préparé le buffet et tout rangé toute seule. Quatre agents immobiliers sont venus, mais un seul acheteur, et ces voraces ont eu le culot de manger tous mes canapés apéritifs, répondit la mère de Lucy d'un ton si tragique que sa fille n'eut pas le cœur d'en rire.

– Je suis désolée pour toi.

Sa mère détestait son activité d'agent immobilier. Elle disait qu'elle aurait nettement préféré vendre de la lingerie chez Victoria's Secret, mais son père trouvait que ce n'était pas convenable pour une diplômée de Sweet Briar College. Lucy avait toujours eu le sentiment que sa mère n'avait pas pu se révolter contre son milieu BCBG, c'était pourquoi elle le faisait à sa place.

– Bon. Tu sors ? s'enquit-elle en examinant la robe légère de Lucy.

– Kyle Farmer donne une fête.

– Kyle? Celui de la chorale?

– Oui. Celui-là.

– Sympa. Je suis contente que tu revoies tes vieux amis.

La moindre sortie faisait tellement plaisir à sa mère que Lucy avait des remords à ne pas se distraire davantage, ou au moins à faire semblant. Elle se demanda si elle n'aurait pas dû passer tout l'été à Charlottesville avec Marnie afin d'épargner à sa mère son véritable état d'esprit. Elle évita autant que possible les fêtes avec ses anciens camarades de lycée, qui tous arboraient un air nostalgique injustifié. Espèces de retrouvailles, mais prématurées, de gens qui n'étaient allés nulle part ni n'avaient encore rien fait de leur vie. Mais ce soir, elle avait une bonne raison d'y aller. Brandon Crist y serait, et c'était le garçon le plus proche de Daniel, si tant est qu'il ait pu avoir un ami au lycée.

– Est-ce que je peux prendre ta voiture?

Sa mère acquiesça, mais elle avait l'air un peu réticente.

– Tu participeras un peu aux frais d'essence, j'espère?

– Oui, je sais. Je ferai le plein. J'ai posé deux candidatures aujourd'hui.

– C'est très bien.

Sa mère tenait à manifester son contentement. Elle ne voulait pas l'embêter. Dana lui en avait fait tellement baver que les défauts de Lucy passaient presque à ses yeux pour des qualités.

Pergame, Asie Mineure, 773

Je passe directement à celle de mes vies qui a eu pour moi le plus de conséquences, la septième, et qui a débuté à Pergame, en Asie Mineure, aux alentours de l'année 754, selon notre calendrier moderne. Vous avez probablement déjà entendu parler de Pergame. C'était une grande cité autrefois, mais quelque peu sur le déclin à ma naissance, et l'un des endroits les plus beaux où j'ai eu l'occasion de grandir.

Elle a été célèbre en tant que ville hellénistique, avec son immense et majestueuse acropole et son théâtre aux degrés très raides, où pouvaient tenir dix mille personnes. Elle est devenue romaine sans trop de heurts au IIᵉ siècle avant Jésus-Christ, lorsqu'elle s'est soumise à l'Empire. Elle possédait l'une des plus grandes bibliothèques du monde antique, dotée de plus de deux cent mille ouvrages. On y a inventé le parchemin, après qu'un des Ptolémées eut interdit l'exportation des papyrus égyptiens. Si vous connaissez l'histoire ancienne, vous devez savoir que c'était la bibliothèque que Marc Antoine a offerte en cadeau de mariage à Cléopâtre.

Du temps de ma jeunesse, bon nombre de bâtiments qui avaient fait sa gloire tenaient encore debout, bien que certains fussent écroulés, et la plupart des temples et des sanctuaires démolis ou transformés alors en églises chrétiennes. Le marché n'avait pratiquement pas changé.

Quand j'y habitais, nous voyions la mer Égée du pas de notre porte. Aujourd'hui, la ville domine une vallée, à une vingtaine de kilomètres à l'intérieur des terres. J'y suis retourné il y a quelques vies de cela, quand les archéologues allemands ont commencé à s'y intéresser, et j'ai pu revoir les ruines de cette ancienne cité. Je connaissais les colonnades. Je connaissais les gros pavés et les dalles de pierre sous mes pieds. Je les avais déjà foulés. Je me sentais plus proche d'eux que de la plupart des êtres humains. Nous restons immobiles tandis que le monde bouge autour de nous.

Je ne suis plus du tout enclin à la nostalgie. Il y a trop de choses derrière moi. Je sais qu'un changement progressif est plus facile à admettre, et que les pas de géant et les disparitions sont les plus difficiles à supporter. Ma maison ainsi que les moindres traces de ma vie et de ma famille à cette époque étaient depuis longtemps effacées. Mais ce n'était pas cela qui m'avait touché. C'était l'aspect de cette antique cité, autrefois puissante et perchée au-dessus d'une mer foisonnante d'activité, repoussée toujours plus loin au fond d'une vallée aride, et étouffée.

C'était à cette époque, alors que j'étais enfant au VIIe siècle, que je m'étais autorisé à admettre douloureusement combien le présent était destructeur et le passé fragile. Le présent est fugitif, c'est vrai, et l'on pourrait même dire qu'il agit comme un bulldozer.

J'allais souvent m'asseoir dans un sanctuaire en ruine tourné vers la mer et essayais d'imaginer ce qu'était notre ville avant sa dégradation. On avait envie de croire que l'histoire n'était que progrès, mais devant les vestiges de Pergame et la tournure que prenaient les choses, on savait qu'il n'en était rien.

Le premier événement majeur de cette vie a été la réapparition de mon frère aîné, celui-là même de ma vie antérieure à Antioche, de nouveau dans le rôle du grand frère. Il arrive parfois que des membres d'une même famille se retrouvent d'une vie à l'autre. En général, c'est grâce à l'amour que des êtres restent unis au cours de leurs multiples existences, mais le besoin élémentaire d'équilibre et de vérité qu'ont les âmes peut parfois faire revenir une personne pour qu'elle affronte un tourment antérieur. J'étais tout petit quand j'ai reconnu ce grand frère avec un terrible malaise. Tout élément en relation avec l'incendie du village d'Afrique du Nord m'était douloureux, mais s'ajoutait à cela l'inimitié qui avait surgi entre nous lorsque j'avais confessé à un supérieur, qui devait devenir prêtre plus tard, que nous nous étions trompés de village. C'était mon sentiment de culpabilité et mes seuls remords qui m'avaient poussé à le faire, et non quelque hostilité ou désir de vengeance envers mon frère, mais il ne l'a pas entendu ainsi. Dès le premier instant où je l'ai reconnu, je n'avais pas plus de deux ou trois ans, j'ai su que je devais le fuir.

Il s'appelait Joaquim à l'époque, et il est resté fidèle à ses premières passions en devenant homme de main des iconoclastes sous l'empereur Constantin, quittant notre famille et notre maison de Pergame à l'âge de dix-sept ans. Il avait pour mission de détruire l'art religieux, d'envahir les monastères et d'humilier les moines. C'est ainsi qu'ont disparu des chefs-d'œuvre inestimables.

Je m'appelais Kyros alors. En ce temps-là, j'avais du mal à m'habituer à un nouveau nom à chaque vie. Par la suite, je répondais à celui que m'avaient donné mes parents, mais je pensais à moi sous mon nom antérieur. C'était terriblement déstabilisant. Il est déjà assez difficile de conserver son identité pendant une seule vie dans un seul corps, alors imaginez des dizaines de vies dans des dizaines de corps dans des dizaines de lieux dans des dizaines de familles, le tout compliqué encore par des dizaines de décès dans l'intervalle. Sans mon nom, mon histoire ne serait rien qu'un long écheveau inextricable de souvenirs.

Il m'était arrivé à maintes reprises d'avoir envie de laisser tomber, de rompre définitivement le fil de cette vie interminable. Il m'était trop difficile de continuer à vivre, de me considérer comme un seul et unique individu. J'avais l'impression que le passé et l'avenir, les causes et les effets, les situations et les relations, n'étaient qu'une construction artificielle et complexe, et que cela n'existait que parce que je le voulais bien. Si je laissais tomber, tout cela ne tarderait pas à se dissoudre dans la sauvage confusion des sens. Car c'est tout ce que nous possédons, en réalité. Le reste n'est que romantisme et fables. Or nous avons besoin de ces fables. Moi, en tout cas.

Peu après le passage au dernier millénaire, j'ai voulu avoir un nom qui m'appartienne. Quel que fût celui que me donnaient mes parents, je leur demandais de m'appeler Daniel, ainsi que je me nommais au commencement. Certains ont résisté, mais tous s'y sont résignés à un moment ou à un autre, pour la bonne raison que je ne leur laissais pas le choix.

La nuit que je voudrais évoquer se situait vers l'an 773. J'ai vu tant de choses que je pourrais vous raconter, mais il s'agit ici d'une histoire, une histoire d'amour, et je vais m'efforcer, avec un minimum de digressions, de ne pas perdre le fil de mon récit.

Je me souviens précisément de cette nuit. Cela faisait deux ans que je n'avais pas vu Joaquim, mon redoutable frère, et il devait rentrer à la maison. Il nous avait écrit quelques semaines plus tôt pour nous annoncer qu'il avait pris femme et nous la présenterait à son retour. Toute la maisonnée était en émoi. Mon frère était le fils aîné de mes parents mais, bien qu'il fût un personnage assez abject, il y avait si longtemps qu'il était parti que nous étions revenus à de meilleurs sentiments à son sujet.

Hormis mon frère, je me trouvais alors dans une famille estimable. J'en ai vu de toutes sortes depuis le temps, et il n'y en avait pas autant qu'on aurait pu l'espérer. Mon erreur a été justement de croire qu'elles étaient plus nombreuses, et j'ai omis de les chérir comme je l'aurais dû. Mon père était un homme bon, quoique distant, et ma mère un être profondément aimant, peut-être trop pour son propre bien. Le pire dont je puisse les accuser a été leur aveuglement de parents, et c'est un défaut qu'ils partagent avec tous ceux qui aiment leurs enfants. Mes deux petits frères, surtout le plus jeune, étaient gentils et confiants.

Je crois qu'à cette époque également, j'étais plus doué pour aimer, et aussi pour être aimé ; les deux vont de pair. C'était il y a très longtemps. En ce temps-là, le passé ne remontait pas aussi loin et le présent me semblait plus vivant, et non, comme il m'a paru par la suite, une fraction toujours plus mince de tout ce qui existait.

Notre famille n'était pas riche, mon père était boucher, mais nous étions à l'aise et avions deux domestiques. Je suis certain que mon père n'avait pas de viande à vendre au marché ce jour-là. Il tuait le veau gras et tout autre animal à quatre pattes pour le festin destiné au retour de mon frère.

J'étais autant envahi par l'appréhension que par l'excitation. Ce soir-là, j'espérais voir revenir à la maison une version amé-liorée de mon frère avec son épouse, mais je savais que nous retrouverions probablement le sadique arrogant que nous avions quitté.

La maison et la cour avaient été décorées comme pour la venue d'un monarque. Une fois les fébriles préparatifs achevés, il ne nous restait plus qu'à attendre, dans un silence tendu mêlé d'impatience : moi-même, mes parents, mes deux petits frères, mes oncles, mon grand-père maternel, plusieurs cousins et les domestiques. Nous étions incapables de manger ou de bavarder tant le suspense était insoutenable.

Mon frère n'aurait pas pu arriver au moment où les mets étaient prêts à être consommés, les viandes et les sauces à point, et l'attente encore supportable et plaisante. Non, il était plutôt du genre à apparaître une fois que les plats seraient froids et moins présentables, et que l'excitation à la perspective de sa venue se serait muée en agacement et en inquiétude.

Entre-temps, il s'était mis à pleuvoir. Je me rappelle les tentatives de ma mère pour rester gaie et enjouée. Nous parlions le grec à cette époque. Non pas la langue de Sophocle, mais une lointaine variante corrompue. Je me souviens encore mot pour mot de l'essentiel de la conversation. Je m'entête à essayer de garder la mémoire des langues anciennes, mais les avoir en tête ne suffit pas. Elles sont faites pour communiquer, et plus personne ne les parle.

Mon frère n'est pas arrivé à cheval et en grand apparat, ainsi que nous nous l'étions imaginé, mais à pied, peu vêtu pour la saison et ombrageux. Il a surgi de l'obscurité et a été le premier exposé à la lueur des bougies. Je l'ai regardé, me demandant ce qu'il restait de sa splendeur militaire, puis sa femme est entrée dans la pièce. Dès l'instant où elle a soulevé sa capuche et dévoilé son visage, j'ai cessé de penser à lui. Et c'est sur cela que je voudrais attirer votre attention, car c'est ce qui est important.

En découvrant l'épouse de mon frère, je retrouvais à mon grand étonnement la jeune fille d'Afrique du Nord qui peuplait mes souvenirs et mes rêves depuis deux siècles. Depuis ce jour, il n'existe aucune autre âme que je ne reconnaisse plus immédiatement ni plus intensément que la sienne. Quels que soient son âge et les circonstances, elle me fait à chaque fois une impression mémorable entre toutes.

Tout d'abord, à cause de mon trouble, puis de ma stupeur, puis de mon ravissement, je la fixai un peu trop longuement. Mon frère s'attendait à être accueilli avec moult courbettes obséquieuses, alors que mes regards se dirigeaient irrésistiblement vers son épouse. On peut expliquer une bonne partie de mes ennuis par mon égarement de cette nuit-là.

Ce n'était pas son déplaisir qui a fini par pénétrer mon crâne épais, mais celui de son épouse. Elle était gênée et embarrassée par l'attention que je lui portais. Elle avait la tête baissée, et ses yeux, qui avaient reflété tant d'assurance en d'autres temps, semblaient affolés.

Je m'efforçais de reprendre contenance. J'ai serré mon frère dans mes bras, puis me suis effacé pour permettre aux autres membres de la famille de l'embrasser. Je regardais mes parents accueillir leur nouvelle fille, Sophia.

Je lui tournais autour dans une sorte de brouillard. En dépit de mes efforts, tout ce que je faisais était en lien avec elle. J'évitais néanmoins de trop la regarder.

Elle était déjà assez mal à l'aise. Au lieu de partager notre repas, elle nous examinait, les uns après les autres, nous, sa nouvelle famille, jetant de temps en temps un regard à son époux. Tout le monde festoyait et buvait tandis qu'elle avait glissé ses mains sous ses cuisses. Mon frère avait déjà vidé plusieurs coupes de vin avant de s'en aviser.

– Notre nourriture n'est pas assez bonne pour toi ? Mange quelque chose ! lui a-t-il ordonné.

Elle lui a obéi.

Cette nuit-là, je suis resté éveillé sur ma couche, émerveillé. Au début, j'ai été ému de la voir, de réaliser qu'elle était de nouveau en vie et si près de moi. Il m'a fallu plus de temps pour prendre toute la mesure de l'injustice de son sort. J'ignorais alors combien je l'aimais déjà.

Mais lorsque j'ai entendu la voix de mon frère de l'autre côté du mur, j'ai dû me rendre à l'évidence : elle était son épouse. C'était à lui qu'elle appartenait et elle ne serait jamais mienne.

Ce n'était pas de la jalousie. Du moins, pas immédiatement. J'étais impressionné par elle et par l'importance fondamentale qu'elle avait dans ma vie. Je désirais ardemment qu'elle me pardonne, sans songer pour autant que ce serait une manière de la posséder ou de la mériter. Si mon frère s'était montré affectueux à son égard et si elle l'avait aimé, j'aurais été content pour elle, et heureux de pouvoir passer quelques moments en sa compagnie. Je crois que je le pense sincèrement.

Mais il était tout sauf affectueux. De l'autre côté du mur de violents éclats de voix me parvenaient.

Je n'entendais pas tout, mais il l'a traitée de putain et a prononcé mon nom à plusieurs reprises.

Le lendemain, je n'ai presque pas osé la regarder ; j'éprouvais un sentiment de honte et de culpabilité. Que ne pouvais-je lui venir en aide ? Pourquoi devais-je ajouter à son malheur ? Mais j'ai cherché quand même son regard. Et j'ai vu dans ses yeux de la souffrance, mais aussi de la fierté. Et lorsque Joaquim s'est adressé à elle, à table, j'ai vu également du dégoût. À cet unique indice, j'ai compris qu'elle n'avait pas choisi d'être sa femme. Le pouvoir de mon frère était limité, car elle ne l'aimait pas.

Par respect, je l'ai évitée pendant quelques jours, après quoi mon frère est reparti. Il disparaissait plusieurs semaines de suite. Il revenait à la maison, ivre en général, lorsqu'il était à court d'argent. Je me suis aperçu au fil des jours que Sophia se promenait dans le jardin aussi souvent que moi, et je me suis autorisé à lui adresser quelques paroles hésitantes, puis je me suis enhardi. Au bout d'un certain temps, je l'ai incitée à me parler de son enfance à Constantinople, ville qui me fascinait. Son père, qui était maçon, avait bâti nombre d'églises. Il avait effectué des réparations sur le dôme de la basilique Sainte-Sophie. Mais ses parents avaient péri dans un incendie alors qu'elle n'avait que neuf ans, ce qui expliquait pourquoi sa grand-mère l'avait donnée en mariage au plus offrant à l'âge de seize ans, à l'époque où mon frère avait gagné aux cartes un de ses plus gros pactoles.

J'étais alors apprenti chez un artiste auquel on avait commandé de dessiner les mosaïques du baptistère de notre église. J'emmenais Sophia sur le chantier et lui montrais les ébauches du projet. Après quelques semaines, et non sans réticence, je lui ai montré les sculptures que j'avais faites et les vers que j'avais écrits sur un morceau de parchemin. J'avais appris toutes ces choses dans mes vies antérieures : les langues étrangères, la sculpture et le dessin, ainsi que la lecture et l'écriture. Tout le monde, ou presque, ignorait ces talents, ainsi que l'éducation, difficilement explicable, que j'avais pu recevoir, mais je me suis refusé à les lui cacher. Nous avions un point commun : elle adorait les récits et les poèmes autant que moi. Elle en connaissait un grand nombre qui m'étaient inconnus. Je me livrais à elle comme jamais à personne.

C'était la première fois que je la reconnaissais dans une nouvelle vie et l'aimais. Je l'aimais en toute innocence alors, croyez-moi. Même en mon for intérieur.

Mon frère ne nous a jamais surpris à converser, j'en suis certain, mais il a probablement eu vent de notre amitié. Trois mois après leur arrivée à la maison, il est rentré ivre et furieux. Il avait perdu au jeu une grosse somme d'argent qui appartenait à mon père, et gagné une sévère bastonnade et des menaces de mort. Cette nuit, de l'autre côté du mur, je l'ai entendu hurler, mais je savais que ses insultes n'étaient d'aucun effet sur son épouse. Puis, j'ai entendu un son d'une autre nature : un choc violent contre la cloison, suivi d'un cri, de bruits de lutte sourds puis de pleurs.

J'ai sauté de mon lit et couru vers la chambre. Malgré mon excellente mémoire, je n'ai aucun souvenir de la façon dont je suis arrivé jusque-là. La porte devait être fermée à clé. Je revois seulement les éclats de bois et les débris de cette porte, jonchant le sol. Elle était étendue à terre, les cheveux défaits, la chemise de nuit déchirée, et du sang écarlate se mêlait à la sueur sur son visage. Deux siècles plus tôt, dans l'encadrement de la porte de sa maison en flammes, elle m'avait fixé avec une étrange impassibilité; aujourd'hui, c'était de la détresse que je lisais dans ses yeux.

Je suis resté un instant sans bouger et j'ai aperçu mon frère, accroupi en face de moi, tel un loup prêt à bondir, et qui me foudroyait du regard. Il m'attendait, me défiant de m'attaquer à lui et cherchant à m'attirer dans un de ses jeux pervers. Mais je ne songeais pas du tout à lui : c'était elle qui m'importait. J'ai serré le poing et le lui ai écrasé de toutes mes forces en pleine figure. Il est tombé à la renverse. Je l'ai laissé se relever et l'ai frappé de nouveau. Je me souviens de son air stupéfait mêlé à sa rage. J'étais le plus jeune, le plus petit, le plus bizarre, l'artiste. Je lui ai envoyé un autre coup de poing.

Il avait le nez et la bouche en sang. Il était encore ivre, hagard, crachotant et ahanant, et frappait dans le vide. La voie était ouverte à une violence plus profonde qui se manifesterait plus tard, mais il faudrait aussi à mon frère encore quelque temps pour la mettre en œuvre.

J'avais envie de la prendre dans mes bras et de la réconforter, mais je savais que je risquais d'aggraver son cas. Elle s'est relevée, s'est couverte et s'est plaquée le dos au mur.

S'il n'avait pas été si ivre et moi prêt à tout, il m'aurait certainement tué. C'était cette seule différence entre nos deux comportements qui ait jamais joué en ma faveur. J'aimais sa femme, et lui non.

Je l'ai laissé par terre, dans son sang et son vomi. J'ai rassemblé les quelques effets qui m'appartenaient, puis j'ai réveillé mon père et l'ai supplié de prendre soin d'elle. Après quoi, j'ai quitté ma maison et ma famille, pensant qu'avec mon départ elle ne serait plus en danger.

Frapper Joaquim devant son épouse a été l'une des décisions capitales de ma longue existence, et je n'ai cessé depuis de me le reprocher. C'était cette étincelle qui avait entraîné tant de haine, de violence et d'hostilité au cours de mes nombreuses vies, et je continue à me demander comment j'aurais pu l'éviter, dans son intérêt à elle, dans le mien et même dans celui de mon frère.

Mais, rétrospectivement, je m'aperçois que ce n'était en rien une décision. Avec le recul, même à une aussi longue distance, je ne crois pas que j'aurais pu agir différemment. C'était peut-être une erreur mais, si c'était à refaire, je la referais.

HOPEWOOD, VIRGINIE, 2006

Lucy ne profita pas vraiment de sa soirée, dont elle passa la majeure partie sur le canapé en attendant que Brandon Crist se pointe. Elle ne s'aperçut même pas qu'elle avait snobé la redoutable Melody Sanderson jusqu'à ce que sa copine Leslie Mills le lui fasse remarquer.

– Melody dit à tout le monde que tu ne veux pas aller te servir une bière au fût parce que te trouves trop bien pour Hopewood.

Lucy dut décrypter des couches et des couches de mesquinerie avant de comprendre ce qu'on lui disait. Peut-être était-ce vrai, après tout.

– Pardon ?

– Elle dit que tous ceux qui vont dans le Nord faire leurs études dans les facs chic se la pètent.

– Dans le Nord ? Mais je suis à Charlottesville !

– Oui, je sais.

– Je n'ai simplement pas envie de me battre pour une bière, répondit Lucy.

– Moi, je te dis ça au cas où tu aurais envie d'aller faire un tour dehors.

Lucy considéra un instant l'idée, avant de l'écarter. Elle se rappela l'époque plus facile où elle se donnait un mal fou pour fréquenter ces filles. Elle se rappela aussi l'époque où elle-même et ses parents pouvaient mettre un nom, ou plutôt un prénom, sur tous leurs ennuis, leurs souffrances et leurs échecs. Mais Melody avait fait son temps, et elle devait le savoir.

Finalement, Lucy se fit violence et entra dans la cuisine bondée. C'était vrai que ce n'était pas la peine d'aller à une fête si c'était pour rester dans son coin. Quand enfin Brandon apparut, elle marcha droit vers lui. C'était maladroit, certes, mais elle se sentait étrangement attirée par ce garçon.

– Je suis Lucy. Nous étions ensemble au cours de chimie.

– Mais oui, je te reconnais, répondit-il en faisant tourner sa boisson dans son gobelet en plastique.

– J'ai une question à te poser, dit-elle abruptement.

Il s'était mis tant de gel dans les cheveux que, bizarrement, elle eut soudain l'idée qu'il s'était peut-être imaginé qu'elle voulait le draguer.

– Vas-y..., l'encouragea-t-il en levant les sourcils.

– Tu connaissais Daniel Grey, non ?

Il lui sembla très osé et même excitant de prononcer son nom comme celui de n'importe qui.

Les sourcils redescendirent légèrement.

– Oui... Si on veut. Pas vraiment...

– Est-ce que tu as une idée de ce qu'il est devenu ?

Brandon eut l'air embarrassé.

– Je ne sais pas très bien. Mais tu es au courant de ce qu'ont dit Mattie Shire et les autres mecs.

Lucy perçut aussitôt le changement de ton chez Brandon et sa gorge se serra.

– Non, je ne suis pas au courant. Qu'est-ce qu'ils ont dit ?

– Le soir de la fête et de la bagarre au couteau... Tu sais ce qui s'est passé.

– Il s'est passé beaucoup de choses, répliqua-t-elle prudemment.

Brandon balaya d'un regard la foule autour de lui dans la salle à manger. Il ne repéra pas Mattie Shire, mais le copain de celui-ci, Alex Flay, auquel il fit signe d'approcher.

– Tu te souviens de Daniel Grey?

Alex acquiesça en considérant tour à tour Lucy et Brandon.

– Est-ce que tu étais avec Mattie quand il l'a vu sauter du pont?

– Quoi? s'exclama Lucy en fixant Brandon.

– Non, je n'y étais pas. Mais Mattie m'a raconté. Je ne sais pas si Daniel s'est noyé ou quoi…

– C'était un drôle de mec, paix à son âme, conclut Brandon en hochant la tête.

– Tu veux dire qu'il est mort? insista Lucy.

Brandon regarda Alex qui haussa les épaules.

– Aucune idée. C'est ce qu'a pensé Mattie. Personne ne l'a vraiment su. Je n'ai plus jamais entendu parler de lui. On a tous pris des chemins différents après.

– Il ne peut pas être mort, dit vivement Lucy, sentant monter en elle une bouffée de colère que ni son ton ni son expression ne pouvaient masquer. Tout le monde l'aurait su, non? Il y aurait eu un article dans les journaux.

Ni Alex ni Brandon n'avaient envie de discuter. Cette histoire ne les intéressait pas spécialement.

– Il y a des tas de gens qui en ont entendu parler, répliqua Alex, un peu sur la défensive. Je ne sais pas où tu étais, toi, mais Mattie n'a fait de secret à personne.

– Et, de toute façon, les journaux ne se fatiguent pas à publier des articles sur les suicides. Encore moins sur les suicides d'adolescents, renchérit Brandon.

S'éloignant lentement des deux garçons, Lucy se dirigea vers le canapé et s'assit, fixant d'un regard vide la fenêtre où lui apparut le visage de Daniel tel qu'il était cette soirée-là.

Elle se rappelait l'état de fragilité dans lequel elle s'était trouvée les jours suivants, en proie à une telle panique qu'elle ne put ni sortir de chez elle ni parler à qui que ce soit.

Elle eut vaguement conscience que Brandon et Alex étaient toujours plantés au milieu de la pièce, qu'elle avait manqué à toute politesse et que sa mère aurait eu honte d'elle. Brandon lui dit quelque chose, quelque chose dans le genre : «Je croyais que tout le monde était au courant», mais cette phrase ne parvint pas jusqu'à son cerveau.

Daniel ne pouvait pas être mort, c'était inconcevable.

Telle une somnambule, elle fouilla dans son sac à la recherche de ses clés et quitta la soirée. Elle monta dans sa voiture et démarra. Elle conduisit sans but dans les rues les plus sombres, en dépit des exhortations perpétuelles de sa mère à ne pas gaspiller l'essence.

Plus tard, à la nuit tombée, elle roula en direction du pont. Elle gara la voiture sur le bas-côté, dans l'herbe, et s'engagea sur le pont au-dessus de l'Appomattox. C'était un nom et un lieu mythiques pour elle à cause de son père et de son grand-père. Elle avait demandé un jour à son père pourquoi ils parlaient tout le temps de la guerre de Sécession, contrairement aux Yankees.

– Parce que nous l'avons perdue, lui avait-il rétorqué. On oublie les victoires, mais jamais les défaites.

Elle appuya son menton sur la rambarde et contempla les flots sombres qui roulaient en contrebas. C'était le fleuve de la défaite, le fleuve de la mort... Une de plus... Et elle se demanda quel effet cela ferait de sauter.

En route vers la Cappadoce, 776

Ma longue absence de Pergame n'a pas suffi à protéger Sophia. Les nouvelles que j'ai reçues de mon plus jeune frère puis de ma mère m'en ont convaincu.

En trois ans, le caractère de Joaquim avait encore empiré, si difficile que ce soit à imaginer. Puis mon père est mort, et je l'ai pleuré et regretté terriblement. Joaquim a repris la boucherie et mené cette affaire prospère à la faillite. J'ai été horrifié de voir qu'il avait vendu notre maison de famille et envoyé mes petits frères courir le monde bien avant leur adolescence. Durant de longues périodes, il a laissé son épouse seule avec ma mère dans une chambre d'auberge tandis qu'il fuyait les créanciers et s'endettait toujours davantage. Heureusement, Sophia n'a pas été en mesure d'avoir d'enfant de lui.

Lorsque j'ai reçu le message de ma mère, j'ai pris une autre décision capitale. J'ai emprunté un cheval et parcouru la cinquantaine de kilomètres qui me séparaient de Smyrne, jusqu'à une grotte reculée que j'avais repérée une centaine d'années et deux vies plus tôt. Il y avait beaucoup de vent et de sable en ce temps-là, mais j'ai néanmoins retrouvé les petites marques que j'avais faites sur les parois calcaires. Avec ma torche et mes airs mystérieux, je me faisais l'effet d'un pilleur de tombeaux, mais ce tombeau était le mien et, fort heureusement, ce n'était pas là qu'on retrouverait ma dépouille.

Je me suis faufilé dans les galeries, m'enfonçant un peu plus dans les entrailles de la terre. Je n'avais pas besoin des repères, je connaissais le chemin. J'ai été soulagé de retrouver intact l'amas de pierres que j'avais édifié. Je les ai ôtées, les unes après les autres, jusqu'à ce qu'apparût la petite ouverture sommaire. Je me suis glissé dans l'étroit passage, réalisant à quel point j'étais plus grand aujourd'hui que dans cette vie antérieure, lorsque je l'avais creusé.

J'ai planté ma torche dans la terre meuble et regardé autour de moi. Les plus grosses pièces gisaient sur le sol, recouvertes d'un siècle de poussière. Il y avait deux amphores grecques de toute beauté, l'une ornée de dessins au trait noir représentant Achille au combat et l'autre, au décor rouge, figurant Perséphone aux Enfers. (J'ai offert la première au musée archéologique d'Athènes dans les années 1890, et la seconde est toujours en ma possession.) Il y avait quelques belles statues romaines, des pièces de ferronnerie finement ouvragées que j'avais achetées à un Bédouin qui prétendait qu'elles venaient des rois védiques de l'Inde. Il y avait le début de ma grande collection de plumes d'oiseaux rares, un certain nombre de sculptures sur bois (les moins réussies étant celles que j'avais moi-même exécutées), une magnifique lyre dont mon père m'avait appris à jouer, à Smyrne, avec une infinie patience, et un certain nombre d'objets hétéroclites.

J'ai dû creuser pour retrouver les pièces les plus petites et les plus précieuses. À moins de trente centimètres sous la terre, j'avais enfoui des sacs de pièces d'or, grecques, romaines, byzantines et quelques-unes persanes. D'autres sacs contenaient des pierres précieuses et des bijoux. Je me suis efforcé de ne pas m'y attarder. Le temps pressait et j'étais d'humeur morose. Mais mes doigts ont rencontré la bague de mariage en or et lapis que portait ma première fiancée, Lena, qui était morte jeune et que j'avais essayé d'aimer. Je l'ai gardée en main un moment avant de la reposer où elle était.

Lors de ma quatrième vie, j'étais marchand. J'ai mis à profit mon expérience et ma connaissance des langues étrangères pour m'installer à la croisée de plusieurs routes commerciales très avantageuses. Je voulais devenir riche, et j'y suis parvenu. C'était en réaction à la vie âpre et pleine d'humiliations que j'avais vécue à Constantinople. Je détestais avoir faim et, comme j'avais connu d'autres modes de vie, j'avais cet état encore plus en horreur. J'ai décidé que quitte à vivre avec cette mémoire, autant m'en servir intelligemment. Je la mettrais à profit pour me protéger des hasards et des caprices de mes origines diverses. Ainsi, chaque fois que dans une de mes vies je gagnais de l'argent, et j'étais plutôt doué pour ça, j'en mettais de côté pour les périodes de vaches maigres. Et je me souviens d'avoir rêvé que la jeune fille d'Afrique du Nord pourrait croiser mon chemin un jour où je serais riche et puissant, et qu'alors elle accepterait de me fréquenter.

Pour ma cinquième vie, à Smyrne, j'ai eu la chance de naître au sein d'une famille cultivée et influente. Adulte, grâce à ce que j'avais appris dans mes vies antérieures, je suis devenu un important négociant. En plus d'amasser de l'or à foison, j'ai entrepris de collectionner les œuvres d'art grâce à un œil averti. C'était l'époque où j'ai constitué ma caverne que j'ai utilisée pendant neuf vies avant que les voyages ne deviennent trop onéreux. J'ai déménagé ma cachette dans les Carpates vers l'an 970 de l'ère chrétienne.

Aujourd'hui, après plus d'un millier d'années, j'ai amassé une considérable quantité de biens, d'argent et d'objets, malgré le fait que le sentiment de puissance et le plaisir de les posséder se soient singulièrement estompés avec le temps. Les rares pièces que j'y ai ajoutées ces dernières années n'ont aucun caractère spéculatif. Je me suis toujours arrangé pour me défaire de ces objets sans me faire reconnaître et, surtout, pour qu'ils me reviennent ultérieurement. Quel que soit le lieu où je réapparais, je connais mon nom, mon identité. Et de nos jours, les coffres bancaires et les comptes numérotés me facilitent grandement la tâche.

Cette nuit du VIIIe siècle, j'ai tout remis en place dans ma caverne pour n'emporter qu'un sac de pièces d'or relativement récentes et homogènes : j'avais plus besoin d'argent que de trésors. J'ai fait des provisions, quelques préparatifs, acheté un splendide cheval arabe à un riche Bédouin et je suis retourné à Pergame le lendemain après-midi. J'ai retrouvé Sophia et ma mère qui vivaient toutes les deux dans une seule pièce, au fond d'une petite ruelle. Le moral de ma mère était au plus bas. Elle cherchait toujours à se donner des raisons d'aimer mon frère ; son cœur de mère ne pouvait se résoudre à l'abandonner à son sort. Si le visage de Sophia était encore marqué par les coups, sa fierté était à peu près inentamée.

J'ai installé ma mère dans un joli petit village à quelques kilomètres et lui ai remis un minimum d'argent, sachant pertinemment dans les poches de quel individu il finirait. Mais je me suis assuré qu'elle ait de quoi vivre et lui ai promis de revenir bientôt avec mes jeunes frères.

Ce soir-là, je suis parti à cheval avec Sophia. Sentir son corps contre le mien a suscité chez moi une grande émotion, mais ce n'était pas le but. Si je la laissais avec ma mère, elle risquait de se faire tuer. Pas plus elle-même que ma mère n'ont protesté ni posé la moindre question lorsque nous nous sommes mis en route. Elles savaient toutes les deux que c'était pour Sophia sa seule chance de salut.

Traverser le désert avec elle sur ce bel étalon a été l'un des moments les plus heureux de toutes mes vies. Je l'ai revécu tant et tant de fois en imagination que je m'en souviens à peine. Mes sentiments sont assez forts pour distordre et réfracter la vérité de ce périple. Mais, comme dirait mon ami Ben, mes sentiments sont la vérité de ce périple.

Il nous a fallu quatre jours et demi pour rejoindre la Cappadoce, à l'intérieur des terres, et je faisais des vœux, en chemin, pour que la distance fût encore plus grande et que le cheval avançât plus lentement. Et je dois avouer que quelque chose avait changé depuis notre départ. Ce qui était de mon côté un dévouement simple et innocent s'est vite mué en un attachement plus profond et ambigu.

La première nuit a été assez délicate. J'ai tendu un tissu bleu entre quatre piquets de bois pour nous faire un toit et déplié des couvertures par terre. J'étais assez doué pour allumer le feu et faire la cuisine, deux des nombreux talents que j'avais acquis au cours de mes vies. (Certaines de ces capacités dépendent de la tête et d'autres des muscles; j'ai appris à connaître les limites des premières et la valeur des secondes.) Mais cette nuit-là, j'ai eu l'impression de n'avoir jamais rien fait de mes dix doigts. Je tremblais dès qu'elle posait ses yeux sur moi. Je n'étais plus en terrain connu.

C'est le cœur battant la chamade dans ma poitrine et avec la satisfaction d'une mère que je l'ai regardée manger le riz, le pain, les pois chiches et l'agneau. Elle était aussi mince que possible et mangeait lentement. Mais à mesure qu'elle se sentait en confiance, elle a fait preuve d'un appétit féroce. Après quoi, j'ai moi-même à peine entamé les provisions tant je désirais qu'elle ne manquât de rien.

Dès qu'elle tendait la main, j'apercevais les ecchymoses qui bleuissaient encore ses bras. Jamais elle n'y a fait allusion, ce qui dans un sens m'a rendu ces coups encore plus affligeants.

Nous nous sommes allongés sur les couvertures, à une distance respectable l'un de l'autre. Je ne savais pas très bien quoi lui dire sur le moment. Nous étions trop proches, et nous n'avions plus aucune convenance à laquelle nous raccrocher. Je ne voulais préjuger de rien. Comme nous regardions tous deux au-dessus de nos têtes, il m'est apparu alors que la seule fonction de mon toit était de nous masquer la voûte étoilée. Donc, sans nous concerter véritablement, nous nous sommes déportés sur le côté, dans nos couvertures, sous les étoiles exactement. Il m'arrive encore fréquemment de contempler le ciel, mais je n'ai jamais vraiment retrouvé celui de cette nuit-là.

Je ne voulais pas qu'elle croie que j'attendais quoi que ce soit d'elle. Je ne voulais pas l'effaroucher. Je ne savais pas à quelle distance d'elle me tenir, un plus près, un peu plus loin... Combien de temps pouvais-je parler sans risquer de l'ennuyer ? Un trop long silence ne serait-il pas pesant ? Trop d'attentions de ma part ne deviendrait-il pas gênant ? Et trop peu d'attentions ne signifierait-il pas de l'indifférence de ma part ? Je voulais qu'elle comprenne qu'elle était en sécurité avec moi, qu'elle n'avait rien à craindre. Elle s'est mise à bâiller tandis que je me posais ces questions et s'est endormie. J'ai veillé sur son sommeil toute la nuit.

Le deuxième jour, j'étais davantage sensible au contact de ses bras autour de ma taille, à la pression particulière de chacun de ses doigts, à sa poitrine pressée contre mon dos. Elle y reposait de temps en temps sa joue, son front. Mes nerfs étaient tellement à fleur de peau que j'ai même senti le contact du bout de son nez alors que nous galopions dans les collines brunes et arides. Mais je ne voulais rien d'elle. Je n'avais besoin de rien. Qu'elle se sente bien et sereine, je ne désirais rien d'autre. Et en l'exprimant tout haut, je m'en convainquais.

Lorsque nous avons fait halte le soir, elle a mangé avec plus d'entrain et moins de précipitation. Ses bleus jaunissaient et disparaissaient peu à peu du paysage de son joli visage. Elle retrouvait sa joie de vivre naturelle et sa résistance, dont elle aurait besoin durant ce long périple. Ces deux facultés se transmettaient d'une vie à l'autre. Elle l'ignorait, mais je saurais m'en souvenir au moment opportun.

La deuxième nuit était plus fraîche, et je n'ai pas réussi à trouver suffisamment de bois pour entretenir le feu. Les couvertures étaient certes épaisses, mais pas assez néanmoins. À cause du froid, Sophia n'arrivait pas à sombrer dans un véritable sommeil. Je la voyais grelotter, se réveiller par intermittence. J'essayais de la réchauffer en ajoutant ma couverture à la sienne. Mon empressement à prendre soin d'elle et ma détermination me tenaient chaud alors qu'elle continuait à frissonner.

Je me suis rapproché d'elle sans l'avoir réellement décidé. Je ne tenais pas à dépasser certaines limites, mais j'avais de la chaleur à partager. Je me suis lové à quelques centimètres de son corps, tâchant de lui en communiquer un petit peu, et dans son sommeil c'est elle qui s'est laissé progressivement attirer vers cette source de chaleur. Je me suis bien gardé de la toucher, malgré l'envie que j'en avais à ce moment. Je me suis glissé sous les couvertures et, tel un enfant, elle a entremêlé ses bras et ses jambes aux miens. Je sentais la peau nue de ses chevilles et de ses pieds entre mes cuisses brûlantes, son dos qui épousait le creux de ma poitrine; mes bras se sont refermés autour d'elle. Elle a poussé un soupir, et je me suis demandé qui je représentais pour elle dans son sommeil.

J'avais peur de bouger. J'étais trop heureux et le moment était trop fragile. Mon bras s'ankylosait, mais je n'osais pas le retirer de sous son corps. Il existe de fugitifs moments de bonheur que l'on se doit de faire durer en prévision des mauvais jours, et moi plus que quiconque.

Le troisième jour de notre pérégrination, j'ai pu constater combien son corps se détendait au contact du mien, et j'ai reçu cela comme une bénédiction. Lorsque nous nous sommes arrêtés à la mi-journée pour nous restaurer, elle a renversé du riz sur mon genou et cela l'a fait sourire. J'aurais aimé qu'elle renverse n'importe quoi sur moi, de l'acide, de la lave brûlante, et qu'elle sourie à chaque fois.

Cette nuit-là, elle s'est glissée sous la couverture et s'est blottie contre moi sans un mot.

– Merci, a-t-elle murmuré en s'endormant, ses cheveux contre mon cou et le sommet de son crâne sous mon menton.

J'avais passé mes bras autour de sa poitrine, et je sentais son cœur battre au rythme de mon propre pouls qui palpitait dans mes poignets. Je m'efforçais de tenir à distance la partie inférieure de mon corps, dans la mesure où certains organes refusaient de se plier à la discipline générale.

J'ai dû au cours de la nuit baisser ma garde et sombrer dans un profond sommeil. Je crois que j'ai rêvé à d'autres incarnations de nous-mêmes et cela m'a perturbé. J'étais remonté jusqu'au jour de notre première rencontre et je ne l'ai entrevue qu'une fraction de seconde mais, apparemment, cela a suffi à m'ébranler. Lorsque j'ai rouvert les yeux, elle était à mes côtés, le visage tout près du mien. Je n'ai pas compris tout de suite ce qu'elle faisait là ni où nous en étions dans le temps. Et je me suis senti brusquement envahi par les remords en la voyant.

– Je suis désolé, ai-je murmuré.

Je ne savais pas très bien si elle dormait ou pas, mais je crois qu'elle était réveillée.

– Pour quelle raison serais-tu désolé?

– Pour ce que je t'ai fait.

Je devais être très certainement désorienté car je croyais qu'elle comprendrait immédiatement ce que je voulais dire. Les liens qui nous unissaient semblaient si forts que je ne pouvais imaginer qu'elle n'en savait pas autant que moi. Ç'a été un étrange moment d'illusion où j'ai cru que nous avions vécu la même expérience. J'ignore d'où cela a pu venir. S'il est bien une chose affligeante que j'ai apprise, c'est que personne n'a jamais vécu la même expérience que moi.

La perplexité s'est affichée sur son visage.

– Que m'as-tu fait ? a-t-elle demandé en se redressant. Tu ne m'as fait aucun mal, tu m'as protégée. Tu m'as sauvé la vie. Et non une seule fois, mais plusieurs. Tu as été bon pour moi au péril de ta vie. J'ignore pourquoi. Tu ne m'as jamais posé de questions. Tu n'as rien exigé de moi. Tu m'as respectée. Quel homme aurait agi ainsi ?

Le jour se levait et j'étais aussi peu réveillé que possible à cette heure matinale. J'étais partagé au sujet de son innocence.

Je me suis assis à mon tour, essayant de reprendre mes esprits. Je voulais m'expliquer, mais je ne savais pas jusqu'à quel point je pouvais tout lui avouer.

– J'ai essayé de te protéger. C'est vrai. Mais il y a très long-temps, je t'ai fait quelque chose que je…

– À moi ?

– Oui, à toi, ai-je répondu, bouleversé par sa suspicion. Mais pas à toi, Sophia, pas toi telle que tu es aujourd'hui. C'était il y a très longtemps. En Afrique. Tu ne te rappelles pas l'Afrique…

Le tour que prenait la discussion était risqué. Que désirais-je ? Qu'un souvenir surgisse soudain de sa mémoire et qu'il corres-ponde à l'un des miens ?

– Je ne suis jamais allée en Afrique, a-t-elle répondu lente-ment.

– Mais si, il y a longtemps. Et je…

– Non, jamais.

Elle semblait toute petite sous le vaste ciel qui se teintait des lueurs de l'aube, dans cet étrange paysage lunaire proche de la Cappadoce, avec moi pour unique témoin. Si je tenais véritable-ment à la rassurer sur son sort, je devais procéder différemment.

– Non Oui, je sais. Évidemment. C'est une façon de parler… Je veux dire que…

Et si je cherchais à expier mes fautes, je ne devais pas le faire à ses dépens.

– Non, je ne veux rien dire, ai-je ajouté en haussant les épaules et en tournant mon regard vers l'est, où le soleil déchirait l'intimité de notre nuit. J'ai une mémoire très particulière.

Je m'adressais à elle d'une voix si ténue qu'elle ne lui parvenait peut-être pas. Je l'ignore.

Elle a gardé les yeux fixés sur moi pendant un long moment. Il y avait de l'incertitude dans son regard, mais aussi de l'affection.

– Tu es un homme bon, mais je ne te comprends pas.

– Un jour, je t'expliquerai.

Nous avons de nouveau disparu sous les couvertures, nos deux visages tournés vers l'est. Elle a pressé ardemment son corps contre le mien, de sorte que les parties les moins contrôlables de ma personne n'ont pas tardé à s'éveiller. Elle n'a pas cherché à s'écarter, mais a tourné la tête vers moi pour me dévisager de nouveau avec une sorte de curiosité.

J'ai enfoui mon visage dans son cou et cherché le lobe de son oreille du bout des lèvres. J'ai relevé ses jupes et mis mes mains sur ses hanches dénudées. Puis j'ai ouvert sa robe et lui ai embrassé les seins. Ensuite, j'ai ôté ses sous-vêtements et je l'ai pénétrée avec toute la vigueur des désirs longtemps contenus que l'on peut imaginer.

Et, en effet, elle n'était qu'imaginaire. Il ne s'agit pas d'un souvenir, mais bien d'un fantasme que j'ai si intimement mêlé à mes souvenirs qu'il en est pratiquement devenu un à part entière. Et c'est cette version des faits que je revis systématiquement, de préférence à l'autre. Ma mémoire, je l'ai déjà dit, se permet quelques distorsions. Je fais mon possible pour la cultiver de façon à ce qu'elle soit fiable, et il est assez rare que mes émotions soient plus fortes que les faits et les déforment. Mais là, j'avais déformé les faits suffisamment pour pénétrer en elle et y rester éternellement.

Mais cédons la parole à la réalité : elle m'a regardé en se passant la langue sur les lèvres avec une ardeur non dissimulée.

– Je suis la femme de ton frère.

– Tu es la femme de mon frère, ai-je confirmé d'un ton lugubre avant de m'éloigner d'elle, la mort dans l'âme.

Quelque violent qu'ait été mon frère, il ne pouvait remettre en question le caractère sacré du mariage : certes il ne le respectait pas, mais il n'avait pas les moyens de l'invalider. Alors que nous, nous y croyions. C'était plus fort que nous.

Je l'ai regardée fixement, et elle a fait de même. Un baiser, un véritable baiser, et tout ce qui s'ensuivrait, inévitablement, transformerait notre mission en une tromperie sordide, et cela en dépit de tout l'amour que j'avais pour elle, en dépit de mon immense envie de l'embrasser.

«Cela restera à tout jamais notre secret», m'exhortait mon corps torturé par le désir.

Mais mon cerveau voyait plus loin. En effet, cela resterait entre nous, mais nous aurions justifié les plus infâmes soupçons de mon frère et cette faute nous aurait toujours poursuivis. Quand on vit aussi longtemps que moi, toujours est une notion paralysante. Je sais qu'elle pensait de même. À cet instant, je savais aussi que notre communauté d'âmes n'était pas une illusion.

Le dernier jour, nous avons chevauché sans hâte. Un vent chaud s'était chargé de sable et de poussière qui, se mêlant à notre sueur, nous collaient à la peau, et je sentais plus mauvais que notre cheval. Plus tard dans l'après-midi, j'ai aperçu quelque chose à demi enfoui dans le sable. J'ai immobilisé ma monture et mis pied à terre.

Il s'agissait d'un gigantesque ouvrage en cuivre martelé, lourd et finement ouvragé. En le retournant, j'ai découvert qu'il s'agissait d'une sorte de vasque. Elle avait dû appartenir à un marchand qui s'était fait probablement attaquer et l'avait abandonnée dans sa fuite. Elle était trop lourde pour être transportée aisément, mais elle m'a donné une idée. Nous avons encore parcouru un ou deux kilomètres vers le point où je savais que nous trouverions de l'eau. Nous avons rempli tous nos récipients et deux outres avant de revenir sur nos pas, à l'emplacement de la vasque. J'ai allumé un feu pour chauffer l'eau et installé la vasque sur une petite hauteur d'où l'on avait une vue extraordinaire sur un soleil qui disparaissait dans de fabuleuses traînées orange et pourpres. L'atmosphère fraîchissait et la lumière déclinait tandis que Sophia surveillait mes faits et gestes d'un air perplexe, mais je m'y suis tenu jusqu'à ce que la vasque fût remplie d'une eau limpide et fumante.

Nous sommes tellement habitués au confort moderne que nous considérons presque comme un droit le fait d'obtenir un bain chaud rien qu'en tournant un robinet, et nous sommes prompts à oublier quel luxe cela représentait autrefois, car il s'agissait bel et bien d'un luxe. J'ai déniché un morceau de savon dans ma sacoche, que je lui ai tendu cérémonieusement. Ce n'était pas véritablement un cadeau, mais cela m'a semblé le geste approprié pour la préparer à entrer dans sa nouvelle vie.

Je m'apprêtais à m'éloigner par discrétion, mais j'étais contrarié de ne pas assister à ce moment de bonheur.

– Veux-tu que je m'en aille ? lui ai-je néanmoins demandé.

– Non, reste.

Elle s'est déshabillée sans honte ni timidité, mais sans fausse modestie non plus. Je l'ai regardée mettre un pied dans l'eau, puis l'autre, et frissonner de plaisir.

« Je peux te rendre heureuse », ai-je songé.

Je l'observais, conscient de l'avenir qui nous attendait. Je voulais la graver dans ma mémoire le plus profondément et concrètement possible. Je voulais engranger en moi les moindres détails de son anatomie afin qu'elle m'accompagne le temps qu'il faudrait pour que je la retrouve dans une autre vie. J'examinais ses pieds, légèrement tournés vers l'intérieur, le joli galbe de sa poitrine, son élégant port de tête. Je savais que la prochaine fois elle n'aurait plus la même couleur de cheveux, ni le même corps, mais sa prestance ne varierait pas.

Elle s'est glissée entièrement dans la vasque et a plongé la tête sous l'eau, avant d'en ressortir, le sourire aux lèvres, la peau à peine plus nacrée. Elle s'est étirée et a attendu que la surface de l'eau s'aplanisse et reflète les couleurs du ciel.

– Viens près de moi.

Je me suis assis sur un rocher plat juste au-dessus de la vasque. C'était un spectacle enchanteur.

Après avoir terminé ses ablutions et être sortie de l'eau, elle m'a ordonné de me baigner à mon tour. Elle m'a regardé me déshabiller avec un aplomb de propriétaire et m'a massé le dos de ses mains douces et habiles. J'ai plongé la tête sous l'eau pour ne plus percevoir que ses caresses et le silence. Chacun de ces moments ressemblait aux perles d'un collier, chacun plus beau et parfait que le précédent.

– J'aimerais que tu sois ici avec moi, ai-je avoué.

Elle m'a jeté un regard lourd de sous-entendus.

– Moi aussi, il y a beaucoup de choses que j'aimerais faire.

– Un jour, nous nous baignerons ensemble, lui ai-je répondu en soupirant d'aise.

– C'est vrai?

– Oui. Un jour, tu seras libre. Alors, je te retrouverai et nous serons aussi heureux qu'aujourd'hui.

Elle avait des larmes dans les yeux et du savon sur les mains.

– Comment peux-tu en être si sûr?

– Ce jour viendra dans très longtemps, beaucoup plus longtemps que tu ne peux l'imaginer, mais il viendra, c'est certain.

– Tu me le promets?

Je l'ai regardée dans les yeux et lui ai fait cette funeste promesse :

– Oui, je te le promets.

Lorsque je suis sorti de la vasque, elle a lavé nos vêtements dans l'eau du bain et les a étendus sur le sol. Nous n'avions plus qu'à nous réfugier sous les couvertures, tous les deux nus et enlacés, en attendant que le soleil se lève et sèche nos habits.

Nous avons achevé nos provisions et, plongés dans nos rêveries, avons chevauché jusqu'au village où une nouvelle vie l'attendait.

Je n'avais pas osé l'embrasser lorsque nous étions nus sous les couvertures et brûlants de désir. J'ai attendu que les contours du village de terre apparaissent à l'horizon pour arrêter le cheval et l'en faire descendre. Je l'ai serrée dans mes bras un temps infini. À ce moment, je n'avais pas prévu de l'embrasser, trop soucieux de respecter sa légitime innocence. Mais j'ai pensé soudain qu'un baiser lui serait d'un grand réconfort.

C'était un baiser plein de larmes et de tristesse, beaucoup moins léger que celui que nous aurions pu échanger quelques heures plus tôt. Je savourais une dernière fois la douceur de son corps contre le mien, profondément conscient de ce qui nous attendait. Je savais ce que j'avais pris. Je savais ce que j'avais à garder en souvenir et le prix que j'aurais à payer.

J'ai laissé Sophia dans un tout petit village construit à flanc de colline, où je l'ai confiée aux bons soins d'une vieille femme, une veuve, qui était trop heureuse de la recueillir et qu'elle a considérée comme sa nièce. Je connaissais cette femme car elle avait été ma mère dans une autre vie. Je savais que je pouvais lui faire confiance. J'ai remis à Sophia un peu d'argent et l'ai quittée avec l'espoir que sa nouvelle identité la protégerait.

– Nous nous reverrons, m'a-t-elle affirmé, l'air résigné et en pleurs.

J'en étais aussi persuadé qu'elle et je le lui ai répété avec fougue, mais je savais au fond de moi que nous ne nous reverrions pas comme elle l'imaginait.

– Tu reviendras ici un jour.

– Oui, je te le promets.

En retournant une semaine plus tard à Pergame, j'étais conscient du risque que je prenais, mais je ne voulais pas capituler. Je n'avais nulle part où aller. Je ne voulais pas changer d'identité et devenir quelqu'un d'autre. J'aurais bien le temps pour cela. J'avais dit à ma mère que je reviendrais, et je tenais parole. J'ai fini par retrouver mes jeunes frères que j'ai installés auprès d'elle, dans sa petite maison. J'ai remis à chacun d'eux une somme d'argent, et quelques objets faciles à cacher, donc difficiles à voler. En y repensant, je m'aperçois que j'ai pris toutes ces dispositions en ayant conscience du caractère définitif de mes actes.

En quittant la maison de ma mère, le troisième soir, je ne peux pas dire que j'ai été surpris par l'embuscade que me tendit mon frère. Avec le recul, ç'aurait été étonnant qu'il ne me suive pas dans une ruelle obscure. Tout s'est déroulé très vite.

Je m'étais préparé à un face-à-face, mais sa colère et sa méchanceté en ont décidé autrement. Il m'a attaqué par-derrière. J'ai reçu un coup de couteau dans le dos, puis dans le cou, et j'ai expiré dans d'atroces souffrances.

Pendant mon agonie, il m'est apparu que je quittais cette vie-là avec beaucoup plus de difficultés que prévu. Je me suis surpris à souhaiter que ma mère n'apprenne jamais ce qui m'était arrivé. Je me croyais préparé à la mort, mais il n'en était rien. C'est en me vidant de mon sang que j'ai pris la mesure de tout ce que je perdais : je perdais Sophia, ma famille et moi-même. Je ne serais plus jamais celui en qui elle avait placé son amour et sa confiance.

Jamais je n'avais eu tant à perdre. Je n'ai plus jamais revécu ce genre de vie ni trouvé de nouveau la mort dans des conditions analogues. Et, malgré le désir que j'avais de retrouver Sophia, une partie de moi-même espérait que cette mort serait la bonne et que mon tourment prendrait fin avec elle.

Mais ce n'était pas la fin, bien sûr. Ce n'était, comme l'aurait dit Winston Churchill, que la fin du commencement. Je suis retourné dans ce petit village de Cappadoce afin de la retrouver. Mais je n'avais que onze ans et j'avais fait seul le voyage depuis le Caucase.

J'étais simplement soulagé de la retrouver au même endroit. La veuve était morte, mais Sophia était saine et sauve. Elle a été assez gentille pour m'inviter à entrer dans sa petite maison et m'a offert du thé, avec du pain et du miel. Il ne semblait pas y avoir de mari ni d'enfants dans les parages, mais tous les murs et la moindre surface disponible étaient recouverts de jolis tissages. Je savais que c'était elle qui les avait réalisés. J'ai reconnu notre histoire commune tissée dans les arbres en fleurs du jardin de Pergame et le bel étalon arabe sur lequel nous étions arrivés au village.

Elle s'est assise en face de moi à la petite table en bois. La lueur de la bougie et les tissus évoquaient l'intérieur d'un coffret à bijoux. J'étais avec elle, en train de la regarder, tout en étant à ses yeux un inconnu, mais un inconnu qui souffrait de son absence. Je la voyais avec mes yeux d'antan et éprouvais d'anciennes émotions, tandis que mon corps d'enfant ne savait comment se comporter. J'ai rarement éprouvé un décalage aussi déroutant entre ma mémoire et mon corps. J'ignore ce que j'attendais de Sophia. Elle était la même personne, c'est moi qui étais quelqu'un d'autre.

Elle m'a posé des questions, évidemment, et à mesure que je lui répondais, j'ai pu constater à quel point je l'intéressais.

– Comment se fait-il que tu parles ma langue ? m'a-t-elle demandé, troublée.

– Je l'ai apprise en voyageant, ai-je répondu sans la convaincre véritablement.

Je désirais lui en dire davantage, mais cela m'était impossible.

Je n'étais plus rien pour personne. Je le savais. Elle se méfierait instantanément de moi et prendrait aussitôt ses distances, alors que je rêvais qu'elle soit aussi proche que par le passé.

Elle m'a proposé de rester chez elle pour la nuit et de repartir le lendemain. La couverture qu'elle a dépliée était celle dans laquelle nous avions dormi quand j'étais plus âgé, et elle plus jeune et l'épouse de mon frère. L'odeur de cette couverture m'a bouleversé.

Elle s'est assise près de moi sur le grabat et m'a massé le dos avec une grande tendresse, une tendresse qui ressemblait à une sorte de réminiscence. Comme je n'avais que onze ans, que j'étais très seul et que je croulais sous une masse de souvenirs trop lourds, je n'ai pu m'empêcher de verser des larmes au creux de mon bras, espérant qu'elle ne s'en apercevrait pas.

Quand j'ai ouvert les yeux le lendemain matin, j'ai vu le vieux rouleau de parchemin accroché au mur. C'était l'esquisse que je lui avais faite de mes mosaïques du baptistère. Avec le jardin, le pommier et, bien sûr, le serpent.

– Qui a dessiné ça ? lui ai-je demandé en lui indiquant le parchemin pendant qu'elle me servait un petit déjeuner qui a dû vider presque tout son garde-manger.

J'ai toujours détesté les questions biaisées, mais c'était plus fort que moi.

Elle a contemplé l'esquisse d'un air songeur.

– Un homme que j'ai connu, a-t-elle répondu en baissant la tête.

– Qu'est-ce qu'il est devenu ?

Son visage s'est aussitôt crispé, et elle a dû se tenir le menton pour l'empêcher de trembler.

– Je n'en sais rien. Il a dit qu'il reviendrait un jour, mais je suis pratiquement sûre qu'il a été tué.

Elle a prononcé ces mots avec une tristesse infinie.

– Il reviendra, lui ai-je affirmé, les larmes aux yeux.

– Je ne sais pas si je pourrai l'attendre encore longtemps.

En réalisant ce que j'avais fait, j'ai eu honte. Je lui avais donné de faux espoirs. Elle m'avait fait confiance, et je l'avais déçue. Elle n'avait pas la même vision des choses que moi. C'était égoïste de ma part de lui faire une promesse dont elle ne pourrait voir la réalisation.

– Il ne t'a pas oubliée. Il te retrouvera un jour ou l'autre, mais ça pourrait prendre plus de temps que prévu.

Elle m'a fixé avec curiosité.

– Oui, c'est aussi ce qu'il a dit.

Je suis retourné une dernière fois dans le village de Sophia, à dix-neuf ans. J'avais la ferme intention de lui révéler qui j'étais en réalité et que j'étais bel et bien revenu ainsi que je le lui avais promis. J'avais le projet de vivre avec elle le restant de mes jours. J'étais prêt à combattre le moindre de ses doutes et la moindre de ses protestations. Je préparais à l'avance les arguments propres à la convaincre que la différence d'âge n'avait aucune importance. Je passais des années et des milliers de kilomètres à répéter nos futures discussions et à rêver à nos ébats amoureux à venir.

Mais quand je suis parvenu en vue du village, j'ai découvert que le flanc escarpé de la colline était noirci par endroits, et qu'une bâtisse neuve, plus vaste, avait remplacé la petite maison. La majeure partie du village avait été reconstruite récemment et était méconnaissable. J'ai fini par trouver le prêtre dans son église de pierre, l'un des bâtiments encore intacts.

– Nous avons eu un terrible incendie, m'a-t-il expliqué.

J'ai à peine pu écouter le récit qu'il m'a fait de la façon dont la plupart des maisons étaient parties en fumée et la moitié des villageois avait péri.

– Et Sophia ?

Il a secoué la tête.

Je me suis rendu sur les lieux de l'ancienne maison de Sophia où j'ai rencontré les nouveaux occupants.

– Il n'est donc rien resté de l'incendie ? leur ai-je demandé avec espoir.

Non, absolument rien. Je suis reparti dans le désert, errant sans but, faisant en sens inverse le trajet que j'avais accompli avec elle depuis Pergame, mais cette fois seul et à pied. Je me suis senti accablé sous le poids de ma mémoire. Sophia avait disparu, et tout ce qu'elle avait touché avec elle. Ses tissages, les couvertures, mes esquisses. Tout cela était irrémédiablement perdu. Mais il ne tenait qu'à moi que cela disparût à tout jamais ou non.

ARLINGTON, VIRGINIE, 2006

Daniel était fatigué. Trop fatigué pour enlever sa blouse blanche avant de se jeter sur son lit. Il venait de rentrer de trois jours de travail à l'hôpital, durant lesquels il n'avait dormi que quarante minutes assis sur une chaise, la tête entre les bras, sur la table, avec dans la pièce une télévision qui diffusait un jeu, genre *Tournez manège*, à plein volume. Il existait des réglementations fixant le nombre d'heures d'affilée durant lesquelles un interne était autorisé à travailler, mais l'administration de l'hôpital des Anciens Combattants ne prêtait guère attention à ce genre de directives.

Il ne s'en plaignait jamais, préférant nettement être à l'hôpital que chez lui. Il aimait bien les personnes âgées ainsi que les vétérans, et comme il se spécialisait dans la médecine gériatrique, il passait la majeure partie de son temps avec des anciens combattants.

Chez lui, en l'occurrence, c'était un deux-pièces à Arlington, Virginie, avec vue sur un parking. Il avait toujours songé à s'acheter une maison dans un bel endroit. Il en avait largement les moyens. Mais il se retrouvait chaque fois dans des locations minables et payables au mois. Celle-là au moins était dotée d'une cuisinière, mais il ne s'en était pas encore servi. Il avait trois placards, dont deux étaient vides, une télé avec un grand écran plasma et un abonnement au câble censé lui permettre de voir tous les matchs de football, base-ball, basket-ball et hockey à toute heure du jour ou de la nuit. Et d'autres sports aussi, mais qui ne l'intéressaient pas. À part le tennis en pleine nuit quand c'était l'époque de l'Open d'Australie.

Cette fois, il avait carrément sauté la prépa. Il avait également sauté les deux premières années de médecine. Il s'était fabriqué, pour les deux, de faux certificats scolaires lorsqu'il avait postulé pour faire sa troisième année à George-Washington. C'était environ un mois après qu'il eut cherché à se noyer dans l'Appomattox et s'était raté. Il s'était encore raté ; il avait beaucoup trop à perdre en réussissant son suicide.

G.-W. avait été ravi de l'accueillir. C'était incroyable tout ce qu'on pouvait se permettre dès lors qu'on avait de l'audace. Mais il ne s'y serait jamais risqué s'il ne s'était pas senti raisonnablement préparé.

Il était sorti diplômé de plusieurs grandes écoles et universités américaines et européennes. Il avait fait de longues et nombreuses études de médecine. Des dizaines, en comptant les enseignements qu'il avait reçus en herboristerie et en médecine populaire au Moyen Âge et à la Renaissance. Et ces dernières lui étaient étonnamment précieuses. Il était étrange de constater que les anciens remèdes finissaient toujours par réapparaître après un certain temps.

C'était le propre des entreprises humaines que d'inventer et de s'enthousiasmer pour une nouvelle approche, pour la rejeter au bout d'une génération, d'en comprendre la nécessité une ou deux générations plus tard, puis de s'empresser de la faire passer pour inédite et originale, la plupart du temps en la privant de son élégance première. En règle générale, les scientifiques détestaient regarder en arrière.

Ce fanatisme aveugle avait toujours été pour lui une source

d'étonnement. Les gens ne semblaient pas se rendre compte de la place dérisoire et fragile qu'ils tenaient dans l'histoire de l'humanité, à l'instar de tous les individus nés avant eux, convaincus qu'ils occupaient le monde entier. S'ils s'étaient retournés, ils auraient découvert derrière eux tout un paysage mais, la plupart du temps, ils s'en gardaient bien.

Le gardien de l'immeuble avait scotché une affichette concernant le recyclage sur la porte de son appartement et ça l'avait fait rire. Tout le monde s'entichait soudain de recyclage, mais celui-ci ne concernait jamais le cœur ou le cerveau. Il se limitait aux bouteilles en verre et aux pneus. Certes, il était pour. Et si les gens savaient qu'eux-mêmes étaient recyclés? Est-ce que cela changerait quoi que ce soit?

Il y avait un certain nombre de choses qu'il aurait aimé pouvoir leur dire, aux gens. Peut-être écrirait-il un jour un guide pratique. Il leur apprendrait ce qu'est le recyclage et leur donnerait quelques conseils, du genre que tout temps passé à s'intéresser aux accidents d'avion ou aux requins mangeurs d'hommes est du temps perdu.

Daniel ne parvenait jamais à s'endormir quand il en avait envie, quel que fût son degré de fatigue. Son cerveau commençait à se bloquer dans telle ou telle direction. Le plus souvent, en direction de Charlottesville, Virginie, où Sophia vivait en paix, espérait-il, une paix qui ne serait plus garantie dès l'instant où il se présenterait dans le hall de sa résidence universitaire, ainsi qu'il se plaisait parfois à l'imaginer.

Un jour, il l'aborderait de nouveau. Il rêvait souvent de ce moment. Un jour, il trouverait les mots justes et se rattraperait. Un jour, il l'appellerait et lui poserait une toute petite question, ou lui enverrait un courriel amusant, ou il lui laisserait un message sur son mur Facebook et ça ne lui ferait pas peur parce que leur dernière rencontre désastreuse serait déjà très loin. Un jour... Il se raccrochait à ce jour, car demain était beaucoup plus difficile à gâcher qu'aujourd'hui.

Le sommeil allait devoir le surprendre à l'improviste si jamais il devait dormir cette nuit. D'où le grand écran plasma et l'abonnement au câble.

Il s'était traîné jusqu'au canapé, armé de sa fidèle télécommande. Les Lakers jouaient contre les Spurs. Le match de ce soir n'était pas décisif, mais quand même intéressant. Il s'était installé pour suivre les prouesses de Kobe Bryant avec la sensation de se détendre un tout petit peu et repensa à l'histoire de Kobe : il ne s'agissait pas d'une âme toute récente, mais disons d'une jeune âme. La plupart du temps, cela donnait d'excellents athlètes. Ils avaient vécu suffisamment pour saisir les grandes lignes, mais pas assez pour qu'elles les entravent. Il y avait des exceptions, naturellement. Shaq était certainement un pigeon de la dernière heure, et Tim Duncan, il en était sûr, était sur terre depuis des siècles.

Peu avant la fin du troisième quart de temps, il avait commencé à s'endormir, au milieu d'une publicité pour des voitures et des camions. Lorsque l'image était revenue sur le match, il avait fixé de nouveau l'écran, dans un demi-sommeil. La caméra s'attarda complaisamment quelques instants sur les célébrités présentes, ce qui était tout à fait habituel. Ses paupières retombaient à peine lorsque quelque chose avait attiré son attention. Il s'était redressé, frotté les yeux et penché en avant pour mieux voir.

Un homme était assis au deuxième rang, grand, coupe de cheveux soignée et veste voyante. Il aurait pu passer pour beau si sa vue n'avait pas donné la nausée à Daniel. L'homme se tenait parfaitement raide, comme dans un costume chic et cher. Il était de profil à présent et discutait avec quelqu'un. Il avait regardé la caméra une fraction de seconde, mais cela avait suffi. Sa montée d'adrénaline avait été telle que Daniel eut l'impression que sa vue se troublait.

Il n'avait jamais vu cet homme, mais il savait sans le moindre doute qui il était.

Son corps avait fini par se détendre au bout d'un certain temps. L'agitation des premiers instants céda la place à un vague état nauséeux. Ce n'était pas le fait d'avoir vu Joaquim ni la réminiscence de leur histoire qui étaient si troublants, mais que son frère aussi se la rappelle.

Après avoir passé des centaines d'années si tragiquement seul avec ses souvenirs, il avait semblé incongru à Daniel de se retrouver dans un relatif voisinage avec quelqu'un qui connaissait des choses de lui, qui se rappelait même certaines des vies antérieures qu'il avait vécues. S'il s'était agi de n'importe quelle autre âme, c'eût été un réconfort.

Daniel repensa à la dernière fois où il avait aperçu Joaquim, vision fugace sur la petite place d'un village hongrois, au début du XIVe siècle. Il s'était déjà rendu compte que Joaquim possédait lui aussi la Mémoire, et il se tenait sur ses gardes, mais rien chez son frère, à l'époque, ne pouvait laisser présager qu'il l'eût reconnu. Daniel s'attendait plutôt à le voir se réincarner en un proche : un oncle, un père, un professeur, un fils, un frère de nouveau, comme c'est souvent le cas avec les gens marquants. Mais, contrairement à ses craintes, cela ne s'était jamais produit. Au début, Daniel croyait que c'était parce que la misanthropie fondamentale de son frère d'alors l'avait maintenu en état de mort pendant de longues périodes. S'il y avait une âme qui était morte solitaire et isolée, c'était bien la sienne. Dans les moments plus insouciants, il imaginait Joaquim errant de par le monde, apparaissant à Djakarta, puis à Iakoutsk.

Beaucoup plus tard, Daniel avait appris que Joaquim s'était

mis à contourner les règles de la disparition et de la réapparition. C'était extrêmement inquiétant. Daniel ignorait comment il s'y prenait ; il tenait cette information d'une grande âme mystique, son vieil (véritablement vieux) ami Ben, et la façon dont Ben l'avait apprise restait un mystère pour Daniel. Mais il pouvait bien imaginer que Joaquim soit incapable d'attendre son tour, ni même de recommencer une nouvelle vie à zéro, en petit bébé impuissant. Il ne supportait certainement plus l'idée de revivre la faiblesse et la vulnérabilité de l'enfance. Obnubilé par son désir de vengeance, il ne voulait pas confier au hasard la traque de ses ennemis, bien qu'il ait pu les retrouver plus rapidement s'il l'avait fait.

Il était très pénible de le revoir après toutes ces années. Daniel avait été tenté de croire que l'âme de Joaquim avait fait son temps, mais il n'en était rien. Il nourrissait trop de haine pour disparaître définitivement. Daniel sentait que Joaquim utilisait sa mémoire dans le seul but d'ourdir des vengeances au fil des siècles. Combien en avait-il à son actif ?

C'était révoltant de le voir réincarné dans un corps dont il n'était pas digne et écœurant de songer à la façon dont il avait dû s'y prendre. Qu'était devenu celui qui aurait mérité ce corps ? Daniel n'avait aucun moyen de savoir ce que tramait Joaquim. Mais il avait l'intuition que c'était dangereux pour lui, et pour Sophia s'il la retrouvait.

Au large de la Crète, 899

Au tournant du xe siècle, j'étais rameur sur l'un des vaisseaux du doge de Venise. Je venais de la campagne à l'est de Ravenne et, comme beaucoup de garçons de cette région du globe, je rêvais de partir en mer. Les Vénitiens étaient les meilleurs marins du monde, du moins avions-nous de bonnes raisons de le croire. J'embarquai pour la première fois à l'âge de quinze ans et naviguai durant vingt et un ans sur des vaisseaux de guerre et des navires marchands jusqu'au jour où je péris noyé lors d'une tempête au large de Gibraltar.

Nous autres, marins, nous attendions à mourir en mer, et parfois même le souhaitions, de sorte que ce n'était qu'une question d'heure. J'avais fait une belle et longue course et, comparée à d'autres, ça n'a pas été une mort horrible. Je n'avais péri noyé que deux fois, et la deuxième, sachant ce qui m'attendait, m'avait laissé plutôt indifférent.

Nos routes nous ont tout d'abord conduits en Grèce et en Asie Mineure, en Sicile et en Crète, et parfois en Espagne et sur la côte Nord de l'Afrique. C'était des endroits magnifiques à l'époque, surtout quand on les découvrait par la mer. Comme je l'ai déjà dit, j'essaie de me garder de toute nostalgie mais, au fil des siècles, l'âpreté de cette vie s'estompe et il me reste la vision du Grand Canal au crépuscule.

La traversée jusqu'au port d'Héraklion (ou Candie, ainsi que les Vénitiens l'appelaient) dont je veux vous parler était un voyage de routine. Je venais de débuter dans la carrière, et j'étais jeune et inexpérimenté, contraint d'endurer des postes interminables aux rames et plus que ma part de veilles la nuit.

D'un voyage à l'autre, on retrouvait les mêmes personnages, mais parfois, un ou deux nouveaux faisaient leur apparition. Cette fois, il s'agissait d'un marin encore plus jeune que moi : il devait avoir dans les quinze ans et moi dix-huit. Je l'avais remarqué non parce qu'il avait dit ou fait quelque chose de particulier, mais justement parce qu'il ne disait rien. Il gardait constamment le silence et faisait son travail consciencieusement, mais il observait et écoutait tout avec attention. Avec lui, on n'avait à craindre ni vexations, ni sarcasmes, ni ragots, ni rodomontades caractéristiques du marin de base. Il avait de grands yeux intelligents, assez mystérieux dans un visage autrement plutôt ordinaire et innocent. Il s'appelait Benedetto, mais les hommes le surnommaient Ben ou Benno pour lui donner des ordres ou se moquer de lui, seules occasions où ils s'adressaient à lui.

Les premières fois que nous avons fait équipe, nous n'avons pas échangé un mot. Mais je sentais son regard posé sur moi lorsque je bavardais avec les autres rameurs. Il ne perdait aucune de mes paroles. La quatrième ou la cinquième fois, je me suis retrouvé seul avec lui sur le pont avant et, comme je devais lutter contre le sommeil, j'ai engagé la conversation.

– Tu es italien, non ? lui ai-je demandé-je dans cet italien vernaculaire que nous parlions à bord.

Il m'a toisé avant de répondre :

– Oui, je suis né au sud de Naples.

– Il y a du bon vin, là-bas ! ai-je répondu bêtement, car faire la conversation n'était pas mon fort et je n'avais jamais mis les pieds à Naples.

Il semblait pris de court et mal à l'aise.

– Toi aussi alors, tu es italien, a-t-il fini par dire après un long silence.

– Ravenne, ai-je répliqué avec une certaine fierté.

– Et avant?

– Avant quoi?

– D'où étais-tu avant Ravenne?

C'était une drôle de question, et je me suis demandé s'il ne se doutait pas qu'en réalité je ne venais pas précisément de Ravenne. Je crois qu'avoir des origines honorables comptait beaucoup à mes yeux alors.

– Je suis né à une quinzaine de lieues à l'est de la ville, ai-je avoué, un peu sur la défensive.

Il a hoché la tête. Il n'y avait rien d'insistant dans son ton.

– Mais avant de naître à une quinzaine de lieues à l'est de Ravenne, d'où étais-tu?

Je suis resté sans voix. Je me rappelle encore tout ce qui m'est alors passé par la tête. J'avais déjà vécu plusieurs vies, je savais combien je pouvais sembler bizarre et même anormal. J'avais enfoui si profondément en moi les strates les plus secrètes de ma vie que jamais je n'aurais pensé qu'un inconnu pût s'en approcher. Se pouvait-il qu'il fût comme moi? Avait-il lui aussi des réminiscences? J'étais si habitué à dissimuler tout cela que, lorsque je rouvris la bouche, aucun mot n'en sortit.

Ben m'a fixé avec curiosité.

– Était-ce Constantinople? Je sais que tu as dû vivre quelque temps dans cette région. Peut-être était-ce encore avant? En Grèce, non?

Je m'efforçai d'interpréter ses propos de façon différente. Il avait probablement voulu dire quelque chose de très simple.

– Non, je ne suis jamais allé à Constantinople... sur ce navire, ai-je risqué avec hésitation.

– Je ne parle pas de toi maintenant, mais avant. Moi, par

exemple, je suis né en Illyrie, avant de naître à Naples. Et encore avant, au Liban.

Le souffle coupé, je me suis demandé si j'étais bien réveillé et même vivant. Les marins adoraient raconter des histoires fantastiques où la mer, en certains lieux, faisait perdre la raison à plus d'un homme. N'étais-je pas en train de me faire piéger par une mauvaise blague ?

– Je ne comprends pas où tu veux en venir, ai-je balbutié.

Mais Ben avait le visage le plus honnête qui soit.

– Je suis sûr de moi. J'ai rencontré peu de gens comme toi… comme moi… très peu. Et je suis revenu sur terre plusieurs fois. Je peux me tromper, mais je ne le crois pas.

– Comme toi ? ai-je demandé prudemment.

– Oui, comme moi, toi aussi tu te souviens. Il est rare, je sais, que des gens se rappellent leurs souvenirs d'avant leur naissance. Pour certains, ils remontent à une seule vie ou deux, et pour d'autres, il ne reste que quelques bribes. Mais ta mémoire à toi remonte beaucoup plus loin dans le temps, je le sens.

Je me suis retourné pour voir si nous étions bien seuls. Puis j'ai levé la tête vers la lune et les étoiles afin de m'assurer de mes liens avec elles.

– Oui, beaucoup plus loin, ai-je affirmé.

Il a hoché la tête, sans la moindre lueur de triomphe dans le regard ; il était sûr de son fait.

– À la moitié du millénaire ? Ou davantage ?

– Non, c'est à peu près ça.

– Où as-tu commencé ?

– J'ai vu le jour pour la première fois près d'Antioche.

– C'est logique, a-t-il répondu en tournant les yeux vers l'est, au-dessus de ma tête, là où le soleil émergeait des flots.

– Comment ça ?

Il a chassé une pensée et reposé ses yeux sur moi.

– C'est presque l'aube.

Il me signifiait que la relève allait arriver d'un instant à l'autre. Son visage était empreint de sympathie. Il voyait bien que c'était pour moi une plus grande torture de mettre un terme à cette discussion que ça l'avait été de l'entamer.

— Comment as-tu su ? Pour moi ? ai-je voulu savoir.

— Ça ne s'explique pas vraiment, a-t-il dit, le regard toujours aussi franc, sans chercher à éluder la question. Je... je le savais, c'est tout.

Et c'est ainsi que j'ai découvert les fabuleux pouvoirs de Ben et la quasi-impossibilité de les égaler.

Ben est très âgé. J'ignore son âge. Il y a des jours où il me fait penser à Vishnou, qui a en mémoire toute l'histoire de l'humanité, mais je ne crois pas qu'il sache lui-même quand il est venu au monde la première fois. Il m'a dit que son premier souvenir était le clapotis de l'Euphrate, mais il s'agit là plus d'une impression que d'un fait. S'il est vrai qu'il a en tête toute l'histoire de l'humanité, je crains qu'elle n'ait été confiée à un poète plutôt qu'à un historien.

— Tout n'est que métaphore, n'est-ce pas ?

— Ah, bon ? ai-je rétorqué, avide de concret.

Il est tellement âgé que sa mémoire ne fonctionne pas du tout comme les autres. Y compris la mienne. Plus tard, il est devenu un grand admirateur de Lewis Carroll. (Il appréciait aussi les *Upanishad*, Aristophane, Chaucer, Shakespeare, Tagore, Whitman, Borges, E. B. White et Stephen King, pour ne citer que ceux-là.) Un jour que je m'étonnais qu'il connaisse quelque chose que, matériellement, il n'aurait pas pu connaître, il m'a cité cette phrase de Lewis Carroll : «Quelle piètre mémoire que celle qui ne puise que dans le passé.»

Il m'a confié un jour qu'il croyait s'être appelé Deborah, mais il n'en était pas très sûr. Je lui ai demandé s'il voulait que je l'appelle ainsi, sachant l'importance qu'avait prise mon nom pour moi, mais il a refusé : il n'était plus Deborah.

Ben et moi avons entrepris trois voyages ensemble, coup sur coup, où nous avons eu l'occasion d'aborder toutes sortes de sujets. Le troisième et dernier voyage était à destination d'Alexandrie, ce qui a déclenché chez Ben une abondance de réflexions aussi amusantes que fragmentaires au sujet de Jules César, Marc Antoine et Cléopâtre, ainsi que sur Ptolémée, son agaçant petit frère qui était également son mari. Je me suis aperçu que cela ne menait à rien d'essayer de démonter la mécanique de son passé ou de sa mémoire. Une question directe n'entraînait jamais de réponse directe. («Dire la vérité, mais la dire de biais», allait bientôt devenir sa citation préférée de Dickinson.) Mais l'écouter parler était un régal d'anecdotes toutes plus curieuses et étonnantes les unes que les autres.

Il avait le caractère le plus enjoué de tous les marins et manifestait un enthousiasme sincère pour les travaux les plus humbles à bord. Je n'ai jamais vu homme plus appliqué que lui à faire un nœud. Le pire événement de ma vie en mer a probablement été le passage à tabac de Ben par deux harponneurs ivres au large de Thira. Il n'a jamais eu un tempérament de marin.

À la fin de ce troisième voyage, il a disparu, et il s'est écoulé plusieurs années avant que je ne le revoie mais, avant cela, nous avons eu une discussion qui est restée gravée plus que toute autre en moi.

Une nuit où notre embarcation voguait paisiblement à une centaine de milles des côtes de Crète, j'ai entrepris de lui parler de Sophia. Et, une fois lancé, je lui ai presque tout confié, en commençant par nos funestes débuts et en continuant par chacune de nos rencontres ultérieures. Je ne puis décrire le bonheur que c'était d'être en compagnie de mon semblable, tandis que j'avais si peu de choses à partager avec la plupart des gens. Je passais sans transition d'un bout à l'autre de mon histoire, faisant fi d'une quelconque chronologie, sans avoir à fournir d'explications ni à m'excuser. Je me sentais tel un pianiste que l'on avait contraint à jouer sur un nombre limité de touches et qui, enfin, pouvait laisser courir ses doigts sur tout le clavier.

J'achevai mon récit avec celui de ma plus récente rencontre avec Sophia, alors que j'étais enfant, dans sa petite maison perchée sur une colline d'Anatolie centrale, mais Ben n'avait de cesse de me faire revenir aux épisodes où figurait mon frère Joaquim. J'ai dû les lui raconter un nombre incalculable de fois.

Je me lassai assez vite. Je voulais lui parler de Sophia, pas de mon frère. Mais Ben tenait à connaître cette histoire dans ses moindres détails, en commençant par la dispute avec Joaquim dans ma première vie et en terminant par mon assassinat plus de deux siècles après. Il fermait les yeux comme pour se représenter la scène.

— Heureusement, tout cela appartient au passé, ai-je conclu. Je n'ai aucune raison valable de repenser à lui.

La vie était longue pour les gens comme nous, assez longue pour effacer les tragédies. C'était du moins ce que je croyais alors.

Ben était accroupi, le front entre les mains, et se balançait légèrement d'avant en arrière. Je ne comprenais pas ce qui justifiait son attitude ; il compatissait vivement, je le sentais, mais c'était un peu exagéré.

— Ce n'est pas si grave, Ben. Ce n'est qu'une vie parmi tant d'autres, me suis-je rappelé lui avoir dit, prêt à changer de sujet. Nous allons de l'avant. Nous pardonnons et oublions. En tout cas, moi, je pardonne et lui, il oublie.

Ben a fini par relever la tête et m'a regardé attentivement. J'étais habitué à son regard, mais cette fois quelque chose l'avait assombri.

— Crois-tu vraiment qu'il oublie ?

— Que veux-tu dire ?

— Je te crois quand tu dis que tu pardonnes, mais es-tu certain qu'il oublie, lui ?

– Je suis sûr qu'il a disparu depuis longtemps, ai-je rétorqué. Il est mort il y a une centaine d'années. Je n'ai pas eu l'occasion de le croiser dans une nouvelle vie depuis, mais je crains d'avoir ce déplaisir dans l'avenir.

Je comptais sur ma légèreté pour dissiper le trouble de Ben, mais cela n'a pas marché. Je commençais à me sentir mal à l'aise.

– Que veux-tu dire ? ai-je insisté.

– Es-tu certain qu'il oublie ?

– Tout le monde finit par oublier, ai-je répliqué avec véhémence.

– Non, pas tout le monde.

– Pas toi, ni moi, mais tous les autres, oui.

Je dévorais Ben du regard, désireux de revoir briller une étincelle de gaieté dans ses yeux. Mais rien n'est apparu.

– Est-ce que tu es au courant de quelque chose ? lui ai-je demandé, impatient et agacé. Si tu sais quoi que ce soit, dis-le-moi.

– Je ne sais pas, mais j'imagine… et quand je pense à lui, je ne crois pas qu'il t'ait ni oublié ni pardonné.

– Qu'est-ce qui te fait croire ça ? Joaquim n'a rien manifesté de tel. Il vivait comme un homme sans histoire ni passé, ai-je argué. La Mémoire est une chose rare, n'est-ce pas ? En près de cinq cents ans, tu es la seule et unique personne que j'aie rencontrée à en être dotée. Et toi, qui ne le connais pas, tu t'imagines qu'il l'a ?

Je crois que je voulais que Ben s'en prenne à moi, mais il s'en est bien gardé. Je voulais qu'il argumente, qu'il discute, mais il ne l'a pas fait.

– Crois-tu que quelqu'un sait que tu la possèdes ? Crois-tu que ton frère soit au courant ?

Une appréhension grandissante me gagnait. Joaquim était présent dans tous les événements dramatiques de ma première vie. Si j'étais capable de faire remonter mes souvenirs jusqu'à cette époque, pourquoi pas lui? Je ne savais plus que dire. Je n'étais pas en mesure de discuter avec Ben. Je ne voulais pas penser aux conséquences que cela aurait pour moi et pour Sophia, où qu'elle se trouvât.

– J'aimerais me tromper, a conclu Ben, compatissant. Mais je crois qu'il se souvient.

Plus d'une fois, au cours des ans, j'ai ardemment souhaité que Ben se trompe. Mais malheureusement, aussi loin que je me rappelle, il ne s'était jamais trompé.

Quand je pense à cette période de ma vie où j'étais marin, il me vient toujours à l'esprit un chien du nom de Nestor que je croisais souvent dans Venise. C'était un chien des rues, un bâtard, que j'avais pris l'habitude de nourrir entre deux expéditions. C'était un chien très intelligent, qui venait toujours m'attendre au bateau, quelle que fût la durée de mes absences. Une fois, nous l'avons pris à bord pour qu'il nous débarrasse des rats à l'occasion d'un périple qui devait nous conduire dans deux ports espagnols touchés par la peste, et il s'est parfaitement acquitté de sa mission. J'aimais vraiment beaucoup cet animal.

Il a dû vivre extrêmement longtemps pour un chien car, après ma mort, je suis de nouveau né dans cette même ville et, à l'âge de six ou sept ans, je suis allé traîner du côté des quais à la recherche d'anciens amis. Et qui y ai-je retrouvé? Nestor! Il était vieux et perclus d'arthrite, mais je savais que c'était lui. Et, curieusement, il m'a reconnu aussi. J'en suis absolument certain. Il m'a reniflé, puis a remué la queue avec tant d'enthousiasme qu'on aurait pu craindre qu'elle se détache. Il m'a léché, a joué avec moi, réclamé des sucreries exactement comme avant. C'était l'une des expériences les plus heureuses de ma longue vie. Je me sentais comme une sorte d'Ulysse que quelqu'un reconnaissait enfin.

Il y a des jours où je me prends à souhaiter que les chiens vivent aussi longtemps que les humains. Je crois que ma vie serait nettement moins solitaire. Mais Nestor est mort peu de temps après. Plus tard, je suis retourné plusieurs fois sur les quais, dans l'espoir de retrouver Nestor incarné dans un nouveau chien, tout jeune. Mais je n'ai jamais réussi à l'identifier. Aujourd'hui, je sais que les chiens, comme la plupart des animaux, ne possèdent pas d'âmes individualisées. Ils ont une âme collective, pour ainsi dire. Les abeilles et les fourmis illustrent bien cette idée. Elles transportent avec elles toute la sagesse de leur espèce, privilège que nous n'avons pas. Mais cela nous empêche de les reconnaître d'une vie à l'autre.

Il m'arrive de penser, et Carl Jung serait probablement de mon avis, que les premiers hommes, australopithèques ou néanderthaliens, possédaient cette sorte d'âme collective. Je crois que la véritable apparition de l'homme, au sens du moment où les êtres humains se sont différenciés définitivement des singes et autres animaux apparentés, est survenue avec la naissance de la première âme individualisée. Et il en a découlé de grands malheurs.

CHARLOTTESVILLE, VIRGINIE, 2006

Son plan n'était pas encore vraiment au point, mais il se lança néanmoins. Il redoutait de la voir. Il espérait la voir. L'espoir, c'était ce qu'on choisissait pour que les choses arrivent, et la crainte pour qu'elles n'arrivent pas, mais chez lui, l'espoir et la crainte se confondaient.

Depuis qu'il avait vu Joaquim à la télé, il n'avait cessé de penser à Sophia. Certes, il y pensait constamment mais, cette fois, c'était pour son sort qu'il s'inquiétait. Ces deux dernières années, il avait suivi de loin ce qu'elle devenait, sachant parfaitement où elle se trouvait mais hésitant toujours à la recontacter, redoutant d'être trop près d'elle et de faire plus de dégâts. À présent, il devait aller vérifier par lui-même si elle allait bien. L'une de ses pires craintes était que Joaquim la retrouve et lui fasse du mal. Il craignait également que Joaquim le retrouve et que, sans le savoir, il le conduise jusqu'à elle. Daniel était partagé entre le désir de la protéger (et, reconnaissait-il, d'être à ses côtés) et la peur que sa présence ne constitue un risque plus grand.

La cruauté de Joaquim contrebalançait, apparemment, certaines limitations. Si sa mémoire allait de pair avec une nature profondément rancunière, il était incapable de reconnaître une âme migrant d'un corps à l'autre. «Il ne peut pas voir ce qui se passe à l'intérieur des gens», avait expliqué Ben à sa manière. Mais sa cruauté offrait à Joaquim des avantages physiques comme, par exemple, celui de voler un corps, et Daniel avait le sentiment que Joaquim profitait de plus en plus de cette aptitude.

Daniel se gara près de l'hôpital et traversa la pelouse jusqu'à la rotonde avec un sentiment d'admiration. Les lieux étaient anciens, selon les critères de ce pays, et portaient la signature d'un génie. Il regrettait de ne pas avoir vécu à l'époque de Thomas Jefferson, l'une de ses périodes historiques préférées, mais au même moment il menait une drôle de vie, fort brève, au Danemark. La plupart de ses vies donnaient l'impression d'une sorte de cohérence et de porter la marque reconnaissable de sa volonté, mais il arrivait parfois qu'il se retrouve dans des pays tels que le Danemark, parmi de parfaits inconnus.

Il avait lu et étudié à fond tout l'œuvre de Jefferson. Il avait même cru le reconnaître un jour, en 1961, à l'occasion d'une marche pour la liberté à Oxford, Mississippi. Daniel lui avait acheté un thé glacé et quelques pêches à son stand, au bord de la route. L'homme, qui prétendait s'appeler Noah, était âgé et éreinté. Il cultivait le même lopin de terre où son grand-père avait travaillé en tant qu'esclave et son père en tant que métayer. Daniel ne pouvait être absolument certain qu'il s'agissait de Jefferson parce qu'il ne l'avait jamais vu en personne. Il ne connaissait de lui que des portraits et des dessins, qui ne permettaient pas de reconnaître à cent pour cent une âme, bien que plus fiables que les photos. Mais Daniel en avait la forte intuition : il flottait encore dans le regard de Noah quelque chose du grand homme.

Noah avait l'âme usée à ce moment. Ce devait être la dernière de ses vies, le dernier tournant de sa remarquable existence. Il était logique aux yeux de Daniel que Jefferson, en tant qu'amant de Sally Hemings et propriétaire d'esclaves, situation ambiguë, se réincarne en Noir avant que la boucle ne soit bouclée. Noah n'aurait jamais pu imaginer quel personnage il avait été dans une vie antérieure. Et, bien que Daniel ait eu la tentation de le lui révéler, il ne l'avait pas fait. Connaître des détails sur les gens qu'eux-mêmes ignorent procure un étrange sentiment de solitude.

Une goutte de sueur glissa le long du dos de Daniel. L'atmosphère était si humide qu'on pouvait la humer, l'entendre, la palper, la voir et presque la sentir dans la bouche. Il était contrarié : la transpiration trempait sa plus belle chemise, la chemise de lin blanc qu'elle lui avait donnée près de quatre-vingt-dix ans auparavant, quand elle était Constance. Elle avait appartenu à son grand-père, le vicomte. Cette chemise, qui le suivait d'une vie à l'autre, comptait parmi ses biens les plus précieux et il ne la portait que rarement tant il avait peur de l'abîmer. Lorsqu'elle la lui avait offerte, elle était trop grande pour lui, et il avait cru que le vicomte était un géant; mais aujourd'hui, il était si costaud dans cette nouvelle vie qu'elle était même un peu juste. Il n'avait jamais été aussi grand et fort. Il avait mis cette chemise aujourd'hui parce qu'il l'adorait et parce qu'il trouvait qu'elle lui allait bien malgré tout. (Il était rarement vaniteux, mais avec ce corps de vingt et un ans, il lui arrivait de l'être de temps à autre.) Mais la véritable raison pour laquelle il la portait était qu'il avait l'espoir, irrationnel, qu'elle lui rappellerait ce qu'il représentait à ses yeux autrefois. Après toutes ces années, il avait encore en mémoire l'odeur de sa propre transpiration due à la fièvre et celle de la grande demeure ancestrale où elle avait vécu, un mélange d'encaustique et, plus ténu, de désinfectant. Et, tapie quelque part au milieu de toutes ces réminiscences, il y avait la trace la plus fragile et réduite à sa plus simple expression qu'il lui restait d'elle. Non une simple évocation de sa personne, mais elle véritablement. Voilà pourquoi il aimait tant cette chemise.

Daniel avait l'impression que l'odorat était son sens de prédilection dans ce nouveau corps. Il était développé à un tel point qu'il lui semblait n'être plus qu'un nez parfois, *LE* nez. Son ouïe n'avait rien d'exceptionnel. Il connaissait toutes sortes de chansons et savait jouer de quelques instruments, mais pour autant il n'avait pas toujours une très bonne oreille. Elle s'était montrée excellente dans certains corps et catastrophique dans d'autres. Il se plaisait à croire qu'avec le temps il parviendrait à dépasser ses limites physiques par la seule force de la volonté et de l'expérience, mais cela ne fonctionnait pas ainsi. En réalité, avec le temps, il devint plus convaincu que le talent était une simple question de physiologie. Il y avait des dons que seul le corps pouvait offrir, et l'oreille musicale était de ceux-là.

Sa vue n'avait rien d'extraordinaire non plus. Il était capable d'identifier un grand nombre d'objets, mais pour la simple raison qu'il en avait vu à foison sur tous les continents et dans toutes les conditions atmosphériques. Il avait été marin au cours de plusieurs vies, sillonnant inlassablement les mers, ces lieux où le temps n'existait plus. Mais ses yeux ne se montrèrent pas toujours à la hauteur. Il n'avait été bon peintre que deux fois. La bonne vue était encore un élément que l'on ne pouvait emporter avec soi.

Le toucher était un sens rudimentaire, peu sujet aux variations ou aux améliorations avec la répétition. Au contraire, la répétition pouvait vous faire perdre quelque chose à chaque toucher. De l'avis de Daniel, l'anticipation et l'habitude étaient deux des pires parasites des vieilles âmes et de la longue expérience. Ils se nourrissaient de la routine et, avec le temps, envahissaient en masse vos sens en éveil jusqu'à ce que plus rien ne semble nouveau. Il y avait des choses qu'il aurait aimé toucher encore pour la première fois.

L'odorat et le goût étaient naturellement des sens jumeaux. Un peu comme des siamois, où l'un des deux possède la plupart des organes, y compris le cerveau. Le deuxième était destiné au plaisir et servait parfois de signal d'alarme. Mais c'était l'odorat qui conservait et transmettait les souvenirs. Il avait fait assez de recherches en neurologie et étudié récemment les neurosciences pour savoir que son concept était hautement simpliste, mais c'était pourtant ainsi qu'il voyait les choses. L'odorat était le fil conducteur vers les différentes parties de votre vie. Les souvenirs olfactifs ne s'estompaient jamais et ils court-circuitaient toute votre psychologie – ils n'avaient pas besoin de fouiller trop profondément dans vos expériences ni de s'embarrasser de ce que vous aviez dans la tête. Ils vous renvoyaient instantanément et pleinement au temps passé, en sautant par-dessus les époques. C'était ce qui se rapprochait le plus sur cette terre d'un voyage dans le temps. S'il avait dû définir une zone susceptible d'expliquer ses capacités hors du commun, il aurait probablement choisi son nez. Il en avait eu plusieurs au cours des siècles, et l'acuité de son odorat ne lui avait jamais fait défaut.

Il s'engagea dans Alderman Street, dépassa le stade et prit la direction de la résidence pour étudiants de Hereford College, où elle habitait. C'était là qu'il aurait des chances de l'apercevoir. C'était là qu'elle vivait et se promenait. Chaque poussée d'adrénaline amplifiait un peu plus les sons : le bourdonnement d'une tondeuse, le bruissement des arbres, les camions qui passaient sur la route au loin. Elle était là chez elle, et plus il approchait de Whyburn House, plus il imaginait ce lieu marqué par sa présence. C'était son trottoir à elle, son pollen, son ciel. Tous les gens qui se dirigeaient vers son immeuble arboraient son visage, du moins quelques secondes.

Il réalisa qu'il avait le plus grand mal à se représenter l'apparence qu'elle pouvait avoir actuellement. Il avait tendance à la faire ressembler à Sophia, puis il laissait son visage se transformer tout seul dans son esprit comme une photo animée image par image. Mais elle persistait telle une espèce d'assemblage, se désagrégeant pour se reconstituer en passant par différentes phases. Il aurait probablement eu du mal à la reconnaître s'il l'avait croisée sur le trottoir. Elle devait être plus petite, songea-t-il, et son ossature plus légère et fine. La dernière fois, vieille femme, elle avait des taches brunes sur les mains et les veines saillantes ; aujourd'hui, elle était de nouveau jeune et fraîche.

Il repensa à la première fois qu'il l'avait vue, dans la rue avec Marnie, quand elle avait quinze ans et portait un de ces shorts à la mode. Elle était radieuse. Ça se passait avant qu'il déménage à Hopewood, avant qu'elle entende même parler de lui.

Il repensa à l'époque où il l'observait à l'atelier de céramique, deux mois après son arrivée à l'école. Il n'avait pas l'intention de la draguer. Il s'était rendu dans le bâtiment des arts plastiques pour s'inscrire à un cours de gravure et, comme il n'avait pas réussi à trouver le professeur, il avait traîné dans les parages. Il se trouvait dans l'annexe, entre deux ateliers, quand il s'aperçut que la jeune fille occupée à tourner une poterie était elle. Il voulut lui dire quelque chose, au lieu de rester planté là, mais sa présence l'avait paralysé au point qu'il fut incapable de prononcer un mot. Quand il recouvra l'usage de la parole, trop de temps s'était écoulé, et elle n'avait toujours pas levé la tête. C'était en partie ce qui avait motivé son espèce d'état de transe. Son pied actionnait le tour, le pain de terre s'élevait, ses mains s'activaient avec une symétrie hypnotique, le soleil filtrait à travers les vitres sales et son regard se concentrait sur quelque chose qu'il ne voyait pas. Elle avait de l'argile jusqu'aux coudes et sur sa chemise, ainsi que de fines particules sur le visage et dans les cheveux. Il fut frappé par son extrême concentration et, parallèlement, par sa propre impuissance à attirer son attention.

Il repensa à cette soirée de fin d'année et la revit dans sa robe à bretelles lavande, avec les petites violettes dans les cheveux. Son sang ne fit qu'un tour lorsqu'il sentit de nouveau ses mains à lui s'emparer des siennes. Elle était certainement plus belle que jamais ce soir-là. Son sourire fut une révélation. Si les très jeunes enfants se ressemblaient à peu près tous, leur âme se reflétait très vite sur leur visage et leur corps, et de façon de plus en plus criante et distincte à mesure qu'ils avançaient en âge. Une âme aimante était toujours plus belle sur la durée, alors que la beauté en tant que telle était éphémère. Il avait cru jusqu'à présent que l'honnêteté était gage de pérennité de la beauté physique tout au long de la vie d'une âme, mais ce n'était pas ainsi que les choses se passaient. L'honnêteté se révéla être une élaboration humaine dont l'univers n'avait pas grand besoin. Sophia avait reçu plus que sa part en matière de beauté.

Et maintenant... Que ferait-il s'il la voyait? Il avait échafaudé plusieurs scénarios autour de ce fantasme. S'arrêterait-elle et le reconnaîtrait-elle? Sinon, l'arrêterait-il? Que lui dirait-il? Se contenterait-il de seulement la regarder? Il estima que oui. Il voulait juste la voir et s'assurer que sa vie se déroulait bien dans le même espace-temps que la sienne. Cette simple certitude serait pour lui un réconfort, presque une sorte de lien secret entre eux. Avait-il tort de prendre cela pour une sorte de lien secret?

Elle habitait avec Marnie au deuxième étage de Whyburn House. C'était le seul renseignement qu'il avait cherché à connaître. S'il avait poussé plus loin ses investigations, il aurait eu l'impression de la traquer, mais s'il n'en avait pas fait assez, il aurait erré en vain dans les parages comme une âme en peine. Il ne tenait pas à se faire remarquer, à ce qu'il ait un avantage sur elle. Il préférait ne pas savoir et être surpris. Au fond de lui-même, il voulait que les choses se passent normalement entre eux, comme entre un garçon et une fille qui se rencontreraient et tomberaient amoureux.

Elle habitait donc ici : c'était son bâtiment en briques rouges, ses portes vitrées, son revêtement de sol antidérapant. Sa boîte aux lettres. Elle en avait forcément une. Et c'était pour elle que tournait le gigantesque système de climatisation.

Il avait déjà vécu dans une résidence universitaire, sans avoir jamais pu s'y habituer. Elle ne fonctionnait pas vraiment comme une caserne ou un monastère, par exemple, mais évoquait plutôt une société en miniature, avec son arbitraire et ses interdits. Et celle-ci était pratiquement déserte, ce qui accentuait cette impression. Il salua le gardien à l'entrée et jeta un coup d'œil sur la feuille de présence. Elle comportait un seul nom, et ce n'était pas celui de Sophia.

– Carte d'identité, s'il vous plaît, demanda le gardien.

– Pardon ?

L'homme baissa le volume de sa radio. D'après son badge, il s'appelait Claude Valbrun.

– Vous devez présenter une pièce d'identité si vous n'êtes pas résident, et vous n'êtes pas résident, car sinon je vous connaîtrais.

Il n'était aucunement désagréable, il faisait son métier et il en était fier.

Décontenancé, Daniel sortit son permis de conduire.

– Je… je ne veux pas… Je n'avais pas l'intention d'entrer, balbutia-t-il.

– Alors que faites-vous ici ?

C'était une excellente question à laquelle Daniel était incapable de répondre.

Le gardien indiqua le téléphone mural au-delà de son bureau.

– Et même si vous voulez juste vous servir du téléphone intérieur, vous devez signer ce registre.

Avait-il envie d'utiliser ce téléphone? Pouvait-il simplement décrocher et l'appeler? Il ne savait pas comment la joindre. Devait-il demander son numéro de téléphone? Claude Valbrun le lui communiquerait-il? Et d'ailleurs, qu'était-il en train de s'imaginer?

– Vous, vous cherchez quelqu'un, lui dit le gardien avec sympathie.

Daniel acquiesça.

– Qui ça?

Il voulait sincèrement l'aider.

Daniel eut la sensation d'être chez le psy. Devait-il lui répondre? Il ne put s'en empêcher. Il allait appeler Sophia presque à son corps défendant.

– Lucy Broward.

– Ah, Lucy, répondit le gardien en souriant. La fille aux cheveux longs. La Lucy du second. Je l'aime bien.

Daniel se surprit à hocher la tête avec enthousiasme.

– Elle m'a offert des chocolats pour Noël et une petite plante avec des fleurs rouges pour ma femme. Quel était le nom de cette plante, déjà?

Il ferma un œil pour réfléchir.

– J'ai de la mémoire pour certaines choses et pas pour d'autres, expliqua-t-il avant de fermer l'autre œil. Comment ça s'appelle? Ma femme connaissait le nom.

– Je ne sais pas, avoua Daniel. Poinsettia? suggéra-t-il, impatient de clore le sujet.

Le gardien rouvrit les yeux.

– Hmm. Non. Je crois que ça commençait par un C. Ou un G. Je vais y réfléchir quand vous serez parti. De toute façon Lucy n'est pas là.

– Ah, bon?

Le gardien lui avait donné malgré lui tant d'espoirs en l'espace de quelques secondes que Daniel ne put dissimuler sa déception.

– Oui, ils sont presque tous partis. Ils n'ont plus cours depuis le 4 mai. Ici, ça va être tranquille jusqu'au retour des étudiants pour le semestre d'été, après le 4 Juillet.

– Elle est partie tout l'été ? Elle ne va pas revenir ?

Avait-il vraiment cru qu'il pourrait la voir aussi simplement que ça ?

– Elles sont parties toutes les deux à la fin de la semaine dernière, elle et sa copine, la grande.

– Marnie ?

– Oui, c'est ça, Marnie. Je ne sais pas où elle va habiter l'année prochaine. Peut-être ici. Peut-être ailleurs.

Daniel hochait la tête d'un air accablé. Qui savait si elle reviendrait sur ce même campus ? Et si elle avait décidé de s'en aller à l'étranger pour ses études ? Finalement, il était loin de l'avoir retrouvée.

Claude lui rendit son permis de conduire et le considéra avec une réelle compassion, au point que c'en était presque gênant.

– J'ai l'impression que les cours se terminent chaque année un peu plus tôt, philosopha le gardien en secouant la tête.

Et Daniel se sentit alors très proche de cet homme qui voyait, année après année, arriver des étudiants de plus en plus jeunes, à mesure que l'écart se creusait entre eux et lui.

Il était temps pour Daniel de ranger son permis de conduire dans son portefeuille, de faire demi-tour et de se diriger vers la porte. Quand, brusquement, il changea d'avis : il n'avait plus envie de partir. Il voulait rester là, en compagnie de cet homme si gentil qui aimait bien Sophia. Il voulait qu'il retrouve le nom de la fleur.

Daniel avait l'impression de jouer à « chaud et froid ». Ce

bâtiment n'était pas aussi chaud qu'il l'avait espéré – Sophia n'y étant plus –, mais il l'était quand même plus que tout ce qui l'attendrait une fois dehors, où la piste serait de nouveau parfaitement froide.

Il rangea son permis de conduire et remit son portefeuille dans sa poche, mais il ne se tourna pas vers la sortie.

– Qu'arrivez-vous à vous rappeler le mieux? demanda-t-il d'un ton qui se voulait badin et enjoué.

Claude haussa les épaules. Il semblait content d'avoir de la compagnie.

– Les visages... et les noms.

Après trois bières, Daniel retrouva son optimisme. Peut-être passait-elle l'été à Charlottesville? Peut-être y avait-elle trouvé un petit boulot et n'avait-elle quitté le campus que pour quelques mois? Peut-être travaillait-elle comme serveuse quelque part ou vendait-elle des ordinateurs vêtue du T-shirt de la marque à la pomme? Peut-être finirait-elle par entrer justement dans ce bar s'il y restait assez longtemps?

– Une autre, commanda-t-il en levant son verre.

Il dut s'y reprendre à trois fois pour parvenir à attirer l'attention du barman. Celui-ci avait tant à faire qu'il avait brusquement perdu l'ouïe ainsi que toute vision périphérique.

– Merci, dit Daniel quand il lui apporta enfin sa quatrième bière, prenant conscience de l'inanité de ses «peut-être».

Il savait parfaitement qu'il pouvait bien boire cinq, dix ou même quinze bières, ça ne la ferait pas davantage entrer dans le bar. Elle ne faisait pas partie de ces étudiants qui se louaient un appartement pour l'été et essayaient de faire croire qu'ils gagnaient de l'argent. Non, elle était plutôt du genre à rentrer dans sa famille et à se mettre effectivement à en gagner. Il avait déjà aperçu deux filles de leur ancien lycée, l'une qui passait dans la rue, l'autre qui étalait son opulente poitrine sur une table au fond du bistrot, et malheureusement, ni l'une ni l'autre n'étaient elle. Rien de tout cela ne lui ressemblait, et plus il buvait, plus elle paraissait s'éloigner et lui échapper.

Ce n'était probablement pas plus mal ainsi, après tout. Quel bien pourrait-il lui faire ? Mais il voulait simplement la voir. Cela lui aurait suffi. Il n'était venu que dans ce seul but.

Il regrettait d'avoir mis sa belle chemise, et de s'être regardé dans la glace le matin même avec tant de plaisir et d'espoir. Que s'imaginait-il ? Il aurait bien aimé pouvoir changer de chemise. Toutes ces nouvelles odeurs, celles de ce bar, de sa propre sueur, et le parfum de cette fille à la table du fond, en imprégneraient le tissu et couvriraient les fragiles vestiges de son parfum à elle. Cette simple idée lui faisait horreur.

Le type assis à sa droite, qui avait un double menton et des chaussures de foot, s'enivrait à grande vitesse, beaucoup plus rapidement que lui. Il y avait chez lui quelque chose de familier et de déplaisant que Daniel ne tenait pas particulièrement à approfondir.

Sa cinquième bière arriva presque en même temps que la fille du fond qui vint s'asseoir sur un tabouret à sa gauche. Il avait oublié qu'elle pouvait se souvenir de lui jusqu'au moment où elle se chargea de le lui rappeler.

– Tu n'étais pas à Hopewood, par hasard ?

– Si, quelques mois.

Elle avait les dents très blanches. Ces temps-ci, tout le monde avait les dents très blanches.

– Je me souviens de toi. Tu étais...

On aurait dit que c'était la vodka qui menait la conversation à sa place.

– Laisse tomber..., conclut-elle d'un air revêche.

Il avait les yeux fixés sur son cou.

– D'accord, dit-il, à peu près certain qu'elle aurait aimé le voir plus entreprenant.

– Tu es là, maintenant ? demanda-t-elle.

Il lui revint à l'esprit qu'elle faisait partie d'une espèce de groupe de majorettes au lycée. Il la revoyait en effet avec sa jupe plissée extrêmement courte et toujours soulevée.

– À la fac ? Non. Et toi ?

– Oui. Je vais passer en troisième année.

Elle connaissait Sophia, c'était certain, et son visage s'illumina au souvenir de celle-ci. Il résista à la tentation de lui poser la question.

– Tu es où alors ?

Il but une longue gorgée de bière.

– Nulle part. Je travaille, répliqua-t-il laconiquement, n'ayant guère envie de dire la vérité.

Cela contribua à calmer quelque peu sa curiosité. Ou du moins à la faire changer de sujet.

– Tu vois toujours des gens de Hopewood ?

– Non, répondit-il en buvant une gorgée de bière ; il faisait chaud dans ce bar. Et toi ?

– Oui. Plein. Genre il y en a neuf de notre classe qui sont ici.

Il hocha la tête. Sentant qu'il allait peut-être en apprendre davantage, il lui offrit une autre vodka tonic.

– Je peux te dire quelque chose ?

– Vas-y, répliqua-t-il après avoir hésité un instant.

– On pensait que tu étais mort.

– Ah, oui ?

– Il y a quelqu'un qui t'a vu sauter dans le fleuve.

Il essaya de ne pas trop tiquer. Ce n'était pas son souvenir le plus agréable.

– Il a dû se tromper…

Elle acquiesça et sirota son cocktail.

– C'est bien que tu ne sois pas mort.

– Je te remercie.

Elle se pencha en avant et l'embrassa juste à la commissure

des lèvres. Il sentit sur sa peau la trace fraîche de sa salive et de sa transpiration.

– Alors, qui vois-tu encore ? voulut-il savoir.

– De notre classe ?

Ses bracelets cliquetaient à chacun de ses gestes.

– Oui.

Il attendit qu'elle en soit arrivée à Marnie, l'amie de Lucy.

– Je crois que je vois qui c'est.

– Oui, une fille bizarre. Avec des cheveux bruns et blonds, non ? dit-elle.

– C'était la copine de...

Il se sentit ridicule de faire semblant de chercher le nom de la personne qui comptait le plus à ses yeux.

– Qui ça ? dit-elle en le regardant d'une manière telle qu'il avait l'impression d'être transparent. Tu veux parler de Lucy, c'est ça ?

Il avait beau brûler d'envie d'apprendre enfin quelque chose à son sujet – qu'elle était devenue dealeuse, transsexuelle, majorette, n'importe quoi pourvu qu'elle soit encore de ce monde –, la situation était absurde. Il se leva.

– Faut que j'aille pisser, marmonna-t-il en posant sur la table un billet de vingt dollars pour compléter l'addition.

– Je te parie que tu ne sais même plus comment je m'appelle.

Il ne se retourna pas.

– Attends, dit-elle en faisant davantage tinter ses bracelets au moment où elle le retint par le poignet. Qu'est-ce que tu fais après ?

– Rentrer. Retourner vers le nord.

– Attends un peu quand même. Il y a une fête à Deke House. Viens avec moi.

Son cerveau reptilien se demanda s'il y avait des chances pour que Sophia y soit.

– Non. Faut que j'y aille.

L'effet des cinq ou six bières s'entendait dans sa voix. Il fallait absolument qu'il aille dormir et dessaouler.

– Tu es sûr ? Je te commande une autre bière et tu décideras ensuite.

Il secoua la tête. Avec une autre bière, il ne pourrait s'empêcher de plonger le regard dans son décolleté. Et s'il en buvait encore une autre, il la suivrait probablement dans sa chambre, roulerait avec elle sur un des lits jumeaux, la déshabillerait en gardant les yeux fermés parce que ce ne serait pas à elle qu'il penserait. Ça lui était déjà arrivé, et il ne s'était jamais senti très bien après coup. Elle était probablement en section économie ou même sciences politiques, faisait peut-être de fantastiques margaritas, adorait son papa, avait un redoutable coup droit, entre autres, mais c'était aussi le genre de fille qu'on appelait par un autre prénom au moment crucial.

– C'est Ashley ! lui cria-t-elle dans le dos.

Il pissa l'équivalent de quelques bières et, en sortant des toilettes, s'avisa que son tabouret au bar avait été pris entre-temps par le type aux crampons complètement bourré qui, lui, piquait directement du nez dans le décolleté d'Ashley. Elle avait changé de ton.

– C'est quoi, ton problème, toi ? l'entendit-il dire alors que le pochard était tellement penché en avant sur son tabouret qu'il commençait à se casser la figure.

Il se retenait à elle des deux mains, quand elle le repoussa violemment. Le tabouret glissa et le type s'affala par terre. Ashley se leva et recula.

– Connasse ! lui cria-t-il en tentant de se remettre debout. Viens un peu ici. Ramène tes miches !

Il lui postillonna à la figure un flot d'insanités aux relents de gin.

Daniel retourna vers le bar et se campa devant le type, tandis qu'Ashley prenait ses affaires.

– Qu'est-ce t'as, toi ? éructa le type.

Daniel le fixa, perdant le peu de plaisir qu'il avait eu à se saouler. Il scruta attentivement les yeux de l'homme, ses sourcils, ses épaules, ses oreilles et réunit tous ces éléments. Il en résulta un visage vu dans un bar semblable à celui-ci. Mais c'était en hiver et... dans une autre ville. Il faisait froid. À Saint Louis, peut-être. Un visage maquillé, avec un rouge à lèvres vulgaire, bien épais, comme les filles en utilisaient dans le temps. Une robe à fleurs dont le rembourrage du soutiengorge débordait du décolleté. Elle lui avait dit qu'elle était mannequin et lui avait montré une photo. C'était une publicité pour un concessionnaire automobile local. Oldsmobile, peut-être. Il se souvenait de ses jambes et de ses fesses, mais peu du visage. Elle était très fière de cette photo. Elle avait appris qu'il était stagiaire au journal de son père et l'avait harcelé en lui téléphonant tous les jours pendant un mois, pour lui répéter qu'elle voulait être célèbre.

« Surtout ne dis rien », s'exhorta-t-il.

– Je te connais, finit-il par dire.

– C'est ça, connard !

– Si, si. Je te connais : Ida. Et tu n'as pas changé. Tu bois toujours autant.

Le type était en train de se demander s'il n'allait pas lui mettre son poing dans la figure.

– Tu poses pour des photos. Et je suis sûr que ça te plaît encore. Tu aimes toujours autant les dessous et les chaussures. Dentelles, talons hauts, et tout le tremblement. Difficile d'en trouver à ta taille, non ?

Le barman tendait l'oreille ; Ashley s'était approchée et écoutait aussi.

Si Ida avait été moins ivre, il aurait réussi à mieux dissimuler son étonnement et sa gêne. Daniel n'était pas particulièrement fier de ne pas s'être trompé. Il y avait toujours un certain nombre de détails reconnaissables chez un individu. Si vous aviez changé de sexe d'une vie à l'autre, cela signifiait presque toujours que dans l'intervalle vous aviez vécu une sorte de période trouble et agitée. Et l'exhibitionnisme était précisément le genre d'excentricité névrotique capable de poursuivre quelqu'un durant toutes ses vies.

– C'est ça, connard! répéta le type, qui s'était nettement tassé sur son tabouret.

Le bar était totalement silencieux lorsque Daniel en sortit. Il avait un peu honte de lui-même. Il était déçu et fatigué. Ce n'était pas la première fois qu'il mortifiait les gens en révélant au grand jour des secrets et des faiblesses dont ils n'étaient pas maîtres. Mais il avait abandonné depuis longtemps ce petit jeu. Ces gens-là finiraient bien par oublier, mais pas lui.

Dans sa dernière vie, à l'âge de sept ans, il avait rencontré dans le bureau de son oncle un homme tourmenté par le désir impérieux de se faire amputer au-dessus du genou d'une jambe parfaitement saine. Tout le monde l'avait pris pour un fou, évidemment, et lui-même partageait ce point de vue. Aucun médecin n'avait accepté de l'opérer. Mais Daniel se souvint de lui dans une vie antérieure, et il comprit. Pas tout, mais une partie des choses. Il se rappela qu'il avait été soldat et qu'il avait perdu une jambe à la bataille de la Somme, à dix-sept ans. Daniel lui raconta tout ce qu'il savait de cet épisode. Mais, cette fois, ce n'était en rien un châtiment ni une vengeance : c'était de la pure charité.

CHARLOTTESVILLE, VIRGINIE, 2006

Lucy était seule dans sa chambre d'étudiante, un vendredi soir du mois d'octobre, quand le téléphone intérieur sonna.

– Lucy?

– Oui.

– C'est Alexander.

– Alexander? Qu'est-ce que tu fais ici? Tu es en bas?

– Oui. Je peux monter?

– Marnie n'est pas là. Elle est à Blacksburg jusqu'à demain.

– Je peux monter quand même?

Lucy jeta un coup d'œil sur la pendule, puis sur son pyjama. Elle avait prévu de passer la soirée au lit, avec Emily Brontë, mais elle pouvait difficilement renvoyer le petit frère de Marnie.

– D'accord, mais laisse-moi deux minutes pour m'habiller.

Il ne lui laissa même pas deux minutes. Moins de soixante secondes plus tard, il frappait à la porte.

Elle le fit patienter. Lorsqu'elle lui ouvrit, il faillit la renverser en la prenant dans ses bras.

– Mais qu'est-ce que tu fabriques ici? lui demanda-t-elle quand il l'eut lâchée.

– Je visite la fac.

– Ah, bon ? Tu es déjà en terminale ?

– Oui. J'aurai dix-huit ans en janvier.

Il aurait pu se vexer, mais ce n'était pas son style.

– Est-ce que Marnie sait que tu es ici ?

Il haussa les épaules.

– J'ai dû lui dire. Oui, je crois bien que je le lui ai dit.

– C'est marrant, elle ne m'en a pas parlé et, en plus, elle est partie à Blacksburg.

Il haussa de nouveau les épaules sans laisser paraître la moindre contrariété. Lucy connaissait Alexander depuis qu'il était tout bébé, et c'était probablement le garçon le mieux intentionné et le plus brouillon qui soit.

– Je peux quand même rester ?

Il la gratifiait de ce sourire craquant qu'il avait depuis toujours.

– Est-ce que tes parents sont au courant que tu es ici ?

– Bien sûr, répondit-il avec la même spontanéité désinvolte.

Elle ne put s'empêcher de rire.

– Bon, d'accord, je crois que tu peux rester.

Elle avait à peine achevé sa phrase qu'il jetait son sac par terre, se précipitait sur le lit de Marnie et s'y vautrait de tout son long.

– Tu as encore grandi.

Il hocha la tête.

– Et toi, tu n'as pas bougé.

– Tes cheveux ont poussé.

Il avait de superbes cheveux bouclés couleur sable blond qu'avec Marnie elle s'amusait à coiffer quand il était petit, et elles parvenaient ainsi à le faire tenir tranquille.

Il se releva d'un bond et alla inspecter le terrarium de Passe-Partout.

– Tu as toujours ce serpent ? lui demanda-t-il, incrédule.

Lucy soupira. À ce rythme, cet animal allait vivre beaucoup plus vieux que Dana.

– Oui. Tu le veux ?

Alexander éclata de rire.

– Allez, on sort ! Il n'y a pas de fêtes ce soir ? On ne pourrait pas aller dans un bar ? J'ai pris ma fausse carte d'identité.

Lucy jeta un regard plein de regrets aux *Hauts de Hurlevent*. Il pleuvait et faisait humide et froid, mais elle se sentit, telle une grande sœur, un peu obligée de montrer à Alexander certains aspects de la vie étudiante qui devaient certainement le faire fantasmer.

Deux fêtes, un bar et un pub plus tard, Lucy était fatiguée et très ivre. Comme Alexander adorait danser, ils allèrent danser. Devant le nombre de filles qui n'avaient d'yeux que pour lui, Lucy en vint à le considérer d'un autre œil. Deux ans et demi lui paraissaient une énorme différence d'âge quand elle avait dix ans ou même seize.

Oh, non ! Qu'aurait dit Marnie si elle avait su que Lucy s'intéressait à son frère ? En attendant, il ne fallait surtout pas qu'il s'imagine qu'elle lui faisait des avances ou autre. Elle avait bien tenté de le pousser à inviter d'autres filles à danser, mais ça n'avait pas marché.

– J'ai faim, annonça-t-il, en lui passant négligemment le bras autour de la taille.

Il faisait une trentaine de centimètres de plus qu'elle.

Il avait voulu l'enlacer et se frotter contre elle sur la piste de danse toute la nuit. Elle commençait à s'habituer au contact de son corps contre le sien, et ça n'avait pas l'air de le gêner outre mesure : il n'était pas le moins du monde inhibé.

– Moi aussi. Tu veux qu'on aille manger une pizza ?

– Oh, oui, génial !

Ils marchèrent sous la pluie jusqu'à West Main Street. Les

lumières vives de la pizzeria lui donnèrent l'impression d'être plus ivre qu'elle ne l'était. Alexander sortit galamment son portefeuille et paya les trois parts de pizza : une pour elle et deux pour lui. Ils s'assirent sur un banc, dehors, et dévorèrent leur pizza comme deux affamés. Lucy n'avait plus froid, mais son pull sentait le chien mouillé.

– Tu te souviens quand on te faisait des couettes avec Marnie et des petits chignons sur toute la tête ?

Il rit.

– Et toi, tu te souviens du jour où Dorsey a mangé ton gâteau d'anniversaire ?

– Et de la fois où Tyler a pissé dans ta canette de soda ?

Il acquiesça.

– Quand il me l'a tendue, elle était tiède. C'est là que j'ai eu des doutes ! répondit-il en mastiquant sa pizza. Et tu te rappelles le soir où tu m'as gardé et où tu m'as fait des pancakes aux framboises pour dîner ?

– C'est vrai ?

– Tu mettais des framboises partout !

– Non, je veux dire, c'est vrai que je te gardais ?

– C'est Marnie qui était censée rester à la maison avec moi, mais elle sortait en cachette avec un mec et c'est toi qui l'as remplacée.

– Oui, ça me dit quelque chose. Tu n'étais pas un peu grand, non, pour avoir une baby-sitter ?

– Si. J'avais quatorze ans ! Mais c'était parce que mes parents étaient partis fêter leur anniversaire dans un grand hôtel.

– Oui, ils étaient allés passer le week-end au Greenbrier. Je m'en souviens très bien.

– Je peux t'avouer quelque chose ?

À en juger à sa mine, elle n'était pas très sûre d'en avoir envie.

– J'ai escaladé le mur extérieur de la maison pour te voir

sous la douche, annonça-t-il plus content de lui que honteux.

– Alexander!

– Je suis désolé.

Il n'avait pas du tout l'air désolé.

Elle se sentit rougir.

– Je n'arrive pas à croire que tu aies fait ça!

– Ce n'était pas correct, mais ça valait la peine!

Elle lui donna un petit coup de poing dans l'estomac.

Il riait comme un bossu.

– Je t'assure. Et je recommencerais!

Elle essaya de le frapper de nouveau, mais il l'attrapa par les bras et commença à se bagarrer avec elle. Avant qu'elle ait réussi à se dégager, il l'embrassait.

– Alexander, arrête! se défendit-elle en riant et en cherchant à se libérer.

Il l'embrassa encore plus fougueusement.

– Pourquoi? Je n'ai aucune envie d'arrêter.

– Mais tu es le petit frère de Marnie. Je suis trop vieille pour toi.

Elle ne tenait pas véritablement à ce qu'il arrête et il semblait le sentir.

La pluie redoubla et il la prit par la main.

– Viens, on retourne à la résidence, dit-il.

«De Charybde en Scylla!» songea-t-elle alors qu'ils se dépêchaient de rentrer à Whyburn House. Elle n'avait pas pensé aller aussi loin dans la réalisation de ses fantasmes de lycéen. «Ne fais pas ça», se morigéna-t-elle, se rappelant qu'elle devait se comporter en grande sœur.

– Il est tard, et on file directement au lit : dans deux lits séparés, tint-elle à préciser en tournant la clé dans la serrure. On est bien d'accord?

Elle le regarda : il avait un petit sourire en coin.

Il la laissa seule suffisamment longtemps pour qu'elle se sèche et aille à la salle de bains se brosser les dents et enfiler un pyjama en flanelle tout ce qu'il y avait de moins sexy. Lorsqu'elle retourna dans la chambre, il se prélassait comme chez lui sur le lit de Marnie, en caleçon.

– J'éteins, annonça-t-elle. Tu as intérêt à rester de ce côté-là de la chambre, sans quoi tu vas dormir dans le couloir. Pigé?

Elle éteignit la lumière et se glissa sous les couvertures.

– Tu ne parles pas sérieusement, répliqua-t-il d'un ton sinistre.

«Il a parfaitement raison», se dit-elle.

– Si, je parle très sérieusement, mentit-elle.

Elle était allongée dans le noir. Elle arrivait à peine à respirer et encore moins à dormir. Elle avait encore à l'esprit son splendide torse d'adolescent juste avant qu'elle n'éteigne. On aurait dit qu'il s'était imprimé au fer rouge sur sa rétine. Alexander se mit à chantonner en sourdine.

Où était donc le problème? D'accord, il était jeune. D'accord, c'était le petit frère de Marnie. Mais qu'attendait-elle donc? Il était là, divinement beau, telle Vénus dans son coquillage, et elle ne pensait qu'à dormir? Daniel avait disparu. Il n'avait jamais représenté une excuse valable, et aujourd'hui moins que jamais. Daniel avait toujours été une idée, une catégorie à laquelle personne d'autre que lui n'appartenait. Alexander, lui, appartenait à une autre catégorie de garçons : celle où les choses arrivaient pour de vrai. Alexander était là, sa bouche était brûlante et elle désirait qu'il soit auprès d'elle, dans son lit. Les choses étaient aussi simples que cela.

– Hé, Alexander? chuchota-t-elle.

Il leva aussitôt la tête.

– Oui?

– Viens…

Il se retrouva comme catapulté dans son lit. En une fraction de seconde, il était sous les couvertures, l'embrassait et l'enlaçait de tous ses membres.

«Je n'y crois pas... Ce n'est pas possible!»

– Si jamais Marnie l'apprend, je te tue, murmura-t-elle tandis qu'il disparaissait sous le drap.

Il ne se laissa pas démonter pour si peu et hocha la tête au niveau du nombril de Lucy. Il lui ôta son pyjama d'une seule main, prouvant par sa dextérité une longue pratique de ce genre de situation : il avait dû se livrer des centaines de fois à cet exercice. Il était sexy, très mignon et pas du tout compliqué. À en croire Marnie, plus de la moitié des filles du lycée de Hopewood étaient amoureuses de lui, et c'était réciproque. Il avait probablement couché avec toutes les célibataires de la ville, âgées de quinze à trente ans, et l'avait fait avec tant de simplicité et de gentillesse que personne ne songeait à lui en vouloir. Il avait comme par hasard un préservatif à portée de main. Il devait en avoir tout un stock dans ses poches, ses chaussures ou derrière l'oreille, au cas où.

Une seule et dernière idée lui traversa l'esprit tandis qu'il lui enlevait sa deuxième chaussette : «Pourvu que tu ne devines pas que c'est ma première fois.»

– Il faut que tu partes, conseilla-t-elle à Alexander dès son réveil le lendemain matin.

– Pourquoi faudrait-il que je parte? marmonna-t-il. Je crois qu'au contraire tu devrais venir te recoucher près de moi. J'adore les visites d'université.

– Parce que Marnie doit rentrer avant midi, et que si elle nous voit elle comprendra ce qui s'est passé.

– Mais non.

– Mais si.

– Oh... Lucy..., gémit-il.

– Allez, rhabillez-vous, jeune homme, ordonna-t-elle en lui montrant ses vêtements par terre. Et revenez un autre jour. Au fait, quand vous allez aux portes ouvertes d'une fac, n'êtes-vous pas censé faire le tour des salles, rencontrer le personnel administratif, etc. ?

Il éclata de rire, presque prêt à obtempérer, mais pas tout à fait.

– C'est bon, je m'en vais, concéda-t-il en s'asseyant sur le lit. Mais à condition que tu reviennes une petite seconde.

– Alexander !

Lucy revint effectivement, mais plus d'une petite seconde. Puis elle le raccompagna jusqu'à la réception et le poussa dehors. Il réussit à l'embrasser une dernière fois goulûment sur la bouche avant de monter dans la grosse Chevrolet Suburban bleue de sa mère.

– À bientôt, Lucy ! lui cria-t-il gaiement.

Lorsqu'elle traversa le hall de la réception en sens inverse, Claude, l'agent de sécurité, l'arrêta en lui faisant un clin d'œil. C'était la deuxième année qu'elle habitait dans cette résidence et elle savait qu'il ne la laisserait pas passer sans une réflexion quelconque.

– Un nouvel amoureux ?

Il était assez évident qu'Alexander avait passé la nuit à la résidence. Elle ne savait pas jusqu'à quel point elle pouvait mentir effrontément.

– Non.

– Non ? Il est pourtant séduisant.

– Ça, c'est sûr.

– J'aimais bien l'autre, si je peux me permettre.

– Quel autre ?

– Le jeune homme qui vous cherchait l'année dernière.

– Qui ça ?

– Même taille que celui d'aujourd'hui, mais brun. Joli garçon, décrivit Claude avant d'ajouter, songeur : l'air triste.

Lucy était pressée de remonter dans l'ascenseur et de faire disparaître les traces de sa folle nuit, mais quelque chose dans le ton du gardien la fit changer d'avis.

– Celui-là était vraiment très amoureux de vous, à mon avis, ajouta Claude.

– Je ne vois pas qui ça peut être. Où est-ce que j'étais ?

– Vous et votre amie, vous veniez de déménager pour l'été.

– Et il a demandé si j'étais là ?

– Oui. Et il était très déçu de ne pas vous trouver.

Elle essaya de deviner de qui il pouvait s'agir.

– Est-ce qu'il est repassé depuis ?

– Non, je ne l'ai pas revu. En tout cas, pas pendant que j'étais de service. Et pourtant, j'ai ouvert l'œil !

– Hmm… Est-ce que par hasard vous vous souvenez de son nom ?

– Il ne s'est pas présenté, non, je ne crois pas, mais il m'a montré son permis de conduire.

Claude fronça les sourcils et réfléchit un instant.

– Je crois qu'il s'appelait Daniel.

De toutes les nuits de la vie de Lucy, ce devait être celle où enfin elle ne s'endormirait pas en pensant à Daniel. Ce fut la nuit où elle se sentit un peu endolorie, comme si son corps appartenait à quelqu'un d'autre, et où son lit gardait encore l'empreinte et le parfum ténu d'une autre présence. Ce fut la nuit où tout en elle l'incitait à s'endormir pour raviver le souvenir d'Alexander : sa générosité, son aisance et les nombreuses sensations aussi bouleversantes qu'excitantes qu'il lui avait fait découvrir.

Mais lorsqu'elle eut retapé son oreiller et changé de position une bonne centaine de fois, ses pensées se dirigèrent insidieusement vers la réception et le jeune homme au visage triste qui la cherchait et qui s'appelait peut-être Daniel. Et même cette nuit mémorable entre toutes, à cause du gentil Claude Valbrun et de sa mémoire incertaine, elle oublia un peu son corps et s'endormit de nouveau avec toujours en arrière-fond dans ses pensées l'image lointaine de Daniel.

Hastonbury Hall, Angleterre, 1918

Pendant une centaine d'années, j'ai émigré progressivement vers l'ouest, comme le soleil. Selon ma propre théorie, non confirmée, nous sommes nombreux à agir ainsi. Je n'en connais pas la raison, et les âmes ne vivent pas toutes suffisamment de fois pour effectuer cette migration. Certaines âmes ne vivent qu'une seule fois. Une au moins, Ben, a probablement bouclé la boucle. Mais si l'Est vous apparaît comme ancien et sage, et l'Ouest nouveau et insensé, il y a certainement de bonnes raisons à cela.

Je suis né une fois près de Bucarest, une autre au Monténégro, deux fois aux environs de Leipzig, et une fois en Dordogne. J'ai acquis en cours de route un certain nombre de langues et diverses compétences, comme vous pouvez vous en douter. Apparemment, je n'étais pas destiné à descendre très au sud ni à monter très au nord. Je ne suis né qu'une seule fois en Afrique de l'Est, dans ce qui est aujourd'hui le Mozambique, et je ne me suis jamais senti aussi heureux et loin de tout que dans ce beau pays impitoyable. Il m'arrive encore de rêver à la couleur noire de mes mains ; c'est un peu de moi aussi. Ensuite, il y a eu la vie dans les contrées glaciales du Danemark. Mais, à part ça, j'ai plutôt roulé ma bosse sur la croupe charnue de l'hémisphère Nord.

J'ai croisé brièvement Sophia à la fin d'une vie plutôt fugace mais fatigante en Grèce. Je voyageais d'Athènes au Monténégro pour affaires. J'étais alors homme d'État et négociant, à la tête d'une grosse fortune. C'était l'une de mes vies où j'avais amassé argent et pouvoir parce que c'était possible et que je ne savais pas quoi faire d'autre. Il m'a fallu une demi-douzaine de ces vies-là pour faire la différence entre la fin et les moyens.

J'étais assez satisfait de mon sort à cette époque. J'avais une femme bien en chair et deux jolies maîtresses, une jeune et une vieille. Je possédais un château qui dominait la Dalmatie et des centaines d'œuvres d'art cachées que je ne regardais jamais. Je n'avais pas oublié Sophia, mais son souvenir était de plus en plus flou dans mon esprit.

Je me trouvais donc dans une rue d'Athènes, vêtu de mes plus beaux habits, entouré d'une cour d'hommes qui étaient séduits par mes traits d'esprit et riaient à toutes mes plaisanteries, lorsque je l'ai vue. Elle était au fond d'une ruelle, la peau brune et les yeux noirs, penchée sur un quignon de pain qu'elle avait pro-bablement volé, car elle s'est enfuie en courant à mon approche. Je lui ai couru après, laissant ma suite dans la plus parfaite confu-sion. J'étais moi-même assez gros et perclus de goutte en ce temps-là, de sorte qu'il m'a fallu un certain temps pour l'attra-per. Elle pleurait quand j'y suis enfin parvenu. Elle n'avait que la peau sur les os.

– N'aie pas peur, ai-je tenté de la rassurer dans toutes les lan-gues que je connaissais jusqu'à ce qu'elle me comprenne. Je suis ton ami.

Elle devait avoir six ou sept ans, mais la faim la faisait paraître beaucoup plus jeune. Comme elle refusait de me suivre, j'ai dû rester auprès d'elle. Je voulais lui acheter à manger et à boire, et de quoi se vêtir, mais je craignais de la laisser toute seule, de peur qu'elle ne disparaisse dès que j'aurais le dos tourné.

Nous sommes restés tous les deux assis par terre pendant très longtemps. Je lui ai parlé et lui ai raconté des histoires sur elle et sur moi jusqu'au coucher du soleil et au lever de la lune. Elle a fini par s'assoupir dans mes bras. Son cœur battait à tout rompre et sa respiration était très rapide. En posant la main sur son front, je me suis aperçu qu'elle était brûlante de fièvre. Je l'ai ramenée à la villa où je résidais et j'ai appelé le meilleur médecin arabe de la ville. Lorsque nous l'avons étendue sur un lit, nous avons découvert qu'elle avait eu un terrible accident. Elle avait eu le bras gauche pratiquement sectionné au-dessus du coude et la plaie s'était gravement infectée sous le pansement rudimentaire. Je l'ai soignée et suis resté à son chevet pendant deux jours jusqu'à ce qu'elle meure. Il n'y avait rien eu à faire.

Après quoi je ne l'ai plus revue pendant assez longtemps, près de cinq siècles. Je craignais que son âme n'ait définitivement fait son temps. Il était assez difficile de se remettre du genre de vie qu'elle avait vécue. En effet, tandis que certaines âmes réapparaissent après avoir atteint une certaine plénitude, ou du moins un équilibre, d'autres disparaissent à tout jamais par pur découragement. Ainsi que je l'ai déjà remarqué, c'est le désir plus que toute autre chose qui nous pousse à revenir. Lorsque ce à quoi vous étiez destiné sur cette terre est accompli, pour le meilleur ou pour le pire, c'en est en général fini de vous également.

Dans mon impudence, j'ai toujours eu l'espoir qu'un jour Sophia et moi ne ferions plus qu'un. Je déteste cette expression (de même que «âme sœur»), mais je n'ai pas trouvé mieux. J'ai toujours cru que je pourrais racheter mes fautes et devenir meilleur grâce à elle. J'ai eu l'outrecuidance de penser que je pouvais l'aimer mieux que quiconque. J'ai toujours eu peur qu'elle ne se réalise sans moi, tandis que je resterais éternellement inachevé et stupide.

Puis je suis arrivé en Angleterre. Le dernier jour du XIXe siècle, je suis né dans la campagne anglaise, non loin de Nottingham. J'étais absolument ravi de me retrouver là. Quoique le soleil ne se couche jamais sur l'Empire britannique, je n'en avais jamais été le sujet. Ma mère s'occupait de ses enfants et de son jardin.

J'avais trois sœurs, dont une avait été un de mes oncles très chers en France et une autre ma femme, ce qui était un peu gênant.

Mon père travaillait dans une manufacture textile et élevait des pigeons pour son plus grand plaisir. Il avait une petite remise derrière la maison, où ils se reproduisaient à partir de la colonie qui était dans la famille depuis plus de deux siècles. Ni les concours ni la chasse ne m'intéressaient, mais le vol des oiseaux me passionnait et plus particulièrement leur capacité à revenir à leur colombier. J'étais également fasciné par les expériences que tentait l'homme en vue de voler.

Percy Pilcher, le pilote de planeur, était l'un de mes héros préférés et, quand j'avais neuf ans, je me souviens d'avoir suivi avec enthousiasme le parcours de Wilbur et Orville Wright, suppliant mon père de m'emmener au Mans où ils se livraient à leur première démonstration en public.

Quand a éclaté la Première Guerre mondiale, je rêvais de dresser les pigeons à emporter des messages et des médicaments de l'autre côté des lignes ennemies. D'ailleurs, les Britanniques comme les autres belligérants les utilisaient déjà fréquemment, mais j'étais jeune et fort, et je venais d'un milieu ouvrier, chair à canon idéale. En tant que sujet loyal de la Couronne d'Angleterre et impatient de faire ma part, je me serais volontiers engagé comme aide-artificier à seize ans s'il l'avait fallu et me serais certainement fait tuer à la bataille de Passchendaele ou à Verdun. En tout état de cause, j'ai dû attendre 1918 pour m'engager dans l'infanterie, et je n'ai pas réussi à trouver la mort avant la seconde bataille de la Somme, un peu plus tard cette même année. Tout cela me semble très récent.

J'aurais énormément à raconter sur cette période, mais je vous dirai simplement que j'ai été gazé et blessé lors de cette bataille, abandonné inconscient dans la boue infâme des tranchées, laissé pour mort, mais pas vraiment mort. Je me suis réveillé dans une pièce éblouissante de soleil dont les rayons perçaient aisément les fins carreaux d'une antique et immense fenêtre. À peine avais-je esquissé un mouvement, le premier signe de vie depuis plusieurs jours, ai-je appris par la suite, qu'une jeune femme coiffée du petit calot blanc des infirmières s'est précipitée vers moi. J'ai cillé et dû faire un effort d'accommodation pour distinguer ce visage penché sur moi, d'une beauté et d'une familiarité telles que j'ai pensé un instant être en train de rêver. Je me serais cru au paradis si je n'avais tant de fois fait l'expérience de l'au-delà, de la vie après la mort.

Elle a posé sa main sur la mienne, et il m'a semblé que c'était une façon de me faire comprendre qu'elle aussi se souvenait de moi.

– Sophia, ai-je balbutié dans un demi-sommeil, le cœur battant d'une extase mâtinée de confusion. C'est moi.

Mais elle m'a regardé avec une expression de commisération plus que de reconnaissance. J'étais à moitié mort et désorienté, mais pas au point de ne pas savoir ce que je disais.

– Je m'appelle Constance, m'a-t-elle chuchoté, si près que je sentais son souffle chaud sur ma peau. Je suis heureuse que vous vous soyez réveillé.

C'était elle, c'était bien elle. Était-elle vraiment heureuse ? me suis-je demandé. Était-il possible qu'elle m'ait reconnu ? Se doutait-elle de l'importance qu'elle avait à mes yeux ?

– Le docteur Burke va être tellement content. Nous avons un autre garçon dans le service qui s'est réveillé hier, et vous aujourd'hui.

J'ai compris que j'étais aussi « un autre garçon dans le service ». Je représentais potentiellement un mort en moins. Je me pénétrais de son joli accent et de la blancheur de sa blouse immaculée.

– Vous êtes infirmière ?

– Pas encore : auxiliaire seulement, a-t-elle répondu avec un mélange de modestie et d'orgueil. Mais j'apprends mon métier.

Son attitude envers moi était si familière et si douce que je brûlais de tout lui dire, mais je ne voulais pas la faire fuir avant de l'avoir pleinement observée.

– Où sommes-nous ? lui ai-je demandé en levant les yeux vers la grande fenêtre et le somptueux plafond à caissons.

– Nous sommes à Hastonbury, dans le Kent.

– En Angleterre ?

– Oui, en Angleterre.

– On dirait un palais, ai-je murmuré, le souffle court.

– Ce n'est qu'une maison de campagne.

Elle a baissé brusquement les yeux avant de les poser de nouveau sur moi.

– Mais aujourd'hui, c'est un hôpital, a-t-elle ajouté.

J'ai réalisé que j'avais le plus grand mal à respirer et que ma poitrine me faisait terriblement souffrir. D'autres douleurs remontaient les unes après les autres à la surface. J'essayais de me rappeler ce qui avait pu m'arriver. Dans aucune des guerres auxquelles j'avais pu participer, il n'avait été fait usage de phosgène ni de gaz moutarde. J'avais beau être fou de joie à l'idée d'avoir retrouvé Sophia, j'ai soudain eu très peur de l'image que je devais lui renvoyer.

– Suis-je entier ?

Elle a fait mine de m'examiner.

– Un peu cabossé, mais tout a l'air à peu près en place, a-t-elle répondu non sans une pointe d'humour.

– Pas de brûlures ?

Elle a frémi imperceptiblement.

– Beaucoup de cloques, mais rien de très grave. Vous avez eu énormément de chance de ce côté-là.

En cherchant à bouger ma jambe, j'ai été traversé par une douleur fulgurante, mais elle était bien là, cette jambe, accrochée au reste du corps, et répondait à mes ordres. Je sentais sa main sur la mienne. Elle n'était donc ni insensible ni paralysée. Je commençais à reprendre espoir : Sophia était auprès de moi et je n'étais ni mort ni défiguré.

Puis elle a touché mon front moite de sueur et sa douceur a déclenché dans ma poitrine et ma gorge une autre forme de douleur. Me reconnaissait-elle ?

– Allez, venez, Constance. Poursuivez le tour de vos patients, lui a ordonné une femme plus âgée, certainement une infirmière professionnelle, dont la voix, la physionomie et les façons étaient loin d'être aussi aimables que celles de Sophia.

Sophia a levé la tête.

– Le patient..., a-t-elle commencé avant de consulter la fiche, D. Weston s'est réveillé, madame, a-t-elle annoncé avec chaleur. Dois-je prévenir le docteur Burke ?

L'infirmière n'a pas semblé accueillir cette nouvelle avec le même enthousiasme que Sophia.

– Je l'en aviserai, a-t-elle conclu en m'examinant d'un œil critique.

– Bien, madame Foster.

J'en voulais à Sophia d'avoir lâché ma main et d'être passée au lit suivant pour l'appliquer sur le front de mon voisin. J'avais trop mal au cou pour tourner complètement la tête, mais ce que j'ai vu m'a suffi. Elle lui parlait et sa seule présence lui remontait le moral.

Je n'étais donc dans cet hôpital qu'un blessé parmi tant d'autres, et elle, la petite infirmière au grand cœur qui nous faisait croire à l'amour et nous permettait d'espérer. Elle ne savait pas qu'elle était Sophia, et ignorait manifestement qui j'étais. Mais nous étions tous les deux réunis dans le même lieu, au même moment de nos vies, et cette simple raison suffisait à me transporter de joie et de reconnaissance pour quelques siècles.

CHARLOTTESVILLE, VIRGINIE, 2007

Après avoir tourné plusieurs fois au mauvais endroit, Lucy finit par arriver. Cela faisait exactement un an qu'elle était venue et les roses étaient alors plus abondantes. L'herbe était plus haute aussi. Elle frappa à la porte du mobile home, mais personne ne répondit. Hormis sa voiture, il n'y en avait pas d'autre dans les environs.

Lucy ne pouvait simplement pas retourner chez elle. Elle avait fait ses valises et quitté la résidence deux jours plus tôt. Elle avait passé les deux dernières nuits dans l'appartement qu'occupait Marnie l'été, sur Bolling Avenue, et sa voiture était chargée et prête à la conduire jusqu'à Hopewood où elle devait séjourner les trois mois suivants. C'était sa seule chance. Elle remonta dans sa voiture surchauffée et pleine à craquer, et attendit. «Mais qu'est-ce que je fabrique ici?» Elle avait l'impression d'être en planque ou de faire une filature.

«Comment sont tombés les hommes forts», songea-t-elle. Un an plus tôt, elle avait émis les plus grands doutes quant au sérieux de Mme Esme, et voilà qu'elle faisait le pied de grue devant le pauvre mobile home sur cales, mettant tous ses espoirs dans ce que pourrait lui apprendre cette femme.

Lucy appuya sa joue contre la vitre de sa voiture et elle était sur le point de s'endormir lorsqu'elle entendit un véhicule s'engager dans l'allée. C'était une vieille Nissan rouge toute rouillée. Il fallut un moment à Lucy pour réaliser que la personne qui en descendait était bien celle qui se faisait appeler Mme Esme.

Lucy sortit à son tour de sa voiture et l'intercepta.

– Excusez-moi ? Je suis désolée de vous tomber dessus, mais...

La jeune fille se retourna : elle portait une chemise bleu marine, genre polo, avec le logo de Walmart brodé au fil blanc. Un badge indiquait : « Bonjour, je m'appelle Martha. »

– Je suis déjà venue vous voir, poursuivit Lucy, l'année dernière. Vous vous faisiez appeler Mme Esme, n'est-ce pas ?

La fille hocha lentement la tête. Elle ne manifesta rien qui permît de dire si elle avait ou non reconnu Lucy et n'avait pas l'air très aimable.

– Je suis désolée d'arriver comme ça. Vous m'avez prédit l'avenir. Je ne sais pas si vous vous souvenez. Il y a peu de chances. Vous avez dû voir défiler beaucoup de monde, mais...

La voyante haussa les épaules. Lucy se rappela qu'elle avait trouvé l'accoutrement de Mme Esme assez hallucinant mais, avec le recul, il lui paraissait aussi très réussi et assez inquiétant. Sans son costume, elle faisait très jeune et petite. L'ecchymose qu'elle avait sur le menton laissa Lucy songeuse. Elle porta instinctivement la main à son propre menton, en un geste défensif.

– Écoutez, j'ai beaucoup réfléchi à ce que vous m'avez dit. J'aurais aimé vous poser quelques questions. À moins que vous n'acceptiez une nouvelle consultation. J'ai de l'argent.

La jeune fille secoua la tête avant même que Lucy n'ait terminé sa phrase.

– Non, excusez-moi, c'est non.

– Mais pourriez-vous... ?

La voix de Lucy tremblait. Elle ne savait plus que faire. Sa démarche était un acte désespéré. Elle, qui avait méprisé Mme Esme, en avait douté et l'avait raillée, avait fini par capituler. Certes, Esme/Martha était timbrée, mais Lucy avait besoin d'elle. Elle était à deux doigts de perdre la raison et ne s'attendait pas à cette humiliation : se faire renvoyer alors qu'elle avait cinquante dollars en poche.

– Est-ce que je peux juste vous poser quelques questions ? insista Lucy. Vous ne vous souvenez sûrement pas de moi, mais vous m'avez dit un certain nombre de choses très troublantes, et comme je vous le disais, j'y ai beaucoup repensé depuis. Je n'avais rien compris sur le moment, mais je crois que...

La voyante s'était remise à secouer la tête, mais Lucy eut l'impression qu'elle commençait à s'intéresser vaguement à son cas et à se détendre un peu.

– Vous ne pratiquez plus ? lui demanda Lucy que la jeune fille fixait avec curiosité.

– Non, ce n'est pas ça. Ça ne m'intéresse plus.

– Vous n'avez pas besoin de votre costume et tout le tralala, non ? Je veux dire, moi ça m'est égal. Mais si vous y tenez, vous pouvez aller vous changer. J'attendrai. Je pourrais...

– Vous devriez vous en aller, répondit Esme/Martha à voix basse avant de se diriger vers la porte du mobile home.

Lucy était désespérée. Cette jeune fille était son dernier recours. Que faire quand on n'avait même pas la possibilité de capituler ?

– S'il vous plaît. Je suis désolée de vous prendre au dépourvu, comme ça, je comprends bien que ça puisse sembler bizarre. Je ne voulais pas vous embêter, mais si je pouvais juste... revenir à un autre moment ? Je peux prendre rendez-vous. Je sais, c'est ce que j'aurais dû faire, mais je n'avais pas votre numéro de téléphone. J'ai de quoi payer, insista encore Lucy en brandissant son sac et en perdant son assurance.

La jeune fille se tenait devant sa porte ouverte et regardait Lucy par-dessus son épaule d'un air compatissant mais un peu méfiant.

– Je m'appelle Lucy, mais vous m'avez appelée Sophia. Ça vous rappelle quelque chose?

– Je dois rentrer, dit la fille.

Il ne restait plus à Lucy qu'à regagner sa voiture. Elle avait espéré trouver des réponses. À défaut, elle avait espéré se prouver que Mme Esme n'était qu'un charlatan, qu'elle avait peut-être eu de la chance en tombant juste la fois précédente et, somme toute, ne cherchait qu'à gagner de l'argent. Quant à Lucy, elle n'y avait rien gagné du tout.

Elle se laissa tomber sur le siège du conducteur et jeta un dernier coup d'œil désespéré vers le mobile home. Esme/Martha n'avait pas bougé. Plantée dans l'encadrement de la porte, elle avait l'air presque aussi enthousiaste et à l'aise que Lucy. Celle-ci était sur le point de fermer la portière lorsqu'elle vit les lèvres de la jeune fille bouger. Elle se pencha hors de la voiture.

– Il n'est pas mort.

– Pardon? fit Lucy interloquée.

– Je dis simplement : il n'est pas mort.

Elle se retenait si fort à la portière qu'elle en avait des fourmis dans les doigts.

– Vous voulez parler de Daniel?

La jeune fille n'ajouta pas un mot et claqua violemment la porte derrière elle.

Hastonbury Hall, Angleterre, 1918

Je vivais dans l'attente fébrile que Sophia soit de garde. Le porridge du petit déjeuner était délicieux quand c'était elle qui me l'apportait et insipide quand il m'était servi par Mme Foster ou même par la jeune et disgracieuse Corinne. Dès que Sophia me touchait la tête ou les mains, ou m'administrait mes remèdes, c'était tout mon corps qui en était bouleversé. Il n'y avait rien que je puisse ou ne veuille lui cacher ; je n'en avais pas la force.

Les compétences de Sophia étaient strictement limitées à la zone située au-dessus des épaules et en dessous des poignets. Les infirmières plus âgées se chargeaient des tâches plus prosaïques, comme le bassin, la toilette et le changement des pansements. Elles étaient expéditives et hautaines et, franchement, j'étais contrarié d'être à leur merci. Ma tête fourmillait d'expériences, d'idées. J'avais vécu dans des cités antiques, navigué sur toutes les mers du monde, lu des livres écrits sur les premiers parchemins de la bibliothèque de Pergame, et j'avais besoin que quelqu'un me donne le bassin ! Elles me prenaient pour ce que j'étais à leurs yeux : encore un autre garçon de dix-huit ans au corps meurtri.

Je n'étais pas habitué aux graves blessures. Certes, j'avais été maintes fois blessé et avais souffert, comme tout un chacun. Mais j'étais mort de mes blessures les plus graves. La médecine n'était pas ce qu'elle est de nos jours. En général, je ne mettais jamais aussi longtemps pour passer de vie à trépas, comme aujourd'hui.

Mais n'était mon exaspération devant mon état de faiblesse, j'avoue que cette situation m'intéressait. D'énormes progrès avaient été faits en matière de soins et j'y prêtais attention. Cela préparait le terrain de mes vies suivantes. J'ai un penchant naturel pour tout ce qui concerne les sciences, mais il se peut que la véritable raison pour laquelle je me suis tourné vers la médecine vient de ce que je me suis fait soigner dans cet hôpital par des mains si aimantes.

À présent que j'étais réveillé et que mes blessures n'étaient plus aussi cuisantes, on m'avait installé dans une chambre à l'étage. C'était une vaste pièce aux murs jaunes, équipée de quatre autres lits, qui donnait sur un jardin. En me redressant sur mon lit et en tendant le cou, j'apercevais de la verdure à laquelle se mêlaient les nuances mordorées de l'automne. Les fenêtres étaient grandes et laissaient pénétrer la lumière tamisée par le feuillage, belle même les jours de pluie. Derrière l'odeur entêtante des désinfectants et de l'ammoniaque, je devinais le parfum de Sophia et m'accrochais à la moindre trace de cette fragrance dans mes rêves enfiévrés.

La nuit, la fièvre montait toujours, mais cela m'était égal, car alors Sophia venait veiller à mon chevet.

– Sophia, ai-je murmuré tandis qu'elle me tenait la main.

C'était la troisième nuit que je passais dans ma nouvelle chambre.

– Constance, a-t-elle répondu à voix basse.

Je l'ai regardée dans les yeux.

– Vous avez les yeux bleus, maintenant.

– Ils ont toujours été bleus.

– Non, ils étaient noirs autrefois.

– Ah, oui?

— Oui, et aussi beaux.

— Tant mieux.

— Vos cheveux étaient plus longs la dernière fois, et pas rete-
nus par ces… ces choses que vous portez.

— Les peignes ?

— Oui. Ils étaient plus foncés aussi, mais vous aviez les mêmes
yeux.

— Je croyais qu'ils étaient noirs ?

— Oui, les mêmes mais d'une autre couleur. Les mêmes pour
l'essentiel. Quand on vous regarde dans les yeux, on a affaire à
la même personne.

Elle a hoché la tête. J'avais de telles poussées de fièvre qu'elle
ne me contredisait jamais.

— La dernière fois que je vous ai vue, vous étiez une toute
petite fille. Je crois que vous aviez six ans.

— Comment est-ce possible ? Vous n'avez pas grandi ici, dans
le Kent, n'est-ce pas ?

— Non, c'était en Grèce que je vous ai vue.

— Je ne suis jamais allée en Grèce.

— Mais si. Et vous avez vécu des choses épouvantables.

Ma fièvre agissait comme un sérum de vérité. J'ai senti les larmes me monter aux yeux, mais je me suis retenu de pleurer.

— J'ai essayé de vous secourir, lui ai-je dit quand, brusquement,
une idée m'a traversé l'esprit. Montrez-moi votre bras.

J'ai fermé les yeux en cherchant à visualiser son bras.

— Votre bras gauche, ai-je précisé.

Elle me l'a tendu avec réticence.

— Soulevez votre manche. Je suis certain que vous avez une
marque, juste là, ai-je expliqué en indiquant un endroit précis sur
la manche de son gilet.

Elle m'a regardé avec intérêt. Les patients n'étaient pas censés
lui demander ce genre de choses et elle n'était pas censée leur
obéir. Mais elle était curieuse. Elle a donc enlevé son gilet, tricoté

172

en belle laine anglaise, et retroussé sa manche en coton pour me montrer son bras. Je la fixais avec une telle intensité qu'elle en a rougi.

Sur la peau fine de l'intérieur du bras, un peu en dessous de l'aisselle, se trouvait une longue tache de naissance brune. J'avais irrésistiblement envie de l'effleurer, mais je me suis retenu. C'est une zone du corps particulièrement intime que l'on expose rarement aux regards, surtout chez une jeune Anglaise.

– Comment le saviez-vous ? L'aviez-vous déjà vue ?

– Comment aurais-je pu la voir ?

– En Grèce, a-t-elle répliqué en haussant les épaules.

J'ai ri autant que me le permettaient mes poumons.

– Oui. Elle était plus vilaine alors.

Je réprimai de nouveau un sanglot. Une grosse fièvre combinée aux retrouvailles avec une jeune fille que vous aimez et n'avez pas revue depuis cinq cents ans peut vous fragiliser singulièrement.

– Que s'est-il passé ?

Je n'avais pas particulièrement envie de le lui dire.

– Je n'aime pas trop y penser. Je ne sais pas... Vous avez dû avoir une mère négligente, si tant est que vous en ayez eu une.

Ma réponse l'a frappée.

– Et aujourd'hui ?

– Votre mère ?

– Non, la tache, a-t-elle répondu d'un air grave. Pourquoi l'ai-je encore aujourd'hui ?

– Eh bien, c'est un phénomène assez curieux. À chaque naissance, votre corps renaît comme neuf et pratiquement vierge puis, au fil du temps, vous lui imprimez ce que vous êtes foncièrement, mais vous conservez les traces d'anciennes expériences vécues : les blessures, les injustices et les grandes histoires d'amour également.

Je l'ai regardée furtivement.

– Et vous les gardez dans votre chair, vos organes, vos articulations, et vous les portez même sur votre peau. Vous portez votre passé sur vous quand bien même il ne vous en reste aucun souvenir.

– C'est votre cas, a-t-elle dit avec le même regard indulgent, mais moins assuré.

– C'est le cas de tout le monde.

– Parce que nous ne cessons de renaître ?

– La plupart d'entre nous, oui.

– Pas tous ?

Sa gentillesse naturelle cédait peu à peu le pas à une franche curiosité.

– Certains ne vivent qu'une seule fois. D'autres quelques rares fois. Et d'autres encore renaissent éternellement.

– Pourquoi ?

J'ai reposé ma tête sur l'oreiller.

– C'est difficile à expliquer. Et je ne suis pas certain de connaître la réponse.

– Et vous ?

– Moi ? J'ai vécu plusieurs vies.

– Et vous vous les rappelez toutes ?

– Oui. C'est ce qui fait ma différence avec la plupart des gens.

– Je vois bien. Et moi alors ?

Elle donnait l'impression d'être décidée à ne pas croire à ce que j'allais lui répondre, mais avait néanmoins l'air un peu inquiet.

– Vous aussi avez vécu plusieurs fois. Mais votre mémoire est plutôt médiocre.

– C'est sûr ! s'est-elle exclamée en riant. Et vous m'avez reconnue dans toutes vos vies ?

– J'ai essayé. Mais non, pas dans toutes.

– Et comment se fait-il que je ne puisse m'en souvenir ?

– Vous le pouvez et plus que vous ne le pensez. Ces réminiscences sont enfouies quelque part en vous. Elles agissent sur votre vie sans que vous en ayez conscience. Elles déterminent votre comportement avec les autres, ce que vous aimez et ce dont vous avez peur. Bien des aspects irrationnels de notre comportement paraîtraient plus rationnels si on pouvait les considérer dans le contexte global de nos vies à répétition.

C'était incroyable le nombre de choses que j'avais envie de lui expliquer et qu'elle avait envie d'entendre. J'ai pris entre mes doigts l'ourlet de sa manche.

– J'en connais suffisamment à votre sujet pour savoir que vous aimez les chevaux et que vous en rêvez probablement. Vous rêvez aussi du désert quelquefois, et que vous prenez un bain en plein air. Vos cauchemars portent en général sur le feu. Votre voix vous pose quelques problèmes et votre gorge aussi de temps en temps : ç'a toujours été votre point faible...

Elle m'écoutait avec la plus grande attention.

– Pour quelle raison ?

– Vous avez été étranglée il y a longtemps.

Son effarement était à moitié feint.

– Par qui ?

– Votre mari.

– Quelle horreur ! Pourquoi l'ai-je donc épousé ?

– Vous n'aviez pas le choix.

– Et vous connaissiez cet homme ?

– C'était mon frère.

– Mort et enterré, j'espère !

– Oui, mais je crains que sa rancune ne soit éternelle.

Je guettais les expressions de son visage : elle cherchait manifestement quoi faire de toutes ces informations.

– Vous ne seriez pas médium, par hasard ?

Je lui ai souri et j'ai secoué la tête.

– Bien que la plupart des médiums, quand ils sont bons, aient la mémoire de vies antérieures ! De même que la plupart des gens que l'on considère comme fous. L'asile est le lieu où se concentrent le plus d'individus dotés d'une mémoire partielle. Ils ont des éclairs et des visions, mais rarement dans le bon ordre.

Elle m'a considéré avec sympathie, se demandant si ce n'était pas de là que je m'étais échappé.

— Et c'est votre cas ?

— Non, moi, je me souviens de tout.

WASHINGTON, D.C., 2007

Cela n'avait plus rien à voir avec le mobile home et les roses de Mme Esme. C'était un bureau situé dans un véritable immeuble de bureaux ultramoderne près de Wisconsin Avenue, dans Upper Georgetown. Il y avait un véritable ascenseur ultramoderne, une salle d'attente et des diplômes encadrés au mur. Lucy ne pensait pas qu'Esme soit allée beaucoup plus loin que le brevet, tandis que ce type-là avait des diplômes de Haverford College, Cornell Medical College, Georgetown University Hospital, et de quelques autres universités.

En y réfléchissant, Lucy trouva assez étrange de se retrouver là. Après toutes les horribles expériences de Dana avec les psychiatres, Lucy n'aurait jamais imaginé qu'elle serait allée en consulter un de son plein gré. Mais c'était peut-être ce qui faisait toute la différence. Dana avait été internée, attachée, droguée, traînée de force. Elle n'avait rien choisi.

D'une certaine manière, Lucy avait, sur sa folie très particulière, plus de preuves que jamais, mais décider de la regarder en face lui paraissait moins fou que de la fuir. Que ce soit rationnel ou non, à cause de Daniel et de Mme Esme, elle commençait à croire que les images discordantes qu'elle avait dans la tête correspondaient à une certaine réalité, et elle avait besoin d'en comprendre le comment et le pourquoi. Elle voulait des informations. C'était une nécessité. Elle espérait que cela remettrait un peu d'ordre dans le désordre psychique qui la menaçait. Et, en outre, elle n'avait pas de meilleure idée.

Lorsque le docteur Rosen apparut, il avait l'air aussi sérieux que ses diplômes le laissaient augurer. Elle se leva et lui serra la main, espérant qu'elle lui paraîtrait moins jeune et perdue qu'elle ne l'était en réalité.

– Je déduis donc de notre conversation téléphonique que vous êtes intéressée par une séance d'hypnose, commença-t-il en lui faisant signe de se rasseoir sur le divan.

– Oui. Je crois.

– L'hypnose peut se montrer bénéfique dans certains cas d'angoisse, ce que vous m'avez décrit, mais elle est beaucoup plus efficace en relation avec une thérapie, et parfois avec un traitement médicamenteux.

Lucy eut l'impression qu'il se sentait presque obligé de lui tenir ce petit discours.

– Je comprends bien. Mais j'habite à deux heures et demie d'ici, et je ne peux me permettre qu'une seule séance et aujourd'hui même. Pourrions-nous commencer par l'hypnose et voir comment ça se passe ?

Lucy avait fait suffisamment de recherches sur Internet pour savoir que le docteur Rosen avait la réputation d'être assez peu conventionnel dans sa pratique de l'hypnose et de vouloir travailler avec de bons candidats.

Il l'observa un instant puis hocha la tête.

– Nous pouvons faire un essai. Certains individus sont plus réactifs que d'autres. Nous verrons comment vous vous comportez.

Il sortit un magnétophone d'un tiroir de son bureau.

– Voulez-vous que j'enregistre ? La plupart des gens désirent réécouter la séance plus tard.

Elle n'y avait pas pensé, mais cela lui sembla une bonne idée. Que se serait-il passé si elle avait eu l'enregistrement de sa séance avec Mme Esme?

Il commença par la faire s'allonger et se détendre; il lui demanda de fixer son stylo doré jusqu'à ce que ses yeux se ferment. Il lui parla d'une voix apaisante pendant un moment, l'incitant toujours à se détendre, à s'écouter respirer... Puis il lui expliqua qu'il allait la guider dans une image : il la conduirait à l'intérieur d'une maison, et elle devrait lui décrire ce qu'elle verrait. Elle se laissa bercer par le son de sa voix jusqu'à ce qu'une immense fatigue l'envahît. Ensuite, elle se vit en train de marcher dans un couloir.

– Racontez-moi, lui demanda le docteur Rosen de sa voix douce.

– Le plancher craque sous mes pieds. Je ne veux pas faire de bruit, répondit Lucy sans réfléchir.

– Pour quelle raison?

– Je ne veux pas que l'on sache que je retourne dans sa chambre. J'y monte toujours discrètement.

– La chambre de qui?

Elle ne savait pas très bien si elle l'ignorait ou si elle n'avait pas envie de le dire, donc elle poursuivit :

– Sa chambre est juste devant moi. C'était ma chambre avant.

– Mais ça ne l'est plus maintenant?

– Non. À cause de la guerre. Aujourd'hui, c'est un hôpital.

Lucy disait toutes ces choses sans les comprendre véritablement et sans savoir pourquoi, mais cela ne la touchait guère.

– Voulez-vous entrer dans la chambre?

– Oui, je veux le voir.

– Alors qu'attendez-vous pour y entrer? suggéra le docteur Rosen.

– D'accord.

– Dites-moi ce que vous voyez.

Elle se sentit soudain affreusement triste. Comme si une chose terrible s'était produite et qu'elle venait de s'en souvenir. Une grosse boule douloureuse se forma dans sa gorge.

– Daniel n'est pas là.

– Vous êtes affectée.

– Il y a trois autres soldats. Mais pas lui.

– Je suis désolé.

Les larmes lui montèrent aux yeux et coulèrent le long de ses joues.

– Pourquoi ai-je cru qu'il serait là ?

Elle pleurait tant qu'elle ne put parler pendant un long moment.

– Vous teniez à lui.

– Je l'aimais. Il ne voulait pas me quitter. Il disait qu'on se retrouverait. Il disait qu'il ne m'oublierait jamais et que je devais tout faire pour ne pas l'oublier. C'est pour cela que j'ai écrit la lettre.

– Quelle lettre avez-vous écrite ?

– Une lettre que je me suis écrite à moi-même. Pour plus tard. Pour que je me rappelle. Je l'ai cachée derrière la bibliothèque qui était dans mon ancienne chambre. C'est là que se trouve aussi sa lettre.

– La lettre qu'il vous a écrite ?

– Oui.

– Dans votre ancienne chambre ?

– Oui.

– Où se trouve cette chambre ?

– Dans notre ancienne maison. La grande maison. Pas le cottage au bord de la rivière, où nous habitons maintenant.

Elle décrivit le paysage autour de la grande maison et Hythe, le village voisin, et la rivière, le poulailler et le vieux

potager transformé en parking depuis la guerre. Elle décrivit
également les jardins, les magnifiques jardins d'avant.

– D'avant quoi? demanda-t-il.

– D'avant la mort de ma mère. C'était elle qui avait créé
ces jardins.

– Quand votre mère est-elle morte?

– Quand j'étais petite, mais je me souviens très bien d'elle.

À un moment donné, la voix lente et douce du docteur Rosen l'invita à quitter la maison et la ramena dans le
cabinet de consultation. Il la fit de nouveau se détendre et se
concentrer sur sa respiration. Lorsqu'il lui ordonna d'ouvrir
les yeux, elle obéit.

Elle était désorientée, mais ni embrumée ni confuse. Elle
sentit qu'elle avait pleuré, et il subsistait encore en elle une
vague sensation de chagrin, mais pas l'émotion en tant que
telle. Elle s'efforça de rassembler ses esprits.

– Lucy?

– Oui.

– Vous vous sentez bien?

– Oui, je crois.

– Vous rappelez-vous ce que vous avez vu?

Elle réfléchit.

– Oui, je crois. Pour l'essentiel.

Elle s'aperçut que le docteur Rosen avait, pour sa part, l'air
assez médusé.

– Vous avez plongé très rapidement et très profondément,
déclara-t-il.

– Ah, bon? Et ce n'est pas normal?

Il eut un regard ambigu.

– Il est difficile de dire ce qui est normal ou non. Mais vous
avez été assurément très réactive et... d'une lucidité inhabi-
tuelle quant à l'endroit où vous vous trouviez et ce que vous
y voyiez.

Elle acquiesça.

– Avez-vous compris ce que cela signifie ? Était-ce en relation avec une expérience connue de vous ?

– Non, pas une expérience, non. Mais en effet, cela m'était familier, répondit-elle en fixant l'extrémité de ses doigts. Est-ce que vous appelleriez cela une régression ?

Il eut l'air vaguement embarrassé.

– C'est possible. Cela peut arriver.

– Je ne crois pas être jamais allée dans cet endroit. Mais pensez-vous que ce pourrait être...

Elle ne réussit pas à finir sa phrase et lui, de son côté, ne semblait pas pressé qu'elle la termine.

Il poussa un soupir.

– Lucy, il va être l'heure de se quitter. Ce fut une... une expérience éprouvante pour vous, j'en suis sûr. Si vous ne vous sentez pas très bien vous pouvez vous reposer autant que vous le désirez dans ma salle d'attente.

– Je crois que ça va aller, répondit-elle sans cesser de réfléchir à ce qu'elle venait de vivre.

En y repensant, elle n'avait pas l'impression que cela lui était arrivé personnellement mais, en même temps, elle n'avait pas non plus l'impression que c'était arrivé à quelqu'un d'autre. Où se trouvait cette maison ? Avait-elle pu s'y rendre à un moment donné ?

– Pensez-vous qu'il puisse y avoir quelque chose de vrai là-dedans ? Croyez-vous que je me sois laissé une lettre ? Je ne me rappelle rien de tel.

Elle se sentit étrangement sotte à poser toutes ces questions.

Le docteur Rosen semblait réticent à lui offrir quelque hypothèse en guise de réponse.

– On peut s'attendre à ce que des choses étranges et incongrues surviennent sous hypnose. Comme dans les rêves. Tous ces éléments d'information peuvent se révéler extrêmement précieux en matière de connaissance de soi. Mais il ne serait pas sage de les prendre trop littéralement. À mon avis, il faudrait les considérer comme des métaphores.

Lucy le regarda droit dans les yeux.

– Ça ne ressemblait pas à des métaphores.

Lucy écouta l'enregistrement de sa séance d'hypnose le soir même, dans sa chambre, la porte fermée et à bas volume. Ce qui la frappa avant tout c'était sa voix. À partir du moment où elle avait commencé, sur les injonctions du docteur Rosen, à se décrire en train de marcher dans le couloir, elle ne s'était plus exprimée comme d'habitude, mais avec la voix et les intonations d'une jeune Anglaise. Ce qui était des plus troublant. Elle réécouta ce passage trois fois de suite, le cœur battant, afin de s'assurer qu'elle entendait bien et que c'était bien elle qui parlait. C'était elle en effet.

Dans la vraie vie, Lucy était très mauvaise pour les accents. Elle avait dû prendre l'accent cockney pour jouer dans *Oliver!* quand elle était en classe de quatrième, et ç'avait été catastrophique. Pire que Dick Van Dyke dans *Mary Poppins*. Mais, sur la bande, son accent avait l'air étrangement subtil et crédible. Elle n'aurait pas pu le refaire, même sous la menace.

Elle écouta ce qu'elle disait comme s'il se fût agi de quelqu'un d'autre, mais elle se rappelait bien avoir dit tout cela et vu ce qu'elle décrivait. La voix, les images, c'était elle, et en même temps ce n'était pas elle. En fermant les yeux, allongée sur son lit, et en écoutant la bande, elle revit la maison. Le couloir, la porte de la chambre. Son ancienne chambre, d'après la jeune fille, donc elle.

Elle n'était plus en état d'hypnose. Ça ne pouvait durer aussi longtemps. Et le docteur Rosen lui avait dit qu'il l'en avait sortie. Depuis le moment où elle avait quitté son cabinet et était rentrée chez elle en voiture, elle avait pensé et fait des choses toutes plus normales les unes que les autres. Elle avait pris de l'essence à une station-service et acheté de petits bonbons. Elle avait cueilli des hortensias au jardin, qu'elle avait disposés dans un vase. Elle avait remis de l'eau à Passe-Partout et sorti de son terrarium une nouvelle mue. Elle avait aidé sa mère à préparer le repas et dîné de bonne heure avec elle. Elle avait entendu son père rentrer à la maison et l'avait aidé à ranger l'uniforme de confédéré qu'il revêtait chaque année pour le musée vivant de Chancellorsville. Et elle avait certainement cessé de s'exprimer avec cet accent suranné de jeune Anglaise d'un autre siècle. Elle avait retrouvé sa voix et, malgré l'étrange et lent séisme qui l'agitait, elle se sentait plus ou moins elle-même.

Mais, en fermant les yeux pour écouter la bande, elle revit tout ce qu'elle avait vu sous hypnose. Ainsi, elle se revit en train d'ouvrir la porte de la chambre ; elle revit la chambre, comme précédemment. Mais, dans l'enregistrement, la jeune fille – elle – était brutalement submergée par l'émotion et sa vue se brouillait. Lucy ne ressentit pas la même douleur que dans le cabinet du docteur Rosen, et essaya donc d'étudier la pièce.

Gardant toujours les yeux fermés, elle réussit à distinguer le rayonnement sourd des murs jaunes, le reflet vert de la lumière qui filtrait à travers les arbres par les deux hautes fenêtres. Elle eut la vision floue et fugitive des trois soldats. La seule image qui persista était celle d'une chambre vide, avec un grand lit à baldaquin, une armoire massive, un bureau surmonté d'un miroir terni et une jolie bibliothèque contre le mur du fond. Elle eut l'étrange impression que si elle parvenait à s'approcher d'un des rayonnages, elle réussirait à lire le titre de chacun des livres qui y étaient rangés. Mais la jeune fille – elle – ne s'était pas avancée jusque-là. Elle était restée à pleurer sur le pas de la porte.

En bas, dans sa propre maison, une porte qui claqua la fit sursauter. Elle se redressa sur son lit, les yeux grands ouverts, de nouveau dans sa propre chambre qui, elle aussi, avait des murs jaunes. Elle referma les yeux, puis les rouvrit. Elle avait la sensation d'avoir été engloutie sous des tonnes d'eau et de remonter à la surface, le regard trouble et la vue brouillée. L'image s'était évanouie.

Cette nuit-là, elle rêva de la chambre jaune – l'autre chambre jaune. Elle y vit Daniel, ce qui, dans son rêve, ne l'étonna pas le moins du monde. Il ne ressemblait pas au Daniel qu'elle avait connu au lycée, mais elle savait avec certitude que c'était lui. Ce phénomène était assez courant dans les rêves. Daniel voulait lui dire quelque chose. Il arborait cette même expression qu'elle lui avait vue le soir de la fête de fin d'année. Il essayait de lui parler, mais aucun son ne sortait de sa bouche. Il n'avait plus d'air dans les poumons. Il faisait des efforts désespérés, et elle avait de la peine pour lui. Puis elle réalisa qu'elle savait ce qu'il cherchait à lui dire.

– Oh, la lettre! dit-elle en lui prenant les mains. Je suis au courant.

Hastonbury Hall, Angleterre, 1918

Je n'arrivais pas à croire que j'étais en train de mourir. Le bon docteur Burke le savait, lui, et au début je ne l'ai pas cru. J'étais absolument sûr qu'il se trompait, car le sort ne pouvait se montrer aussi cruel, ainsi en avais-je décidé, tout en sachant pertinemment qu'à ce niveau-là, le destin s'en moquait pas mal. Mais, au fil des jours, il était impossible de ne pas s'apercevoir que l'état de mes poumons, loin de s'améliorer, allait s'aggravant. J'étais déjà mort une fois de la tuberculose : je savais donc comment cela se passait. Et mes poumons étaient déjà rongés par le gaz. J'étais probablement la personne au monde qui avait le moins peur de mourir, mais cette fois cette idée m'était insupportable.

Il y avait eu tant de vies que j'avais été heureux de quitter, même dans la douleur. Tant de fois où j'avais été impatient de renaître, de voir où me mènerait une nouvelle existence, toujours dans l'espoir qu'elle me conduirait à Sophia. Aujourd'hui, Sophia était près de moi et je ne pouvais rester avec elle.

Comment la retrouverais-je ? Le destin finirait peut-être par la redéposer sur mes genoux, mais dans combien de temps ? Cinq cents ans ? C'était trop pour moi.

J'avais le pouvoir de mettre un terme à ma vie. Ce n'était pas bien, certes, mais c'est ce que j'ai fait. Que ne pouvais-je vivre alors que je le désirais tant ? J'aurais dû aussi en avoir la possibilité. Voilà ce que je pensais. Je voulais vivre. Jamais je n'avais exigé cela de mon corps. Avec toutes les connaissances que j'avais emmagasinées, une tête aussi pleine que la mienne, je pensais que ç'aurait fait une différence. Je parlais le basque, je savais jouer de ce fichu instrument qu'est le clavecin ; ç'aurait dû compter en ma faveur. Mais non, aucunement. Mon corps n'avait cure de tout cela.

Je savais que Sophia pouvait m'oublier. Elle pouvait disparaître pendant des siècles entiers, sans avoir eu même connaissance de mon existence. Tandis que je passais mes vies à la rechercher et à me souvenir, elle passait les siennes à disparaître et à m'oublier. L'idée que c'était moi qui la quittais me faisait horreur. Je m'accrochais à ces dix-sept jours comme jamais je ne m'étais accroché à quoi que ce soit.

Je n'avais plus qu'une seule chose à faire : l'aimer. C'était tout ce qui me restait.

Sophia devait le savoir également. Elle avait un regard si triste et interrogateur lorsqu'elle est entrée dans ma chambre ce soir-là. « Tu ne vas pas mourir pour de vrai ? » semblait-il dire.

Les deux autres occupants de la chambre étaient déjà partis, l'un avait pris congé de la vie, l'autre rejoignait un établissement du Sussex qui le rapprocherait de sa famille. Je ne peux pas dire qu'ils me manquaient. Leur absence a conféré à nos rencontres, à Sophia et à moi, un caractère particulier.

– Puis-je vous confier un secret ? m'a-t-elle demandé en jetant un coup d'œil autour d'elle.

– Je vous en prie.

– C'était ma chambre.

Je me suis calé de nouveau contre l'oreiller.

– Votre chambre ? me suis-je étonné en considérant les murs

jaunes, les hautes fenêtres aux tentures fleuries, les rayonnages de la bibliothèque contre le mur.

En effet, on n'avait pas vraiment l'impression de se trouver dans un hôpital.

– Comment cela se peut-il ?

– C'était avant que la maison ne soit réquisitionnée.

– C'est vrai ? Vous habitiez ici ?

Il était évident à son accent et à ses manières qu'elle était de bonne famille, mais je n'avais pas réalisé à quel point.

– J'ai donc dormi dans votre chambre.

Elle a acquiescé d'un air un peu espiègle.

– Ça me fait plaisir.

– Ah, oui ?

– Oui. Beaucoup. Où habitez-vous, maintenant ?

– Dans l'un des cottages au bord de la rivière.

– Cela vous dérange ?

– Non, pas du tout. J'y resterais volontiers, même après la guerre.

– Mais vous reviendrez vous installer ici, non ?

– J'imagine. Si elle finit un jour.

– Vous n'y tenez pas particulièrement ?

Elle a haussé les épaules.

– Cette maison n'est plus très gaie. Elle est beaucoup trop grande pour nous deux, mon père et moi, et les mauvaises herbes ont envahi les jardins.

Savoir qu'elle était née dans cette belle demeure rendait encore plus inaccessibles mes prétentions à son égard. Elle était probablement aristocrate, Lady Constance, destinée à devenir l'épouse d'un magistrat, et moi un pauvre orphelin sans le sou.

Cette maison a commencé à me fasciner dès qu'elle m'eut révélé les liens qui l'attachaient à celle-ci. C'était une vétuste bâtisse remplie d'objets anciens. Et comme j'étais à l'article de la mort, elle m'a apporté de vieux vêtements qui avaient appar-

tenu à un aïeul ou à un grand-oncle, et s'est retirée discrètement pour me laisser les enfiler. Et, comme j'étais mourant, elle
a également accepté de me conduire dans les étages supérieurs
pour me faire visiter les chambres où certains hommes et femmes illustres avaient dormi, parfois même ensemble.

L'après-midi suivant, elle m'a apporté des livres qu'elle avait
pris dans l'immense bibliothèque.

— S'il est vrai que vous êtes en vie depuis aussi longtemps,
vous devez avoir lu tous ces ouvrages-là.

J'ai parcouru les titres.

— Oui, la plupart. J'ai lu celui-ci en latin, ai-je dit en indiquant
l'Ovide. Et cet Aristote en grec.

— Alors, comme ça, vous lisez le latin et le grec?

Ayant deviné à mon accent et à mon grade que je ne sortais
pas des meilleures écoles privées, elle m'a jaugé d'un œil assez
provocateur, mais non dénué d'affection.

— Comment aurait-il pu en être autrement depuis le temps
que je suis sur terre?

— Quelles autres langues connaissez-vous?

— Beaucoup, ai-je répondu avec un haussement d'épaules.

— Lesquelles?

— Citez-m'en une et je vous dirai.

— L'arabe?

— Oui.

— Le russe?

— Pas le russe moderne, mais oui, le russe.

Elle hochait la tête d'un air dubitatif mais toujours amusé.

— D'accord. Et l'allemand?

— Bien sûr.

— Le japonais?

— Non. Enfin, un tout petit peu.

— Le français?

— Oui.

– Vous me dites vraiment la vérité ? a-t-elle demandé en secouant la tête.

– Absolument. Toujours.

J'étais beaucoup plus sérieux qu'elle.

– J'ai du mal à croire tout ce que vous me dites.

J'ai joué avec l'extrémité d'une de ses boucles de cheveux et elle m'a laissé faire. J'étais heureux.

– Et si vous alliez chercher dans votre bibliothèque un livre dans une langue que je ne connais pas ?

Ce défi a semblé lui plaire. Le soir même, elle m'apportait huit ouvrages écrits en huit langues, dont je lui ai lu et traduit des passages. Elle m'a un peu testé avec du latin et du grec, et elle avait assez de notions d'italien, de français et d'espagnol pour être convaincue de ma bonne foi.

– Mais ce sont des langues faciles, ai-je protesté. Des langues romanes. Apportez-moi du hongrois ; apportez-moi de l'araméen.

Elle ne cherchait plus à me mettre à l'épreuve ni à me taquiner.

– Comment faites-vous ? m'a-t-elle demandé d'une voix feutrée. Vous commencez à me faire peur.

Les soirs suivants, elle m'a apporté plusieurs objets de la maison. Après les livres et les langues étrangères, les instruments de musique ont constitué notre second défi. Son arrière-grand-père en avait été un grand collectionneur. J'ai été capable de lui exposer les origines de chacun d'eux et de jouer de la plupart. J'ai joué d'un aulos fabriqué en os et d'une flûte de Pan enduite d'une cire antique, puis j'ai soufflé dans un buccin dont j'avais déjà joué à deux reprises quand j'étais soldat en Anatolie. Ils étaient tous trop anciens pour que l'on réussisse à en tirer un son convenable, mais j'ai pu au moins en faire la démonstration.

Elle ne m'a proposé que ceux qu'elle pouvait transporter,

mais un soir, elle m'a fait sortir de son ancienne chambre, affublé de la culotte de cheval de son aïeul, et m'a conduit dans le salon de musique où se trouvait un clavecin sur lequel j'ai joué pour elle avec une joie non dissimulée. Mes articulations étaient plutôt rouillées et je n'étais pas particulièrement doué pour cet instrument, mais j'ai été porté par la présence de la jeune fille, la magie du moment et mes souvenirs.

Après quoi, j'ai eu une folle envie de l'embrasser.

— Vous êtes formidable. Comment faites-vous ?

— Vous me trouveriez nettement moins formidable si vous saviez pendant combien d'années j'ai joué. Les doigts que j'ai aujourd'hui ne m'obéissent plus.

— On dirait que vous avez eu d'autres doigts.

— Oui, c'est exact. Des centaines. Pour jouer vraiment bien, il faut développer les muscles correspondants et posséder certaines dispositions physiques.

Elle a détourné le regard, et j'ai eu peur d'être allé trop loin en évoquant mes centaines de doigts. Je suis redescendu de ma hauteur, et j'ai réalisé que j'étais très fatigué et essoufflé. L'état de faiblesse de mon pauvre corps représentait une grande frustration. Comment parviendrais-je jamais à l'embrasser ?

— Franchement, je ne comprends pas comment quelqu'un d'aussi jeune que vous sache faire autant de choses, a-t-elle murmuré.

— Et dont la plupart sont d'une parfaite inutilité, n'est-ce pas ?

— Comment pouvez-vous dire une chose pareille ?

— À quoi bon jouer de l'aulos ou de la flûte de Pan ? Ces instruments n'existent plus. Vous ne pouvez vous imaginer le temps que j'ai perdu à apprendre chacun d'eux. Cela n'a plus aucun sens.

— Ce n'était pas une perte de temps, a-t-elle répliqué avec fougue.

Je n'ai pu m'empêcher de sourire devant ses joues roses d'enthousiasme.

— Vous avez raison. Ils m'ont donné l'occasion de vous impressionner.

Elle a levé les yeux vers moi d'un air songeur après avoir considéré ses dix doigts.

— Est-ce que cela vous a procuré du plaisir d'apprendre à en jouer ? Est-ce que savoir en jouer vous a donné quelque satisfaction ?

— C'était il y a fort longtemps, mais oui, ça m'a fait très plaisir.

— Eh bien, c'est à cela qu'ils servent.

Notre troisième défi a porté sur les instruments de navigation. Un autre de ses ancêtres les ayant collectionnés, elle m'a testé sur ce nouveau terrain. Non seulement je connaissais parfaitement le fonctionnement de tous, mais ils étaient extrêmement riches en souvenirs. Chacun était porteur d'une histoire. Franchir le cap de Bonne-Espérance en pleine tempête, traverser le détroit de Magellan sous un ciel étoilé providentiel... Je lui racontais les redoutables typhons, les accostages terrifiants, les attaques de pirates et les multiples noyades, parmi lesquelles deux dont j'ai été personnellement victime. Elle adorait que je lui parle de mes expéditions vénitiennes, et je lui narrais l'histoire de Nestor, le chien. Elle a ôté ses chaussures et s'est installée sur mon lit, les jambes repliées sous elle, m'écoutant inlassablement. Elle a posé sa tête sur mon genou, et j'ai prié pour qu'elle l'y laisse le plus longtemps possible.

Elle a soupiré lorsque les dernières lampes se sont éteintes dans le couloir, signe qu'elle devait s'en aller.

— Comment un garçon de Nottingham a-t-il appris à raconter les histoires de façon si palpitante ?

– Je suis un garçon originaire de mille lieux et je vous raconte simplement ce dont je me souviens.

Elle m'a considéré d'un œil critique.

– Je dois me faire violence pour vous croire. Au début, je n'avais aucun mal, mais c'est devenu de plus en plus difficile, m'a-t-elle avoué en m'examinant. Il y a quelque chose chez vous que je n'ai rencontré chez personne d'autre. Vous avez une sorte de confiance en vous, d'assurance, très étrange. On dirait que vous connaissez véritablement le monde entier. Ou tout au moins en êtes-vous persuadé.

J'ai ri, simplement heureux qu'elle me laisse tenir sa main si longtemps.

– Les deux, je pense.

– Pourquoi n'êtes-vous pas célèbre? Pourquoi les romanciers n'écrivent-ils pas de livres à votre sujet et les photographes ne vous prennent-ils pas en photo?

Ces questions me blessaient et je ne m'en cachais pas.

– Personne n'est au courant de ces détails à mon sujet. Je n'en ai jamais parlé à quiconque. Et je ne tiens pas à devenir célèbre. Pourquoi me croirait-on?

– Parce que vous avez fait des choses extraordinaires.

– Comme beaucoup de monde.

– Non, vous, c'est différent.

Je touchais les bandages qui m'enserraient les côtes.

– Je voudrais vivre le plus sereinement possible. Je ne veux pas que l'on me prenne pour un fou. Je ne veux pas que l'on me jette dans un asile, où l'on enferme les gens qui ont des souvenirs antérieurs. Je ne raconte pas ça à n'importe qui.

– Mais vous me l'avez raconté.

Je me suis tourné vers elle.

– Sophia, lui ai-je dit gravement, vous n'êtes pas n'importe qui. N'avez-vous pas entendu ce que je vous ai dit? Vous pouvez toujours penser que je ne suis qu'un pauvre petit blessé que vous avez à soigner, et c'est en effet ce que je suis. Mais vous, vous êtes *tout* pour moi.

Je m'étais redressé sur le lit, les joues en feu, et si exalté que je ne sentais presque plus ni mes poumons ni le reste de mon corps. Sophia avait lâché ma main et semblait au bord des larmes.

– Je vous en supplie, essayez de me croire, l'ai-je implorée. Cela n'est pas arrivé par hasard. Vous êtes à mes côtés depuis notre première vie à tous les deux. Vous êtes mon premier souvenir, l'unique fil conducteur de toutes mes vies. C'est vous qui me rendez à moi-même.

HOPEWOOD, VIRGINIE, 2007

Lucy passa l'essentiel de son temps en spéculations solitaires. Postée derrière son comptoir, elle préparait des smoothies en piochant dans des montagnes d'ingrédients pour une file de clients qui ne cessait de s'allonger, mais elle était tellement absorbée par ses pensées qu'elle était fondamentalement seule. Les bruits de glace broyée par le mixeur se mêlaient à ses interrogations perpétuelles. C'était la bande-son qui accompagnait son été.

Elle n'avait rien dit à Marnie : elle attendait le moment opportun.

Elle songeait donc à Daniel, ne sachant s'il fallait y penser comme étant mort ou vivant, mais sans cesser d'y penser. Dans sa tête, il était le seul à qui elle pouvait parler.

Elle eut le sentiment de mieux comprendre sa solitude. Elle la comprenait si bien qu'elle avait l'impression de l'avoir attrapée, comme une maladie contagieuse. Elle avait commencé par attraper sa folie, et maintenant, plus insidieusement, sa solitude. Quand on se savait différent, quand son monde intérieur n'avait de sens pour personne, même pas pour soi, cela isolait naturellement des autres. On était incapable de suivre le fil de la pensée des autres, si différente de la sienne propre, et l'écart ne faisait que se creuser. Les relations les plus simples devenaient de plus en plus tendues, jusqu'au jour où vous ne faisiez plus l'effort de les entretenir.

«Il doit probablement s'agir d'une sorte de maladie mentale, se disait-elle dans ses moments d'abattement. Mais peut-être que je suis sur la piste de la vérité. Oui, mais peut-être que la plupart des fous aussi sont sur la piste de la vérité», concluait-elle.

Elle avait depuis longtemps abandonné l'espoir de trouver une explication rationnelle. Elle cherchait à présent la meilleure explication irrationnelle de tout ce qu'elle avait vécu. Une certaine cohérence intérieure, voilà ce à quoi elle aspirait simplement.

Certaines personnes croyaient que l'on pouvait accéder aux vies antérieures grâce à l'hypnose. On appelait ça la thérapie de la régression. Évidemment, cela supposait que l'on accepte l'hypothèse de l'existence de vies antérieures, ce qui n'était pas anodin, mais Lucy préférait remettre cette question à plus tard. Elle l'acceptait en tant que simple hypothèse. Après tout, l'hypothèse était sa fidèle compagne, sa nouvelle meilleure amie.

Donc cela voudrait dire que la jeune Anglaise, c'était elle, Lucy, dans une vie antérieure. C'était assez dur à admettre, mais c'était néanmoins à considérer. Cela voudrait dire que la grande demeure existait, ou avait existé, en vrai, quelque part, vraisemblablement en Angleterre. Cela voudrait dire qu'elle avait eu un jour une mère qui avait créé des jardins et qui était morte quand elle était petite. Cela voudrait dire qu'il avait existé un garçon qu'elle avait aimé, qui était mort, qu'elle appelait autrefois Daniel, qu'elle considérait dans ses rêves comme étant le même Daniel que celui du lycée.

Cela voudrait dire qu'il existait, ou qu'il avait existé, une lettre qui était destinée à... eh bien, à elle-même. Cela voudrait dire que tous ces éléments matériels existaient dans le monde réel et qu'elle pourrait, censément, les retrouver s'ils n'étaient ni perdus ni détruits. Rattacher ces images mentales à des réalités concrètes nécessitait un gros effort, mais c'était ce que requérait son hypothèse. Elle voulait savoir. Elle n'abandonnerait pas avant d'en avoir eu le cœur net. C'était elle qui allait se lancer à la poursuite de sa folie et la rattraperait, et non le contraire. Si cette maison existait réellement, ainsi que la lettre, alors elle allait tout mettre en œuvre pour les retrouver.

Après tout, ses vacances estivales ressemblaient d'une certaine manière à un congé : elle était en congé de sa santé mentale. Elle eut une pensée fugitive pour Dana et souhaita pouvoir revenir saine d'esprit de cette aventure.

Hastonbury Hall, Angleterre, 1918

Elle a voulu que je lui parle de Sophia, ce que j'ai fait. Je lui ai raconté beaucoup de choses, mais pas tout. Elle m'a écouté avec une telle concentration qu'on aurait pu croire que les souvenirs émanaient d'elle. C'était en tout cas ce que je me suis plu à imaginer au cours des heures que je passais tant bien que mal, quand j'étais privé de sa présence.

– Alors, que nous est-il arrivé quand nous nous sommes enfuis dans le désert ?

Elle continuait à me taquiner gentiment, cherchant à me prendre en défaut. Mais elle consentait également à me croire un peu. Elle avait commencé, malgré elle, à croire ce qui se rapportait à mon passé. C'était certain. Mais lorsqu'elle a voulu que je lui parle d'elle et de son rôle dans nos aventures, elle a pris de nouveau mon récit à la légère.

– Au début, nous avons dû nous enfuir au galop pour vous tirer des griffes de mon horrible frère.

– Et après ?

J'adorais lorsqu'elle enlevait ses chaussures et s'installait sur le lit à côté de moi.

– Après, nous avons ralenti l'allure. Il n'y avait pas âme qui vive à l'horizon. Nous nous sommes peu à peu sentis en sécurité. Vous aviez faim. Vous avez mangé presque toutes nos provisions.

– Certainement pas.

– Oh, mais si. Petite gourmande !

– Je devais peser une tonne !

J'ai secoué la tête, la revoyant en imagination telle qu'elle était à l'époque.

– Pas du tout. Vous étiez aussi mince et belle qu'aujourd'hui.

– Bon, donc j'étais gourmande et j'ai fini toutes les provisions. Et après ?

– Après, j'ai fait du feu, et j'ai monté une sorte de tente très sommaire sous laquelle j'ai étendu nos couvertures.

Elle a hoché la tête.

– Et nous avons tous les deux réalisé que les étoiles étaient fabuleuses et nous nous sommes glissés hors de la tente pour admirer le ciel.

– Ça a l'air bien. Et après ?

– Nous avons fait tendrement l'amour avec le ciel étoilé pour seul témoin.

J'adorais la voir rougir.

– Non, ce n'est pas vrai.

Je lui ai souri.

– Non, ce n'est pas vrai, vous avez raison.

– Ah, bon ?

Cette fois, c'est moi qui ai éclaté de rire devant son air désappointé.

– Non, ai-je répété en lui faisant une petite caresse sur la joue. Mais j'en avais envie.

– Moi aussi, peut-être. Pourquoi ne l'avons-nous pas fait ? s'est-elle enquise en ramenant les genoux contre sa poitrine.

– Parce que vous étiez mariée à mon frère.

– Celui qui avait tenté de m'étrangler.

– Oui. Il était d'une jalousie maladive parce qu'il croyait que je cherchais à vous séduire. Je n'avais pas l'intention de lui donner raison.

– Il l'aurait mérité.

– Oui, mais nous méritions mieux.

Son visage reflétait une réelle émotion.

– Vous croyez ?

– Oui. Les regrets vous poursuivent toute la vie. Ils vous rongent avec le temps, même si vous croyez les avoir oubliés.

Je lui ai effleuré les pieds sous ses chaussettes. Je désirais ardemment passer mes mains sur tout son corps.

– Et, de toute façon, une autre occasion se présentera.

Je ne sais pas ce qui est arrivé à Sophia cette nuit-là, mais lorsqu'elle est entrée dans ma chambre le lendemain matin, elle était différente. Elle était à la fois solennelle et pressante.

– Le docteur Burke s'est trompé à votre sujet. Vous allez guérir.

Je ne pouvais lui mentir.

– Mais si ! a-t-elle insisté avec véhémence.

– Dites-le à mes poumons.

– Je crois que c'est ce que je vais faire.

Et elle m'a pris dans ses bras et a posé sa joue sur ma poitrine. Elle, qui avait toujours pris garde que l'on ne nous surprenne pas, ne semblait plus y attacher la moindre importance.

Elle m'a tenu serré un long moment contre elle, puis a levé la tête vers moi.

– Je suis navrée de toutes les souffrances que vous avez endurées. Je n'ose y penser. Vous ne méritez pas ça.

– Ce n'est rien, me suis-je empressé de répondre. J'ai traversé des épreuves bien pires.

Son regard reflétait un immense chagrin et je ne tenais pas à ce qu'il en fût ainsi, ni pour elle ni pour moi.

– Mais ça ne soulage pas pour autant vos souffrances actuelles, n'est-ce pas ?

– Si, si, détrompez-vous, ai-je affirmé d'un ton un peu forcé.

La douleur, c'est de la peur, et je n'ai pas peur. Je sais que d'ici peu j'aurai un corps tout neuf.

— Vous parlez de votre corps comme d'une pièce dans laquelle vous entrez et dont vous sortez à votre guise, mais c'est de vous qu'il s'agit.

Elle avait posé ses mains sur mes bras.

Je me suis senti brusquement agacé.

— Ce n'est pas moi, ai-je protesté en désignant ma poitrine. Ce corps se délabre, mais pas moi.

Je ne voulais pas de sa commisération, je ne voulais pas non plus me montrer faible devant elle.

— Je vous le promets, ai-je ajouté. Je serai de nouveau d'aplomb et je vous retrouverai.

Elle m'a regardé avec tendresse, est restée silencieuse quelques instants, et il m'est apparu qu'elle avait l'air plus âgée que le jour de mon réveil.

— Nous méritons mieux, a-t-elle murmuré.

— Nous aurons beaucoup mieux.

— Croyez-vous?

— Oui, absolument, ai-je certifié en la fixant avec gravité. Cela m'est égal. Je peux attendre encore s'il le faut, car je sais que nous nous retrouverons et que j'aurai recouvré mes forces. Je prendrai soin de vous, je vous ferai l'amour et je vous rendrai heureuse.

— Vous me rendez heureuse, a-t-elle répondu en m'enlaçant, tandis que je réalisais que je pleurais au creux de son épaule et que je ne voulais pas qu'elle le voie.

J'avais tellement de fièvre qu'il m'était difficile de ne pas frissonner entre ses bras.

— Il y a encore une chose, a-t-elle ajouté au bout d'un moment, d'un ton plus enjoué.

— Quoi donc?

— Quand vous m'aurez retrouvée, comment saurai-je que c'est bien vous?

– Je vous le dirai.

– Et si je ne vous crois pas? Je suis plutôt du genre entêté, vous savez.

Je l'ai serrée plus fort contre ma poitrine.

– Oui, c'est juste. Mais votre cas n'est pas désespéré.

Pour mon dernier jour de soleil, Sophia m'a apporté le manteau de son père et conduit au jardin. Je me rappelle parfaitement l'effort qu'il m'en a coûté pour mettre un pied devant l'autre. Nous nous sommes suffisamment éloignés de la maison pour oublier qu'il s'agissait d'un hôpital. Elle portait un chapeau bleu vif et une robe rouge aussi douce au toucher que la joie qui m'habitait alors. Elle ne ressemblait plus à une infirmière, mais à une jolie jeune fille se promenant, insouciante, dans un jardin avec son soupirant. Nous avons fait comme s'il en était ainsi.

Nous avons choisi un coin de pelouse ensoleillé pour nous asseoir. Je sentais la chaleur du soleil et la douceur de sa tête sur mon épaule, et je l'ai enlacée. J'aurais tellement aimé me fondre dans cet instant pour n'en plus jamais sortir. Nous avons contemplé en un silence extasié un papillon jaune qui se posait au bout de sa bottine.

– C'était jadis un jardin de papillons. Les plus belles créatures que l'on ait jamais vues, m'a-t-elle expliqué en se tournant vers moi avec un sourire. Enfin, en tout cas que moi j'aie jamais vues, mais peut-être pas vous...

J'ai ri. J'adorais entendre le son de sa voix. Je voulais qu'elle continue à parler et elle a semblé le deviner.

– Il y en avait des milliers, des dizaines de milliers, de toutes les couleurs. Et si vous aviez vu les fleurs! J'étais toute petite, mais je me couchais là dans l'herbe et j'attendais que les papillons viennent se poser partout sur moi, et je me retenais de rire quand ça me chatouillait.

– J'aurais aimé voir ça, ai-je avoué en suivant des yeux le lent battement des ailes du papillon en équilibre sur sa bottine.

– C'est ma mère qui a créé ce jardin. Elle était connue pour ce talent.

– Ah, oui ?

– Oui. Et pour sa beauté. Et son intrépidité.

– C'est vrai ?

– Oui, et elle aimait bien que ça aille vite. Mon père disait qu'elle avait des fourmis dans les jambes parce qu'elle ne tenait pas en place.

Nous avons médité un instant sur le sujet. Je cherchais à être délicat.

– Et les papillons ? Que sont-ils devenus ?

– Ils ont disparu à sa mort. Mon père n'a pas cherché à entretenir le jardin après sa disparition.

Ma délicatesse ne m'avait pas été d'un grand secours. Je regrettais d'avoir posé cette question qui nous a chassés du nid douillet que représentait ce moment privilégié pour nous replonger brutalement dans le courant du temps présent. Le temps représentait nos échecs et nos successives disparitions, et Sophia n'en avait que trop souffert.

Elle n'a pas levé la tête, mais j'ai senti tout le poids de sa peine à l'abandon de son corps contre le mien et, trop faible pour y résister, j'y ai succombé à mon tour.

– Je vous aime, lui ai-je avoué. Plus que tout au monde et depuis toujours.

Sa respiration était chargée de larmes. J'ai passé la main sur sa joue humide.

– Je vous aime, a-t-elle répondu en écho.

Cela faisait plusieurs vies que j'attendais d'entendre ces mots, mais ils m'ont fait très mal. Elle n'aurait pas dû les prononcer. Elle avait déjà eu son content de malheurs. J'aurais préféré périr dans la boue des tranchées de la Somme et ne pas ajouter une perte à toutes celles qu'elle avait subies.

J'ai passé deux jours à dormir par intermittence, en proie à une forte fièvre. Sophia était à mon chevet. Je la voyais dès que j'ouvrais les yeux et sentais sa présence dès que je n'en avais plus la force. Je me suis demandé si elle n'avait pas été relevée de ses fonctions puisqu'elle était en permanence auprès de moi. Je lui parlais, elle me parlait, mais je n'ai pas la moindre idée de ce que nous nous disions.

Puis je me suis réveillé. Mon corps était endolori, je pouvais à peine respirer, mais mon esprit était clair. Au début, Sophia a manifesté un bel enthousiasme à me voir assis, les yeux grands ouverts. Cette réaction si spontanée et innocente était à la fois une joie pour moi et un crève-cœur.

Puis elle a dû constater que la couleur de ma peau n'était pas habituelle. Ma respiration non plus. Le docteur Burke lui a chuchoté quelque chose à la porte de ma chambre et, lorsqu'elle est revenue à mon chevet, son comportement avait changé. Ses yeux débordaient d'amour et ses lèvres semblaient se tendre vers moi.

— Déjà de retour? l'ai-je taquinée, parlant tout bas pour éviter une quinte de toux. On ne vous a pas encore renvoyée pour avoir passé tant de temps auprès du patient D. Weston?

— Ce serait difficile de me renvoyer. On ne peut pas se passer de deux bras supplémentaires. Et puis c'est délicat, étant donné que je suis ici chez moi.

— Mais les infirmières doivent au moins vous mener la vie dure...

— Je crois qu'elles comprennent ce que j'éprouve pour D. Weston, a-t-elle répondu en me caressant tendrement le lobe de l'oreille. Elles disent toutes que vous êtes le plus joli garçon qu'elles ont jamais eu ici.

J'ai souri car je n'avais plus assez de souffle pour rire.

– C'est donc de cela que vous discutez entre vous ?

Elle s'est assise sur mon lit et s'est tue un moment. Elle était grave.

– Je veux partir avec vous.

J'ai mis mes mains sur ses hanches.

– Que voulez-vous dire, ma chérie ?

– Je veux aller là où vous allez. Je n'ai pas peur de mourir. Je voudrais que nous restions ensemble et que nous revenions ensemble. Vous avez dit que les âmes restaient soudées. Je veux rester avec vous.

– Oh, Sophia…

Je lui ai embrassé les seins sous son gilet, enfouissant mon visage contre sa poitrine.

– Vous ne pouvez vous ôter la vie.

– Pourquoi pas ?

– Parce que vous êtes jeune, belle et en bonne santé, et que ce n'est pas possible. De toute manière, on renaît quand on a envie de vivre. Le suicide est un refus de la vie ; il n'y a plus rien après. Si vous choisissez délibérément la mort, vous risquez de ne plus revenir par la suite.

– Mais je ne refuse pas la vie. Je ne choisis pas la mort : je veux vivre. Je veux simplement passer ma vie avec vous.

Je lui ai pris les mains et l'ai regardée dans les yeux.

– Vous ne pouvez imaginer à quel point je désire aussi passer ma vie avec vous. Désormais, il vous faudra essayer de vivre aussi pleinement que possible et d'être heureuse. Vous deviendrez infirmière. Peut-être même médecin. Vous tomberez amoureuse.

– Je suis tombée amoureuse, a-t-elle répliqué les yeux débordant de larmes.

Je lui ai embrassé les mains.

– Vous tomberez de nouveau amoureuse. Et vous aurez peut-être des enfants, et vous vieillirez et mourrez quand l'heure sera venue. Et peut-être vous tournerez-vous vers le passé et penserez-vous de temps en temps à moi. Et le jour où vous serez de retour, je vous attendrai. Je saurai vous retrouver.

– Mais comment? s'est-elle lamentée en secouant la tête. C'est ce que vous dites, mais comment ferez-vous pour me retrouver?

– Je vous retrouverai, tout simplement. Je l'ai toujours fait.

– Mais je ne serai pas capable de vous reconnaître, non? Je vous prendrai pour un inconnu. Je n'ai pas une excellente mémoire. J'en ai encore moins que Nestor le chien.

Elle a éclaté en sanglots tandis que je la serrais de toutes mes faibles forces contre moi.

– Vous n'aurez pas besoin de me reconnaître. C'est moi qui vous reconnaîtrai.

– Je ne saurai même pas qui je suis, a-t-elle sangloté contre ma poitrine.

HOPEWOOD, VIRGINIE, 2007

Il se révéla difficile de retrouver la trace de ce jeune homme du nom de Daniel Grey (orthographié Grey ou Gray les deux fois où son nom apparut dans l'annuaire du lycée), auquel Lucy pensait nuit et jour mais dont elle ne savait rien. Elle fit toutes les recherches possibles sur Internet et découvrit un nombre ahurissant de Daniel Grey ou Gray. Son âge était l'unique indice permettant de resserrer les investigations, sauf qu'elle ignorait sa date de naissance, cela ne l'aida donc pas vraiment. Le lycée ne disposait pas d'adresse où faire suivre le courrier ni de dossier mais, et ça, c'était plutôt la bonne nouvelle, son corps n'était pas à la morgue.

Elle avait tanné Claude, à la réception de Whyburn House, autant que faire se pouvait, pour qu'il lui communique tout ce qu'il savait du mystérieux jeune homme qui était venu la demander, mais l'assurance du gardien semblait faiblir à mesure qu'elle insistait. Il n'était plus tout à fait certain qu'il s'appelle Daniel, c'était peut-être Greg. Il n'était pas très sûr non plus qu'il ait les yeux verts ; ils pouvaient bien être marron.

– Je le reconnaîtrais en le voyant, s'excusa-t-il.

En fait, il se révéla beaucoup plus simple de retrouver une jeune femme dont on ignorait le nom, morte depuis longtemps, sur la foi d'une voyante, d'un hypnotiseur et des images que Lucy avait dans la tête, que quelqu'un qu'elle avait rencontré en chair et en os, et embrassé au lycée. Hythe était bel et bien une ville d'Angleterre et, parmi tous les manoirs existant dans les environs, un seul avait été transformé en hôpital pendant la guerre. Au début, elle crut qu'il s'agissait de la Seconde Guerre mondiale, mais la famille qui en était propriétaire n'y habitait pas dans les années qui la précédèrent. Et, bien que cela lui parût très loin, elle décida de faire remonter ses recherches aux alentours de la Première Guerre mondiale.

C'est ainsi qu'elle découvrit Mlle Constance Rowe, jeune aristocrate. Il existait également une certaine Lucinda Rowe, sa sœur, de quatre ans son aînée mais, avec Constance, elle savait qu'elle était sur la bonne voie. Mme Esme avait prononcé ce prénom, elle en était presque certaine. Constance était la plus jeune maîtresse du manoir de Hastonbury, fille du châtelain et petite-fille de vicomte. La maison avait servi d'hôpital pendant les deux guerres.

Les Anglais, manifestement, avaient une passion pour leurs beaux manoirs au sujet desquels ils conservaient de considérables archives, jusqu'à celle attestant l'existence même de Hastonbury Hall, bien que le bâtiment n'ait plus été habité durant une grande partie de ce siècle. Lucy resta des heures devant son ordinateur à passer en revue les photos de la maison. Elle étudia attentivement le portail puis, en fermant les yeux, elle vit ce qu'il y avait au-delà de la photo. Elle savait que, sur la gauche, un gros bouquet d'arbres projetait son ombre épaisse sur l'allée et que, sur la droite, le pré descendait en pente douce jusqu'à la rivière. Comment le savait-elle? Peut-être ne le savait-elle pas? Peut-être se trompait-elle? Peut-être n'était-ce que le fruit de son imagination?

Elle avait l'impression de se retrouver au cœur de *Matrix*.

Elle avait adoré le film, et si elle l'avait vu cinq fois avec Marnie, cela ne signifiait pas pour autant qu'elle tienne à ce que la réalité lui ressemble.

Chaque photo lui apportait une confirmation déroutante. Elle devina l'emplacement de la bibliothèque à ses fenêtres en plein cintre à meneaux, puis elle trouva un cliché de l'intérieur. Rien qu'en observant la façade, elle était capable de situer la salle de réception, le salon de musique, la cuisine. Ensuite, elle découvrit un plan où toutes ces pièces étaient indiquées, telles qu'en son souvenir. Elle se représentait parfaitement la façon dont l'escalier partait du grand vestibule central. En dépit d'une légère appréhension, il ne déplaisait pas à Lucy de s'imaginer appartenir à un tel monde.

Elle se demanda ce qu'en aurait pensé son père, lui qui était si fier d'être sudiste depuis sept générations. Oublions les histoires de réincarnation, la voyante, l'hypnotiseur, et tout le bazar. Comment réagirait-il s'il apprenait que sa fille avait été anglaise au début du XXe siècle ? Ce serait probablement pire pour lui que si elle avait été yankee.

Plus Lucy en apprenait sur l'existence brève et tragique de Constance Rowe, plus celle-ci prenait de réalité à ses yeux. En fait, les jours passant, elle se surprit à pleurer sa disparition. Sa mère, célèbre pour ses jardins et son caractère intrépide, avait péri dans un accident d'automobile quand Constance était petite (la famille possédait une des premières voitures et sa mère adorait conduire) et son frère aîné était mort à la guerre. Elle était tombée amoureuse d'un soldat qu'elle soignait (Lucy n'avait pas encore eu confirmation de cet épisode), et qui avait succombé à ses blessures, lui brisant le cœur. Elle était devenue infirmière et avait accompagné une délégation de médecins et de missionnaires au Congo belge, ainsi que s'appelait alors ce pays. Elle fut emportée par la malaria près de Léopoldville, à l'âge de vingt-trois ans.

Lucy, occupée toute la journée à mixer des fruits, se sentit envahie par une étrange tristesse. Elle ne pleurait ni ne s'apitoyait sur son propre sort, non, ce n'était pas exactement cela, mais le chagrin de Constance l'enveloppa comme un linceul.

Ses pensées commencèrent à se tourner dans une nouvelle direction. Elle en avait par-dessus la tête de préparer ces smoothies. Elle était sur le point de fondre en larmes chaque fois qu'elle devait hacher ou mixer les ingrédients, mais elle avait besoin de faire ses heures. Il fallait qu'elle arrive à financer son billet d'avion, un petit hôtel et une voiture de location, et la livre sterling n'était pas bon marché. Elle devait à tout prix gagner assez d'argent pour se rendre en Angleterre avant la fin de l'été.

Constance avait existé réellement. Le manoir aussi. Les lettres dont elle avait parlé aussi probablement, et elles n'attendaient qu'à être découvertes par Lucy. Les indices qui lui manquaient encore pour les retrouver étaient peut-être simplement dans sa tête.

Elle éprouva à la fois une satisfaction à avoir eu raison et une immense angoisse à avoir mis au jour autant d'éléments prouvant que le monde ne fonctionnait pas de la façon dont les gens, ou la plupart des gens, le croyaient.

Hastonbury Hall, Angleterre, 1919

Son ancienne chambre, la chambre jaune, était à présent occupée par trois nouveaux arrivants. Leurs blessures étaient graves, leur moral au plus bas, et ils requéraient toute son attention. Ils ne l'appelaient pas Sophia. Ils ne parlaient ni ne lisaient l'araméen. Ils ne lui racontaient pas d'histoire de traversée du désert à cheval. Constance s'efforça néanmoins de les soigner du mieux possible.

La dépouille de Daniel et ses quelques effets, parmi lesquels la chemise qu'elle lui avait offerte, avaient été remis à ses parents et à ses sœurs, qui habitaient près de Nottingham. Daniel n'avait pas voulu les contacter ; elle n'avait pas bien compris pourquoi. Peut-être parce qu'il savait pertinemment comment les choses allaient finir.

Assise sur les marches du perron, à l'arrière de la maison, Constance avait assisté au chargement du fourgon. Daniel n'était pas le seul à être emmené. La petite ferme à la sortie de Nottingham n'était pas son unique destination. Elle avait vu les hommes refermer l'arrière du véhicule et démarrer. Elle l'avait suivi des yeux jusqu'à ce qu'il ne fût plus qu'une tête d'épingle et que le nuage de poussière soulevé par les roues fût retombé. Elle s'était rappelé le temps où ce parking pour les voitures était un jardin potager où poussaient des concombres, des tomates, des salades et des potirons.

Il lui avait laissé une lettre qu'elle ne put se résoudre à lire avant plusieurs jours. Elle l'avait rangée dans sa cachette habituelle, une niche ménagée dans le mur, derrière la bibliothèque de sa chambre jaune. Elle se surprit à souhaiter que ces blessés gémissants qui n'étaient pas Daniel veuillent bien quitter cette chambre et l'y laisser seule avec ses pensées et sa lettre, et elle en ressentit de la culpabilité.

Elle s'efforça de ne pas se montrer trop distraite, mais elle l'était. Elle essaya sincèrement de retenir les noms et les histoires de ces jeunes gens, mais elle avait la tête ailleurs. Elle songeait à Daniel et, de façon obsessionnelle et terrifiante, elle songeait surtout à celle qu'elle serait dans une autre vie et qui l'aurait oublié. «Je ne veux pas l'oublier. Comment faire pour me souvenir de lui la prochaine fois?»

– Peut-on améliorer une mémoire médiocre? lui avait-elle demandé, en larmes, deux jours avant sa mort.

– Quand on en a terriblement envie, oui, c'est possible.

Eh bien, elle en avait terriblement envie, oui. S'il suffisait de le vouloir, elle y parviendrait donc. Mais comment s'y prendre? Comment procède-t-on pour se faire signe par-delà les années? Comment grave-t-on un message dans son âme assez profondément pour s'assurer qu'il vous suivra au-delà de la mort et qu'il sera perçu? Elle ne demandait pas à se rappeler toutes ses vies, non, elle désirait simplement s'en tenir au seul et unique épisode de celle-ci.

«Je vais laisser des indices derrière moi. Je m'enverrai des rêves. Je m'obligerai à me souvenir.»

Elle songeait plus à la mort qu'à la vie, et ce n'était pas opportun dans un tel lieu. Daniel était parti sans elle. Que lui arrivait-il? Avait-il peur? Et s'il ne revenait plus cette fois?

Et si finalement il cessait de se souvenir? Et si c'était cette mort précise qui allait lui faire perdre la Mémoire? Peut-être que dans leur prochaine vie, ils se croiseraient sur un trottoir de

Madrid, Dublin ou New York. Peut-être qu'ils s'arrêteraient et se regarderaient en se sentant étrangement attirés l'un vers l'autre sans en connaître la cause. Ils auraient envie de se parler, mais seraient gênés, et ni l'un ni l'autre ne sauraient quoi dire. Et ils passeraient chacun leur chemin. Comment savoir ? Peut-être que cela arrivait tous les jours à des gens qui se sont aimés dans une autre vie. Quel dommage que de pareils drames se produisent sans même que l'on en ait conscience !

L'idée de s'écrire une lettre lui vint à l'occasion d'un rêve matinal. C'était ce genre de rêve si vivant que l'on ne savait plus si c'était la réalité ou pas. Comme quand on rêve qu'on a froid et qu'on se dit qu'il faut aller chercher une autre couverture. Ou quand on a envie d'aller aux toilettes et qu'on se dit qu'il faudrait se lever, mais qu'on ne le fait pas.

Lorsqu'elle ouvrit les yeux, sa lettre était pratiquement rédigée. Elle prit une feuille de papier et un crayon, et l'écrivit sans réfléchir, comme sous la dictée. Cette espèce de fil direct entre sa vie diurne et sa vie nocturne était prometteur. Daniel avait dit un jour que les rêves étaient composés d'images et de sentiments issus de nos vies antérieures et, dans la mesure où il avait gardé la mémoire des événements originels, ses rêves lui paraissaient beaucoup moins énigmatiques qu'à d'autres. Peut-être était-ce justement à ce rêve qu'elle pouvait se raccrocher.

J'ignore qui vous êtes, mais j'espère que cette lettre sera parvenue entre les mains de sa véritable destinataire. J'espère que vous voudrez bien la considérer malgré les éléments surprenants qu'elle contient et que vous serez sensible à la sincérité foncière avec laquelle je l'ai écrite. Je m'appelle Constance Rowe et je demeure à Hastonbury Hall, dans le Kent, près du village de Hythe. J'aurai dix-neuf ans dans quinze jours. Autrefois, je me suis appelée Sophia, et j'ai porté bien d'autres noms aussi. Si jamais cette lettre a atteint aujourd'hui sa des-

tinatrice, alors je crois que je suis vous-même, votre passé, une incarnation antérieure de votre âme. Je sais que cela peut paraître absurde et impossible à croire. J'ai ressenti exactement la même chose. Mais, je vous en prie, essayez de le croire.

Daniel m'a un peu expliqué comment cela fonctionne : on vit, on meurt, on vit de nouveau, mais je n'ai pas tout parfaitement compris. Je sais qu'il y a des caractéristiques à votre sujet (donc au mien) qui semblent se perpétuer au-delà de la mort. En principe, vous devriez avoir une tache de naissance, en haut du bras gauche, vers l'aisselle. Vous avez la gorge sensible. Vous rêvez du désert et vos cauchemars portent presque toujours sur le feu. Peut-être rêvez-vous même de moi et de cette maison. Je l'espère de tout cœur.

J'ai rencontré Daniel, ici, dans cette grande demeure. Pendant la guerre, elle a été transformée en hôpital, bien qu'elle appartînt à ma famille. Il a été blessé à la bataille de la Somme – la seconde, pas la première. Je suis infirmière auxiliaire et c'est moi qui l'ai soigné. Il est mort il y a onze jours. Je désirais mourir avec lui.

Daniel me (vous) connaissait depuis bien longtemps, lors de nos nombreuses vies. Il se souvient de tout. Je ne sais pas comment il ira lorsque vous le verrez, ni d'où il reviendra, ni à quoi il ressemblera, mais il s'appellera Daniel. Il se souviendra de vous et vous reconnaîtra s'il vous retrouve, et je fais des vœux pour qu'il y parvienne. Il vous appellera certainement Sophia et vous racontera toutes sortes d'histoires extraordinaires. Il se montrera agacé, troublé, parfois même anxieux, au début. Si possible, incitez-le à vous donner des preuves de son identité. Il n'est pas du genre à s'en vanter, mais il parle et lit un nombre incroyable de langues; il connaît le fonctionnement de tous les instruments scientifiques et joue de tous les instruments de musique anciens. Il a engrangé plus de *connaissances qu'une encyclopédie. Il saura des choses vous concernant personnellement : ce à quoi vous rêvez et ce que vous pensez, et cela vous hantera.*

Je vous supplie de le croire. Ne lui fermez pas votre cœur. Il peut vous rendre heureuse. Il vous aime depuis toujours et vous, vous l'avez aimé une fois passionnément.

HYTHE, ANGLETERRE, 2007

Après avoir loué une voiture à Heathrow, Lucy se rendit à Hythe, une jolie petite ville avec une longue plage de galets sur la Manche. L'air était si chargé de sel et de brume marine que tout semblait humide, même les vêtements qu'elle sortait de sa valise. Elle s'était trouvé une chambre minuscule au-dessus d'un restaurant sur la grand-rue. Elle avait cru au début qu'il s'agissait d'un pub, mais c'était en fait un restaurant indien. Quelques instants plus tard, non seulement elle était toute moite, mais elle sentait franchement le curry.

En dépit de l'effort monumental et du prix du billet d'avion que lui avait coûtés sa traversée de l'Atlantique, des mensonges abracadabrants qu'elle avait dû faire gober à ses pauvres parents crédules au sujet de sa grande amie Constance, sa correspondante anglaise dans le cadre d'un échange universitaire, qui avait une envie folle de la rencontrer, Lucy hésitait encore à parcourir les derniers kilomètres qui la séparaient du manoir de Hastonbury. Elle avait l'itinéraire, qu'elle avait téléchargé avant de partir. Organiser son voyage et mettre au point sa petite stratégie avaient été une chose, mais c'en était une autre que de se retrouver face à la véritable maison qu'elle avait imaginée pendant deux mois et demi : elle appréhendait cet instant. Elle avait la sensation que toutes ses peurs, tous ses fantasmes, tous ses cauchemars allaient, à compter de ce jour, se concrétiser. En décidant de se rendre à Hastonbury, elle faisait en quelque sorte le pari de vivre dans une autre dimension, et elle n'était pas encore convaincue d'avoir envie d'y plonger. Si jamais tout cela devait soudain la terroriser, elle voulait avoir la possibilité de revenir à la case départ et de rentrer tranquillement chez elle. C'était en quelque sorte son propre Rubicon qu'elle devait franchir.

Elle prit un thé Earl Grey avec deux morceaux de cake dans un salon de thé, puis acheta deux paires de chaussettes à doigts, ornées du portrait de la reine sur chacun des orteils, une pour sa mère et une pour Marnie.

« Qu'est-ce que je fabrique ici ? se demanda-t-elle en flânant dans la grand-rue. Je prends des kilos et j'achète des chaussettes complètement ridicules. » Elle envisagea sérieusement de refaire sa valise, de régler la note de son restaurant indien et de rentrer chez elle. Elle retrouverait sa fac et sa vie d'avant. Elle pourrait aller à des fêtes et discuter avec de vrais gens, bien vivants. Elle pourrait faire des stages. Elle pourrait quitter tout de suite cette étrange vie de fantôme qui était devenue la sienne. Elle pourrait chasser Daniel, Constance et Mme Esme de son esprit.

Elle s'assit sur un banc et regarda passer les voitures. Le pourrait-elle vraiment ?

Elle prit place dans sa minuscule voiture de location, déplia sa carte d'une main tremblante et prit la route qu'elle s'était tant de fois imaginée emprunter.

Le portail et l'allée qui menaient au manoir ne ressemblaient pas exactement à l'idée qu'elle s'en était faite. Elle réalisa alors qu'elle pourrait bien se retrouver en proie à un autre genre de tourment lors de ce voyage.

Elle était venue dans le but de faire exploser l'univers existant, dopée à l'adrénaline et prête à passer à l'acte. Mais que se passerait-il si cela tournait court ? Si la maison ne lui était pas spécialement familière ou qu'elle n'éveillait rien en elle ? Si elle ne trouvait pas de lettre ? Si cette lettre n'avait jamais existé ? Si ses liens avec ce lieu ne représentaient rien de particulier ? Peut-être cet endroit avait-il servi de décor à un vieux film qu'elle avait vu et oublié. Peut-être pouvait-on expliquer fort simplement le fait qu'elle la connaisse. Cela lui apparut brutalement alors qu'elle franchissait la petite rivière ensablée. Ce n'était pas le Rubicon. Elle gara la voiture et sortit.

Les lieux ressemblaient bien en gros à ce à quoi elle s'attendait, mais aucunement en détail. Qu'ils soient à l'abandon ne l'aida guère. On avait du mal à croire que les jardins aient pu être magnifiques. D'un côté de la bâtisse se trouvaient un petit stand de produits fermiers et une boutique où l'on pouvait acheter des cartes postales et des tasses à thé décorées avec la photo du manoir. De l'autre, elle le savait, vivait un vieux monsieur, le neveu de Constance.

Lucy se dirigea vers la boutique où l'on proposait une visite de la propriété pour la modique somme de sept livres. Elle s'était renseignée auparavant.

La femme d'âge moyen qui tenait le stand de produits fermiers s'occupait également de la boutique de souvenirs.

– Vous désirez ? demanda-t-elle à Lucy qui attendait sur le pas de la porte du magasin désert.

– J'aimerais visiter le manoir, s'il vous plaît, dit-elle en s'avançant.

La femme secoua la tête.

– Je crains que notre guide ne soit en congé aujourd'hui.

– Je croyais que les visites avaient lieu tous les jours entre dix heures et quinze heures. Pourrais-je revenir demain ?

La femme jeta un regard douloureux vers l'autre extrémité du bâtiment.

– Essayez toujours. À vrai dire, il vient quand ça lui chante.

Lucy n'avait pas prévu ce contretemps qui, finalement, arrangea ses plans. Elle ouvrit son porte-monnaie et sortit un billet de dix livres.

– Je viens des États-Unis et je fais des recherches sur les manoirs anglais, annonça-t-elle en lui tendant le billet. Je peux faire la visite toute seule. Ça ne me dérange pas du tout. Je vous promets que je ne salirai pas et que je ne toucherai à rien.

La femme hésita, mais pas très longtemps.

– Alors d'accord, répondit-elle en prenant le billet. Je ne pense pas que ce soit gênant que je vous laisse seule. Mais n'entrez pas dans les pièces fermées. Et, comme vous le savez, il est interdit de toucher à quoi que ce soit.

– Oui, bien sûr. Je ne serai pas longue.

– Repassez par ici avant de partir, voulez-vous ?

– Oui, d'accord.

– La visite démarre à la boutique. Vous n'avez qu'à passer par la porte du fond.

– Merci, dit Lucy les tempes battantes.

Sur le présentoir, devant le magasin de souvenirs, Lucy découvrit au milieu des cartes postales et des pots de confiture de groseilles un gros ouvrage sur l'histoire de la maison et des jardins. Elle retourna en courant au stand de produits fermiers et remit à la femme un autre billet de dix livres.

– Je prends ça aussi, dit-elle en lui montrant le livre.

Tenant l'ouvrage serré dans sa main moite, elle traversa la boutique et entra dans la maison.

«Oh, mon Dieu, cette odeur!» À peine Lucy eut-elle pénétré dans le manoir que l'odeur suffit à la convaincre qu'elle n'avait pas pu la sentir dans un film ou sur une photo. Elle n'était ni désagréable ni agréable, simplement surannée. Bien

qu'elle fût incapable d'identifier ses composantes – probablement un mélange de centaines d'éléments accumulés au fil
des siècles – elle la reconnut sans la moindre hésitation. Elle
lui évoqua une sensation, un état d'esprit, une étrange souffrance venue du plus profond de son être. Elle resta sans bouger quelques instants, heureuse d'être seule.

La maison avait dû subir certaines transformations, mais
elle savait comment retrouver le grand escalier central. Elle
passa devant plusieurs pièces qui lui étaient familières. Elle
fit une halte devant le salon de musique, laissant errer son
regard sur un petit piano peint. «Un clavecin», tel est le mot
qui lui vint spontanément à l'esprit. Constance en avait-elle
joué?

Elle savait qu'elle retrouverait la chambre. Elle aurait
peut-être besoin de s'y attarder, et elle ne tenait pas à se faire
surprendre par la dame du stand de produits fermiers. Elle
monta l'escalier, anticipant le grincement de chaque marche.
Les tapisseries étaient toujours là, décolorées par trois siècles
de soleil et de poussière. Un rai de lumière perçait avec peine
le verre teinté des hautes fenêtres, rendu opaque par la saleté.
Elle s'imagina en train de regarder les taches de couleur jouer
sur ses bras. Était-ce un souvenir?

Elle tourna à droite sur le palier. Le couloir ressemblait
exactement à ce qu'elle attendait, avec ses fenêtres encastrées
profondément dans l'épaisseur du mur, les motifs du plancher. Plusieurs portes donnaient sur ce corridor. Celle de sa
chambre était tout au bout. Une fois devant, elle se rappela
qu'elle n'avait pas le droit de l'ouvrir. Elle tourna néanmoins
la poignée et fut soulagée qu'elle ne soit pas fermée à clé. Elle
comprit tout de suite pourquoi elle était exclue de la visite. Les
murs étaient décrépis mais toujours de ce beau jaune d'antan.
Quelques meubles des années soixante et soixante-dix avaient
été empilés contre un mur. On avait poussé contre un autre

de vieilles chaises de jardin toutes rouillées. La pièce avait de belles proportions et de hauts plafonds, mais elle avait été abandonnée aux araignées et à leurs toiles. Manifestement, elle servait de débarras depuis la Seconde Guerre mondiale. L'armoire qu'elle avait vue en imagination était dissimulée sous un drap.

Elle se dirigea vers la bibliothèque divisée en trois éléments, dont les rayonnages était protégés pour la plupart par des bâches de plastique. Sans trop réfléchir, elle choisit l'élément du milieu et ôta la protection. Un peu plus bas que la hauteur de ses yeux, elle avisa une étagère sur laquelle il n'y avait que deux petits paniers et quelques livres. Elle poussa les livres : la cachette était juste derrière, ainsi qu'elle l'avait prévu. «Merde, se dit-elle. Ça y est, c'est parti!»

Elle posa par terre le gros ouvrage qu'elle venait d'acheter. Les mains tremblantes et déjà sales, elle souleva le loquet plat et ouvrit le panneau. Elle scruta l'intérieur de la niche, mais on n'y voyait absolument rien. Elle n'osa pas y glisser la main. Sa crainte de trouver la lettre était aussi grande que celle de ne pas l'y trouver. Les deux hypothèses étaient aussi inconcevables l'une que l'autre en cet instant.

Elle s'aperçut qu'elle avait la gorge nouée et douloureuse, et qu'elle respirait avec peine. Elle mit la main dans la niche. Tout d'abord, elle ne sentit rien et faillit s'évanouir d'émotion. Non, il n'y avait rien là-dedans. Rien que du bois brut et de la poussière. Quel gâchis. Quelle déception.

Elle avança la main un peu plus loin, tout au fond, et faillit s'évanouir une seconde fois : il n'y avait pas rien. Il y avait quelque chose. Coincée au fond de la niche se trouvait une feuille de papier pliée et repliée plusieurs fois. Lucy la saisit délicatement et la sortit de sa cachette.

Elle la garda un moment à la main. Elle ferma les yeux, tiraillée entre deux sensations, l'ancienne et la nouvelle : le souvenir d'antan et le geste d'aujourd'hui. Était-ce l'explication de ce sentiment de déjà-vu ? Elle éprouvait cette double impression d'avoir elle-même plié soigneusement cette lettre pour la cacher et de la déplier délicatement pour en percer le secret. Elle l'avait enfin sous les yeux : le papier jauni, l'encre passée, mais parfaitement lisible, d'une écriture sage dépourvue de fantaisie. Elle portait au bas la signature de Constance. C'était un moment crucial, mais pas renversant pour autant. Elle sentait presque le stylo entre les doigts de Constance. C'était l'écriture d'une jeune fille triste et déterminée, et Lucy ne savait s'il s'agissait d'une déduction de sa part ou d'un réel souvenir.

Elle s'assit par terre, au milieu de la pièce, pour la lire. Elle se frotta les yeux de ses mains sales et déchiffra les premiers mots.

Elle devait recouvrer son calme avant de continuer. Elle devait reprendre courage. Il s'agissait d'un autre univers à présent, dans lequel elle venait de pénétrer, et elle ne pouvait plus faire machine arrière. C'était un monde où il était possible de se rappeler ce qui vous était arrivé avant votre naissance. C'était un monde où l'on pouvait communiquer avec soi-même longtemps après sa propre mort et tomber éternellement amoureuse du même garçon sans le savoir et surtout sans le reconnaître.

Je vous supplie de le croire. Ne lui fermez pas votre cœur.
Il peut vous rendre heureuse. Il vous aime depuis toujours et
vous, vous l'avez aimé une fois passionnément.

CONGO BELGE, 1922

Constance considéra la pièce autour d'elle, plongée dans une semi-pénombre, d'un regard embrumé par la fièvre qui l'enveloppait comme un cocon plus douillet et rassurant que l'immense moustiquaire. Elle se prit à souhaiter qu'il s'agisse de la même fièvre que celle qui avait emporté Daniel, afin qu'elle l'emporte à son tour auprès de lui.

Elle entendait s'affairer les sœurs et ses collègues infirmières qui se préparaient pour une nouvelle journée à dispenser des soins aux corps et aux âmes, tandis qu'elle-même ne quitterait pas son lit. Elles la gratifièrent d'un sourire réconfortant au moment de partir. Elle aurait aimé être aussi confiante qu'elles quant à ses espoirs de guérison. Sœur Petra déposa un verre d'eau à son chevet après avoir touché son front. Elles avaient essayé les remèdes classiques, mais il n'y avait pas grand-chose à faire pour la forme de malaria qu'elle avait contractée.

Cela faisait presque deux ans que Constance était arrivée à Léopoldville. Elle avait obtenu son diplôme d'infirmière six mois après la fin de la guerre et était partie peu après en Afrique, avec une délégation qui comprenait l'infirmière Jones et deux médecins de Hastonbury. Certaines âmes charitables nourrissaient un appétit insatiable pour soigner et remettre d'aplomb les corps meurtris, et elle se plaisait à se compter parmi celles-ci, tout en soupçonnant ses motivations d'être un peu plus complexes. Ici, du moins jusqu'à ce qu'elle tombât malade, elle avait été occupée en permanence. Le jour, il y avait le bruit et les va-et-vient auprès des malades qui exigeaient des soins constants, et la nuit, flanquée de ses dévouées compagnes, elle prenait un repos réparateur. Elle avait dû fuir les nombreux fantômes qui peuplaient Hastonbury : sa mère, son frère, son pauvre père éploré et, naturellement, Daniel. Elle ne s'était pas senti le courage de rester davantage chez elle en attendant de perdre encore quelqu'un.

Daniel avait en gros trois ans d'avance sur elle. Ce n'était pas énorme, ni si désagréable de penser à la mort, sachant qu'elle le suivrait de peu.

Elle savait pourtant qu'elle ne devait pas y songer. Elle n'avait que vingt-deux ans, et ce n'était pas la belle vie bien remplie que Daniel l'avait incitée à mener, mais la solitude l'avait prise dans ses griffes et ne la lâchait plus.

Dans ses rêves enfiévrés, elle songeait souvent à la personne qu'elle serait dans sa prochaine vie. Loin de lui paraître morbide, cette idée l'excitait plutôt. En quelle partie du monde se retrouverait-elle ? À quoi ressemblerait-elle ? Daniel parviendrait-il à la retrouver ainsi qu'il le lui avait promis ? Serait-il en mesure de l'aimer ? Et si elle avait une grosse verrue sur le nez, mauvaise haleine, et postillonnait en parlant ?

Elle repensa à la lettre qu'elle avait écrite et cachée dans son ancienne chambre. Comment arriverait-elle à la dénicher ? Comment ferait-elle même pour se souvenir de la chercher ? Il devait y avoir un moyen et elle le découvrirait. Qui qu'elle fût, elle n'attendrait pas les bras croisés et était bien décidée à ne pas ménager sa peine.

Elle pensait souvent à la façon dont les choses avaient

commencé. Elle essayait en vain de cerner, d'analyser, ce phénomène mystérieux qui s'était produit au cours des dix-sept jours qu'elle avait passés auprès de lui. La première fois qu'il s'était adressé à elle en l'appelant par un autre prénom, elle l'avait considéré avec compassion et condescendance, ainsi qu'elle le faisait avec la plupart des jeunes blessés. Pas par méchanceté. Mais parce qu'ils étaient si nombreux, et leurs besoins si grands, et qu'elle était toute seule de son côté. D. Weston n'était à ses yeux qu'un autre jeune homme, extrêmement séduisant, aux délires particulièrement confus, et rien de plus. Il était trop mal en point pour qu'elle lui refusât sa bienveillance. Elle avait écouté toutes les folies qu'il lui avait débitées et avait hoché la tête d'un air entendu au moment opportun. Elle regrettait de ne pas l'avoir écouté avec plus d'attention, moins de scepticisme, de manière à mieux se souvenir aujourd'hui de ce qu'il lui avait dit.

Parce qu'un élément nouveau était intervenu : ces délires n'en étaient pas en réalité. Trop de choses s'étaient avérées pour qu'elle n'en tînt pas compte. Et la façon dont il les lui avait racontées, l'étrange façon dont il l'avait vue et reconnue l'avaient touchée en plein cœur. Il ne racontait pas les histoires comme quelqu'un qui les aurait lues dans un livre. Sa vision du monde était exceptionnelle et elle y avait sa place. Rien dans sa petite vie étriquée ne pourrait jamais l'égaler. En l'espace de dix-sept jours, sa compassion s'était muée en un profond respect et un dévouement absolu. Il s'accrochait à elle, en tous points et en tous lieux, ce qu'elle était incapable de faire pour elle-même.

– Pourquoi m'appelez-vous toujours Sophia ? lui avait-elle demandé un jour, sachant à quel point il y tenait.

– Parce que, sinon, je risquerais de vous perdre pour de bon.

Après sa mort, elle s'efforça de se consacrer à ceux qui avaient le plus besoin de son aide. Devant chaque enfant malade qui mourait, Constance était persuadée qu'il renaîtrait à une vie meilleure. Les choses ne pouvaient être pires. «Toi, dit-elle à un petit garçon, tu seras une duchesse. Tu feras la guerre aux fautes de goût.» «Et toi, tu seras membre du Parlement, prédit-elle à un autre. Tu discuteras et te battras pour tes idées à longueur de temps, et te repaîtras de steak et de porto tous les soirs.»

Elle avait fait tout ce qu'elle avait pu alors, mais une grande part d'elle-même, la plus authentique, tournée vers l'avenir, était morte en même temps que Daniel. Elle s'en était doutée à l'époque et en était convaincue aujourd'hui. Peut-être était-ce également les effets de la malaria.

Elle espérait que Dieu, ou quiconque en charge de ces questions, ne se montrerait pas trop sévère avec elle. «Veuillez me pardonner de ne pas me battre davantage. Ce n'est pas que je n'aime pas cette vie ; je l'aime. Mais je m'y sens trop seule.»

HOPEWOOD, VIRGINIE, 2007

Lucy n'avait pas remis les pieds au lycée depuis la désastreuse soirée de fin d'année et le bal des terminales, et elle pensait bien ne plus avoir à y retourner. Mais à sept heures du soir, la veille du jour où elle était censée rentrer à Charlottesville pour entamer sa dernière année d'université, c'est au lycée qu'elle se rendit.

Elle y pénétra par une porte latérale. Le personnel d'entretien était encore occupé à mettre les locaux en état d'accueillir les élèves pour une nouvelle année. Elle avait aperçu les tondeuses en action sur les terrains de sport et deux hommes en train de repeindre les lignes blanches du terrain de football. On réparait dans les couloirs des vestiaires les casiers vandalisés, on effaçait les graffiti qui couvraient les murs. « C'est exactement le genre de tâches qu'il faudrait confier aux élèves », se prit-elle à penser.

Elle observa toutes ces scènes sans vraiment les voir, se voyant les observant, se voyant se voyant les observant, ne sachant plus comment aborder les choses les plus simples.

Elle avait passé ces derniers temps à sauter d'un endroit à un autre. Elle était rentrée de son voyage en Angleterre, avait rangé toute sa chambre en vue de son départ pour la fac. Elle avait récupéré Passe-Partout chez le petit voisin qui s'en était occupé pendant son absence. (Elle l'avait supplié de l'adopter, mais la maman de ce garçon de treize ans avait catégoriquement refusé.) Elle était allée s'acheter des fournitures scolaires. Elle s'était même offert deux nouvelles chemises chez Old Navy. Elle s'était retrouvée en train de les essayer dans une cabine, se regardant dans la glace, incapable de déterminer qui elle était. Elle errait le cœur brisé, sans savoir qui le lui avait brisé. Elle avait dû se le briser toute seule, conclut-elle.

Elle passa devant le casier de son ancien vestiaire de terminale, se rappelant les photos et les petits mots qu'elle avait affichés à l'intérieur. Elle se rappela le petit miroir à bords roses dans lequel elle avait guetté Daniel dans le couloir, lui jetant des regards plus insistants qu'elle n'aurait osé le faire directement. Elle le revoyait presque, dans son jean informe qui lui tombait sous les fesses comme tous les autres garçons du lycée. Il était singulier et lointain, mais il cherchait toutefois à s'intégrer. Elle pouvait décrire les chaussures qu'il portait en permanence, des Clarks en daim beige qui semblaient dater des années soixante-dix, dont il ne nouait jamais les lacets. Elle commençait à se poser des questions qui ne l'avaient jamais effleurée. Qui lui lavait ses jeans ? Qui lui préparait à dîner ? Qui lui passait un savon quand il avait raté un contrôle ? Personne probablement. Mais il y avait bien eu quelqu'un pour s'en charger à un certain moment.

Elle entra dans le labo de chimie, ferma la porte et s'assit sur un de ces combinés siège-tablette. Elle mit les mains sur ses yeux, tout en craignant que les fantômes ne viennent la chercher, et, comme il ne se passait rien, elle se surprit à être déçue.

Elle ne savait pas quoi faire. Elle voulait retrouver Daniel. En dehors de ça, elle ne savait pas quoi désirer ni comment vivre sans lui. Elle n'avait pas remis les pieds dans un atelier de céramique depuis plus d'un an. Son petit jardin à l'abandon ne ressemblait plus à rien et n'avait même pas donné de framboises cette année. Elle avait toujours aimé s'occuper du potager et faire des choses de ses dix doigts, mais elle ignorait comment retrouver une quelconque motivation. Son avenir ne semblait plus l'intéresser. Elle était adulte ; d'ici neuf mois, elle aurait son diplôme universitaire. Alors qu'elle était censée mettre un peu d'ordre dans sa vie, elle n'avait qu'une envie : la faire exploser à la grenade. Comment devait-elle s'y prendre pour avancer, passer à autre chose et se détacher de lui ?

Elle se rappela un rêve qu'elle avait fait une nuit : elle était dans un train, entre deux compartiments, il faisait nuit et il roulait à toute vitesse dans un virage. Elle essayait d'entrer dans le compartiment en face d'elle. Elle tambourinait sur la porte, donnait des coups de pied dedans et l'insultait, mais elle restait résolument fermée. Elle finissait par abandonner et se dirigeait vers le compartiment précédent pour s'apercevoir qu'il était également fermé à clé.

Elle avait été injuste envers Daniel ce soir-là. Et elle s'en voulait. Que se serait-il passé si elle avait seulement accepté de l'écouter ? Ça n'aurait pas été bien difficile. Elle aurait eu l'occasion de le mettre à l'épreuve, de discuter et même de lui poser des questions. C'était probablement ce qu'avait fait Constance. Lucy aurait pu dire : « Écoute, mec, tu embrasses comme un dieu, mais pourquoi m'appelles-tu Sophia ? » Elle ne lui avait pas donné la possibilité de s'expliquer, encore moins de lui prouver quoi que ce soit. Elle s'était contentée de le fuir en courant comme une hystérique.

Peut-être n'avaient-ils pas fait les choses dans le bon ordre. Ils s'étaient jetés pratiquement l'un sur l'autre avant même de s'être présentés. Il n'y avait pas eu de : « Et d'où tu viens ? » ni de : « Et tu as des frères et sœurs ? » Cela lui avait semblé naturel de lui tomber droit dans les bras. C'était une nécessité vitale. Elle commençait seulement à en deviner la raison. En fait, elle n'arrivait pas à le lâcher. Peut-être n'était-ce pas une bonne chose.

Tout cela était trop violent. Beaucoup trop violent pour elle. Les visions qui lui avaient traversé l'esprit lui faisaient craindre la folie, ce qu'elle redoutait par-dessus tout. Elle ne voulait pas finir comme Dana et, comme d'habitude, se cramponnait de toutes ses forces à sa bonne santé mentale.

Peut-être avait-elle peur que l'on s'introduise insidieusement dans sa tête, car c'était précisément ce que Constance cherchait à faire. Lucy commençait à comprendre pourquoi elle était sujette à des réminiscences incongrues et à de mauvais rêves, pourquoi elle était si sensible et réceptive entre les mains d'un médium ou d'un hypnotiseur. Son esprit était percé de failles dans lesquelles fourrageait Constance, brûlant d'impatience d'y insinuer son message. Elle avait caché son trésor à la vue de tous et suppliait Lucy de le découvrir.

Lucy songeait quelquefois à l'autre lettre, celle que Daniel avait écrite à Constance avant de mourir. Elle ne se trouvait pas dans la niche. Constance avait pu l'emporter en partant en Afrique ; c'est ce qu'aurait fait Lucy à sa place. Mais il n'y avait aucun moyen de savoir ce qu'elle était devenue en réalité, et Lucy ressentait un immense découragement en pensant au peu qu'elle savait, aux miettes dérisoires auxquelles elle devait se raccrocher.

Elle était également excédée par la façon dont Constance la hantait et désolée pour elle d'avoir tout gâché. Après tout, Constance avait tenté quelque chose, elle avait eu le bonheur de passer dix-sept jours seule en tête à tête avec Daniel, tandis que Lucy, elle, l'avait laissé repartir. «Il peut vous rendre heureuse», avait-elle écrit dans sa lettre. On ne pouvait donc pas lui en vouloir d'avoir désiré faire son bonheur.

Lucy était navrée pour Daniel. Elle aurait aimé pouvoir le lui dire en face. S'il y avait bien une heure de sa vie qu'elle aurait aimé effacer et revivre autrement, c'était bien celle où elle l'avait fui. Et si cette nouvelle dimension permettait bien des prodiges, elle ne permettait pas cela.

«Tu savais pourtant que tu l'aimais.» Voilà ce qu'une petite voix chuchota dans la tête de Lucy, et cela l'arrêta net. Elle ne savait pas si cette constatation lui faisait plus de bien que de mal. Elle l'avait aimé. Certes, de façon infantile, ridicule, dévastatrice, mais elle l'avait aimé. Elle avait senti quelque chose, non? Elle avait compris qu'il comptait pour elle. Elle était follement attirée par lui. Elle aurait vendu tout ce qu'elle possédait contre une seule parole de sa part. Elle l'avait ardemment désiré, malgré la façon calamiteuse dont elle s'y était prise.

Si seulement elle pouvait être près de lui en ce moment. «Ça ne peut pas finir comme ça», se lamenta-t-elle.

Mais soit il s'était noyé dans l'Appomattox, et c'était sa faute à elle, soit il était encore en vie, et il l'avait laissée tomber. S'il était vivant, et Esme/Martha en était persuadée, il pourrait la retrouver s'il le désirait, n'est-ce pas? Ce n'était pas les pistes qui manquaient : son numéro de téléphone, ses nouvelles coordonnées qu'avait le lycée, celles qui figuraient dans l'annuaire en ligne de la fac, celles de ses parents, sans parler de Facebook et de quelques autres sites où elle était répertoriée. «Il ne veut pas te retrouver», conclut-elle. Il avait peut-être essayé mollement sur le coup, mais rien ne prouvait qu'il avait fait tout ce qui fallait.

La vieille rengaine de Marnie lui revint en mémoire : «S'il t'aimait, tu le saurais.» Cette phrase l'emplit d'une étrange nostalgie. Il avait pourtant manifesté un certain intérêt pour elle. En tout cas, il avait semblé plutôt impatient de l'embrasser. Ou, en tout cas, elle l'avait intéressé tant qu'il l'avait prise pour Sophia. Elle fit une pause dans ses cogitations. Alors, qui de Marnie ou d'elle avait raison?

Mais il y avait autre chose qui la tracassait : qui était cette Sophia ? Quand avait-elle vécu ? Était-ce bien avant Constance ? Combien de temps avant ? Elle examina l'intérieur de son bras : il y avait en effet quelque chose, ainsi que l'avait prévu Constance, mais c'était la cicatrice causée par un hameçon, elle n'était pas née avec. Restait-il quelque trace de Sophia ? Que représentait une âme en réalité ? Quelle part de Sophia survivait-elle encore dans sa chair ou dans sa mémoire ? Aucune sans doute. L'amour de Daniel était probablement la seule chose qui lui avait survécu, et cela aussi elle l'avait perdu : quand il avait réalisé qu'il aimait une jeune fille qui n'existait plus, il avait fini par renoncer à cet amour.

Daniel avait dû adorer Sophia pour avoir patienté aussi longtemps. Ç'avait dû être douloureux pour lui de réaliser qu'elle n'était plus, et qu'une froussarde avait pris sa place.

Lucy se leva et se dirigea lentement vers la porte de sortie du lycée. Les couchers de soleil à cette époque de l'année étaient particulièrement flamboyants, et faisaient comme un gigantesque incendie et un abîme en direction de sa maison. Elle avait fait ce trajet des dizaines de fois, mais il ne se ressemblait plus.

C'était à cause de cette lettre. Ce n'était qu'un vieux bout de papier plié dans son porte-monnaie, mais il était assez puissant pour faire voler son monde en éclats et lui ronger l'esprit, la nuit comme le jour. Mais cela ne l'aidait pas à savoir ce qu'il convenait de faire. Cela ne faisait pas surgir un nouveau monde à la place. Il ne lui restait plus qu'à errer dans les décombres de l'ancien.

Saint Louis, Missouri, 1932

Quand j'étais petit, dans les années trente, et que j'habitais dans une banlieue de Saint Louis, j'ai construit un pigeonnier sur le toit plat de notre garage.

J'ai acheté des œufs auprès d'un éleveur et je me suis lancé tout seul dans l'élevage des pigeons avec un soin infini. J'élaborais des vols d'entraînement censés être ambitieux, mais mes oiseaux étaient toujours de retour au bercail avant moi. Je crois que je n'ai jamais été aussi proche de ce qui ressemble au rôle de père qu'avec eux et cela ne m'arrivera probablement jamais plus de ma vie.

J'ai toujours eu une passion pour les oiseaux. Dans une vie antérieure, je collectionnais les plumes d'espèces rares ou particulièrement belles, et il m'en reste encore un grand nombre. Un de ces jours, j'en ferai peut-être don à un muséum d'histoire naturelle. La plupart de ces oiseaux ont aujourd'hui simplement disparu et certains depuis plusieurs centaines d'années.

J'ai toujours été fasciné par le vol et l'aviation et, enfant, je vouais un véritable culte aux frères Wright. Je vivais en Angleterre lorsqu'ils ont effectué leurs premiers vols en public. J'ai réalisé par la suite que Wilbur était déjà là depuis des siècles et qu'Orville n'en était qu'à sa première vie, ce qui produit toujours d'excellentes collaborations. (Songez à Lennon et McCartney et essayez de deviner qui est le plus « vieux » des deux.)

Au cours de cette même vie, je suis monté pour la première fois à bord d'un avion, un Curtiss JN-4, *Jenny*, identique aux biplans que j'apercevais dans le ciel de la Première Guerre mondiale. Mon père m'a emmené à une démonstration quand j'avais huit ans et m'a offert un baptême de l'air. Je me revois m'élever au-dessus du terrain, les yeux rivés sur le champ qui n'était bientôt plus qu'un petit carré dans un immense patchwork, et mon père une tête d'épingle dans la foule. C'est à cette occasion que j'ai vu pour la première fois de ma vie la courbe de la Terre et ressenti le plus profond respect pour le genre humain. Il y a eu d'autres moments semblables mais, en règle générale, c'était plutôt le sentiment inverse que j'éprouvais.

Mon père m'a également emmené au terrain d'aviation Lambert-Saint-Louis, pour assister au retour de Charles Lindbergh de Chicago, à bord d'un avion postal, l'une des premières liaisons du genre. J'ai pris un certain nombre de cours de pilotage dans cette vie-là, mais je n'ai pas eu le temps d'obtenir mon brevet avant de mourir.

Quand je repense à cette vie, je me revois tous les soirs au milieu de mes oiseaux, écoutant les bruits du voisinage, les pères qui rentraient du travail, les enfants qui faisaient du vélo, les voix de la radio qui montaient des fenêtres, heureux de contempler le monde qui s'affairait en contrebas.

J'élaborais des trajets réguliers pour mes pigeons voyageurs afin qu'ils apportent des messages à l'école et en repartent. Un jour, j'ai transmis par ce moyen un petit mot à une jolie fille de mon cours d'anglais et, une autre fois où j'étais cloué au lit à la maison, j'ai reçu mes devoirs d'histoire. La plupart du temps, au lieu d'être attentif aux cours, je musardais le nez en l'air et rêvais au ciel tandis que mes pigeons venaient se poser sur l'appui de la fenêtre.

Un jour, j'ai offert un pigeon nommé Rapido à un de mes cousins de Milwaukee quand nous sommes allés le voir pour Noël.

Rapido avait fait tout le trajet jusqu'à Milwaukee avec nous en voiture et il est revenu à la maison à temps pour le Nouvel An. Je n'en ai pas cru mes yeux lorsque je l'ai vu traverser la pelouse. Mon cousin a été déçu, mais il n'était plus question que je lui laisse Rapido après un tel exploit.

Un soir, alors que je me sentais seul et mélancolique, j'ai écrit une lettre à Sophia, que j'ai insérée dans la capsule de transport fixée à la patte de Rapido. Je l'ai lâché, m'attendant à le voir revenir à l'heure du dîner, mais il ne s'est pas montré. Une semaine s'est écoulée, puis une autre. Au bout d'un mois, j'étais triste comme les pierres. J'avais sacrifié Rapido pour une course sans espoir, et j'en avais terriblement honte.

Les années ont passé, et dans mes moments de solitude je m'imaginais Rapido volant au-dessus des océans et des continents, des montagnes, des forêts et des villages. Je rêvais que je voyais avec ses yeux. Je l'ai suivi dans le Kent, à Londres, traversant la Manche pour remettre ma lettre à Sophia. Je me le représentais perché sur le toit de Hastonbury Hall, attendant son retour. Il m'arrivait même d'imaginer qu'il l'avait retrouvée et avait réussi là où j'avais échoué.

Je mesurais l'écoulement du temps à la durée de l'absence de Rapido et à l'âge de Sophia. Le jour où je terminais mes études au lycée, Rapido était parti depuis deux ans et trois mois, et Sophia avait quarante ans. Le premier jour de mon stage, Rapido était parti depuis onze ans et un mois, et Sophia allait avoir quarante-neuf ans.

Quand Rapido a été absent depuis treize ans et deux semaines, et que Sophia a eu cinquante et un ans, j'ai rendu visite à mon père, malade, dans notre ancienne maison. Je suis monté sur le toit du garage et me suis assis près du vieux pigeonnier dans le soleil couchant. En baissant les yeux, j'ai vu un pigeon grisonnant remonter l'allée. En un mouvement familier, il a ouvert les ailes et est venu se poser à côté de moi, sur le toit du pigeonnier qui n'avait plus hébergé de pigeons depuis des années. J'ai constaté qu'il avait toujours ma vieille lettre roulée dans la capsule fixée à sa patte. Il n'avait pas réussi à localiser Sophia, mais du moins avait-il retrouvé son chemin jusqu'à sa base.

Hinesville, Géorgie, 1968

En 1968, j'avais quarante-neuf ans et j'étais plus âgé que je ne l'avais jamais été. Je me rappelle que j'arrivais à proximité d'une espèce de terrain de jeux à l'air plutôt abandonné, sur une base militaire ; je crois qu'il s'agissait de Fort Stewart, à Hinesville, en Géorgie. Le ciel était gris, et les équipements épars et rouillés. J'ai parcouru le lieu des yeux, sans trop savoir ce que j'allais y trouver. Seule une petite fille se balançait sur une balançoire, lançant ses jambes en avant avec beaucoup d'énergie, comme si ce jeu était tout nouveau pour elle. Je consultais ma montre, attendant que Ben se pointe, sachant que j'avais encore une longue route devant moi cette nuit. Je patientais donc tout en regardant la petite fille se balancer. Elle a cessé de lancer ses jambes en avant, et la balançoire s'est immobilisée peu à peu. Elle a enroulé ses bras autour des chaînes et donné des coups de pied dans la poussière.

– Salut, Daniel ! s'est-elle soudain exclamée en agitant la main grande ouverte, à la manière des enfants.

Je me suis approché.

– Ben ? ai-je demandé, médusé.

– Non, Laura, a-t-elle répondu ; elle devait avoir cinq ou six ans. Tu as reçu ma lettre ?

– Oui. Je ne pensais pas que tu étais si jeune.

— J'ai pris ma plus belle écriture, a-t-elle avoué, toute contente.

— Comment m'as-tu retrouvé ?

Elle a haussé les épaules, donné encore quelques coups de pied, salissant ses chaussures blanches et ses socquettes roses. Pour ma part, même enfant, j'essayais de me comporter pour l'essentiel en adulte. Je ne m'attendais pas à ce qu'elle me réponde. Je ne savais jamais comment Ben faisait pour me retrouver mais, manifestement, il y parvenait chaque fois qu'il le désirait.

— Tu habites ici, maintenant ?

Elle a hoché la tête, tout en tripotant l'un des boutons en bois de son manteau.

— Oui, d'abord au Texas, ensuite en Allemagne et maintenant ici.

— Un sale môme de militaire, hein ?

Elle m'a jeté un regard de reproche.

— Ce n'est pas très gentil.

Je savais que j'avais devant moi mon vieil ami Ben, entre autres personnages, mais j'avais du mal à le reconnaître sous les traits de cette petite fille.

— C'est juste une façon de parler, me suis-je excusé en souriant. Je ne voulais pas dire que tu étais un môme. Tu le sais bien.

Elle a haussé de nouveau les épaules, et comme elle avait le nez qui coulait, elle l'a essuyé avec impatience du revers de la main. Elle avait des doigts plutôt boudinés que je fixais avec un certain étonnement.

Je n'avais jamais vécu de cette façon dans mes différents corps, m'étant toujours imposé à eux. Je choisissais mon propre nom et m'efforçais d'être le même homme. J'avais les mêmes goûts et je tentais de maintenir le même mode de vie. Je conservais d'une vie à l'autre à peu près les mêmes objets. J'allais jusqu'à arborer la même démarche, la même allure, les mêmes gestes, ou en tout cas, autant que possible.

«Tu ne jettes rien, toi, m'avait dit un jour Ben. Tu gardes tout.»

– J'embarque la semaine prochaine, lui ai-je appris. Et je risque de ne pas être de retour avant longtemps.

– Où vas-tu? m'a-t-elle demandé en recommençant à se balancer légèrement.

– Au Vietnam.

– Pour quelle raison?

– Ils ont besoin de chirurgiens là-bas. Et moi, j'ai besoin d'une zone de combats, ai-je répliqué d'un ton un peu trop léger.

Je ne croyais pas en la guerre, mais je pensais pouvoir sauver des vies et alléger des souffrances en étant sur place. Je n'avais pas réussi à me faire tuer pendant les manifestations en faveur des droits civiques, bien que je me sois fait arrêter une ou deux fois. Cette mort aurait eu au moins un sens.

– Pourquoi as-tu besoin d'une zone de combats?

Je l'ai regardée au fond des yeux pour voir si j'y retrouvais Ben. Ce n'était pas évident. Je ne crois pas que j'aurais pu le reconnaître si je n'avais pas su que c'était lui.

– Sophia vieillit, ai-je répondu avec une franchise que je ne réservais qu'à Ben. Elle doit avoir près de soixante-dix ans. Je ne l'ai pas retrouvée depuis la Première Guerre mondiale. Elle a disparu. Elle a dû se marier et changer de nom. Je suis tombé sur un des anciens domestiques de Hastonbury Hall. Il pensait qu'elle était partie en Afrique.

J'ai remonté ma fermeture Éclair à cause du froid.

– Il est temps que je me remette à la chercher...

Elle a eu l'air embarrassé et a tripoté de nouveau son bouton. Elle est descendue de la balançoire et a grimpé sur la cage d'écureuil.

– Je ne crois pas que tu puisses te charger de ce genre de choses, a-t-elle déclaré tout en escaladant les barreaux.

Je me suis senti soudain très énervé : Ben était la seule personne au monde capable de comprendre. Je n'avais pas du tout l'intention de laisser passer ça, malgré son apparence de petite fille aujourd'hui.

– Ben, je sais que tu comprends.

– Je ne suis pas Ben, a-t-elle répliqué en secouant la tête et en s'élançant d'une barre à l'autre.

– Excuse-moi. Ça m'est plus facile de m'en tenir à nos prénoms d'avant. Je ne sais pas comment tu fais. Moi, je n'ai jamais cessé d'être Daniel, dès le commencement.

Elle m'écoutait attentivement.

– Mais moi, je m'appelle Laura.

Et elle s'est hissée jusqu'au dernier barreau de la cage d'écureuil et s'y est perchée.

– Laura, ai-je répété, cherchant à me montrer conciliant.

– Tu ne devrais pas essayer de tout contrôler. Si ça continue, tu finiras comme ton frère aîné, et tu ne seras plus capable ni de mourir ni de renaître.

Elle s'était retournée vers moi pour me dire ça.

Je me suis approché pour mieux l'entendre.

– Qu'est-ce que tu veux dire ?

– Tu finiras par t'incarner dans un corps qui possède déjà une âme, et ainsi tu pourras être qui tu voudras, quand tu voudras, et ça, ce n'est pas bien.

Lorsqu'elle s'est tournée de nouveau vers moi, elle avait les yeux pleins de larmes.

J'étais abasourdi et suis resté silencieux pendant un moment.

– C'est ce qu'il fait ?

Elle a acquiescé avec une gravité telle que j'ai compris pourquoi elle m'avait fait venir. C'était une information qu'elle tenait absolument à me communiquer.

– Comment s'y prend-il ?

– Il les tue, a-t-elle répondu simplement.

Jamais je n'avais entendu parler de ça ; cette idée ne m'avait jamais traversé l'esprit. Je n'imaginais même pas que c'était possible.

– Comment le sais-tu ?

C'était une question idiote. Plus je connaissais Ben, plus il m'étonnait. Il était doté d'une mémoire antérieure fabuleuse, d'une faculté de prémonition et de tout ce qui se trouvait entre les deux. On aurait dit qu'il englobait l'univers entier, avec ou sans les contraintes du temps. Et ses connaissances ne se limitaient pas à sa propre expérience du monde. Un jour, j'ai lu un poème sur un homme dont l'imagination était si vaste qu'elle est devenue l'histoire même de l'humanité, et j'ai tout de suite pensé à Ben. Mais on ne pouvait pas lui demander comment il savait toutes ces choses.

– Tu es sûr ? ai-je encore demandé aussi bêtement. Peut-être que tu te trompes.

Elle m'a fixé de ses grands yeux sympathiques.

– J'aimerais me tromper.

Elle m'avait déjà dit ça, du temps où elle était Ben. Aujourd'hui, comme à l'époque, je voulais qu'elle se trompe, mais j'avais peu d'espoir.

– Je ne l'ai pas revu depuis très longtemps, dis-je. Six ou sept cents ans… Et il ne m'a même pas reconnu alors.

– Parce qu'il ne voit pas, a-t-elle répliqué en se faufilant entre les barreaux. Il se souvient et il peut voler des corps, mais il ne peut pas voir à l'intérieur.

– Que veux-tu dire ? Il est incapable de reconnaître une âme ?

Elle a secoué la tête.

– S'il en était capable, il y a longtemps qu'il t'aurait retrouvé.

Je l'ai regardée un moment se balancer. Elle voulait me montrer qu'elle arrivait à passer d'un barreau à l'autre comme Tarzan, l'homme-singe et, en recommençant ses tentatives jusqu'à ce qu'elle y parvienne enfin, elle m'obligeait à m'intéresser à elle au lieu de consulter ma montre ou de jeter un coup d'œil sur la route derrière moi.

Comme la nuit tombait, j'ai fait un bout de chemin avec elle pour la raccompagner.

– J'ai des bonbons, a-t-elle annoncé en me montrant un petit paquet. Tu peux en avoir un...

Elle en a sorti un seul et me l'a tendu. Elle avait les mains si sales et poisseuses que cela ne me tentait pas trop, mais je l'ai accepté néanmoins.

– En fait, ce sont des chewing-gums, a-t-elle déclaré avec satisfaction.

J'ai hoché la tête. Au croisement, elle m'a pris la main.

– J'habite ici, m'a-t-elle annoncé en m'indiquant une petite maison de plain-pied identique à toutes celles de la rue.

– Très bien, ai-je répondu en la regardant, fasciné.

Comment une aussi petite tête pouvait-elle contenir toute l'histoire de l'humanité, avec ses problèmes et ses souffrances ? La façon dont elle parvenait à se comporter comme une petite fille ordinaire me dépassait au-delà de tout.

Elle m'a observé, lisant dans mes pensées, comme à son habitude.

– J'aimerais bien être une petite fille ordinaire, parce que ce serait beaucoup plus simple pour ma maman.

Elle a rangé soigneusement son paquet de chewing-gums dans sa poche et a couru vers sa maison.

CHARLOTTESVILLE, VIRGINIE, 2008

Daniel avait réussi à découvrir sur Internet ses coordonnées les plus récentes et certainement les dernières. D'ici deux mois, ses faits et gestes seraient de nouveau imprévisibles. Elle aurait son diplôme, vraisemblablement. Il ignorait ce qu'elle ferait ensuite, et n'était pas en position de lui poser la question. La joie qu'il avait ressentie en découvrant son nom en caractères rouges sur son écran lumineux était mêlée de tristesse. Et le plaisir qu'il avait eu à recopier soigneusement son nom et son adresse était assez ridicule. Pas même son véritable nom, simplement celui qu'elle portait actuellement. Car cela signifiait qu'elle était vivante, dans le même monde que lui. Elle se trouvait là où il espérait qu'elle fût. Elle était saine et sauve.

Cette tristesse était d'une nature différente de l'angoisse et de l'abattement qu'il avait éprouvés lorsqu'il l'avait de nouveau perdue.

Il avait parfois le sentiment que sa vie était devenue d'une simplicité détestable. Il était content quand il la savait dans son «réseau», perdu quand elle s'en échappait. Et elle s'en était échappée en effet – pendant des siècles d'affilée. Savoir en quelle partie du monde elle se trouvait, quand bien même il ne la contacterait pas, lui procurait une immense satisfaction, et il s'en voulait de se contenter de si peu.

«Je pourrais la voir. Je sais où elle est. Je pourrais la retrouver facilement si je le désirais.»

C'était un piètre réconfort. C'était aussi un aspect de sa personnalité dont il se méfiait. Une partie du danger à vivre aussi longtemps, sachant que vous renaîtriez indéfiniment, vous poussait à toujours remettre en quelque sorte votre vie au lendemain, au point de ne plus la vivre du tout. Tant que vous savez que la possibilité vous est offerte, vous n'agissez pas réellement. Ainsi, vous ne la gâchez jamais : elle vous est toujours offerte.

C'est la raison pour laquelle il s'était approché par trois fois en voiture de sa maison, à Hopewood, l'été dernier, mais sans s'arrêter ni frapper à la porte. C'est la raison pour laquelle il s'était assis sur un banc, devant sa résidence universitaire, à se geler les fesses pendant des heures, mais sans la héler quand il l'avait vue passer. C'est la raison pour laquelle le soir, avant de s'endormir, il vérifiait si elle n'avait pas ajouté une photo sur son mur de Facebook ou actualisé son statut, mais surtout sans laisser voir que c'était lui son ami.

Et, bien que ce petit bout de papier le rendît heureux, ce n'était quand même pas suffisant. Il l'avait gardé sur lui une semaine et demie avant de se décider à prendre sa voiture et à retourner à Charlottesville.

Il avait pris un jour de congé. Il avait mis un chapeau feutre des années quarante et des lunettes de soleil qu'il avait trouvées chez Target deux jours plus tôt. Ça lui semblait important de passer inaperçu, mais il avait réalisé qu'il était la parfaite caricature de quelqu'un qui justement désirait passer inaperçu. Alors, il s'était demandé si en réalité il ne voulait pas plutôt se faire remarquer. Si ce n'était d'elle, peut-être de quelqu'un qui la connaîtrait et qui pourrait lui dire, le soir même ou le lendemain : «Tu te souviens de ce mec bizarre qui était au lycée ? Daniel Je-ne-sais-quoi ? Eh bien, je l'ai croisé sur le campus.»

Que penserait-elle de ça ? En penserait-elle seulement quelque chose ?

Il l'avait attendue sur un banc, dans une allée située tout près de sa résidence. D'après le plan, elle était obligée de l'emprunter pour se rendre à la plupart de ses cours ; et elle finirait bien par y passer à un moment ou à un autre. Il avait ouvert son journal, mais sans en lire une seule ligne. Il aurait fait un très mauvais détective.

À chaque passant, il sursautait violemment, s'attendant chaque fois à ce que ce soit elle. Au bout d'une heure, il avait bien fallu qu'il se calme. Au moins pour la bonne raison que son corps était en panne d'adrénaline.

Deux heures plus tard, il se demandait si elle avait véritablement existé. Il était assez stupéfiant qu'en dépit des millions d'heures qu'il avait vécues, ces deux dernières lui paraissent interminables. Lorsque enfin elle était apparue, il avait failli la manquer. Il ne s'attendait pas à la voir comme ça. Elle n'était pas entourée de toute une bande de copines, comme au lycée. Elle était seule. Elle marchait la tête basse et semblait si repliée sur elle-même qu'il l'avait à peine reconnue quand elle était passée devant lui. C'était bien sa façon de marcher, qui lui évoquait de manière très ténue ses précédentes démarches, mais plus lente et moins attentive au monde alentour. L'ourlet de sa veste en velours côtelé rouge foncé était décousu. La doublure pendait ainsi que de petits fils. Et cela lui avait fait de la peine.

Il s'était levé et l'avait suivie à distance raisonnable. Ses cheveux fins étaient attachés par un élastique. Une raie zigzaguait sur son crâne. Son sac semblait peser une tonne sur son épaule. Lorsqu'un ballon avait traversé l'allée devant elle, elle n'y avait guère prêté attention, contrairement à lui qui avait sursauté.

Il avait attendu devant Bryan Hall que son cours soit terminé, puis l'avait suivie sur un joli chemin qui serpentait à travers les jardins jusqu'à la bibliothèque, en passant devant la rotonde. Il l'avait encore suivie jusqu'au premier étage et avait essayé de ne pas trop s'approcher lorsqu'elle était entrée dans l'une des salles d'étude, protégée par une cloison de verre. Il pouvait choisir de l'y suivre sans qu'elle le voie. Et, bien que tenté de le faire, quelque chose l'en avait retenu. Son air lointain, renfermé, l'empêchait de l'aborder simplement. «Lointain», ce mot lui rappelait quelque chose : c'était ainsi que les gens le qualifiaient souvent.

Il était passé devant des salles remplies d'étudiants les yeux rivés sur des ordinateurs. Le ciel était clair au-dehors, un beau temps sec et frais pour Charlottesville, et pourtant des stores masquaient les fenêtres et tous ces robustes jeunes gens, la fine fleur de l'espèce humaine, étaient penchés sur leurs écrans. Pour une raison inconnue, il avait songé aux oliveraies de Crète, durant la fête de la récolte, et à tous ces jeunes et beaux corps palpitants de vie. Il avait songé aux poussées de testostérone quand leurs vaisseaux revenaient à Venise, au nombre de bébés conçus et de maladies transmises lors de ces premières nuits, à peine de retour. Il s'était rappelé le campus de l'université Washington, à Saint Louis, à la fin des années quarante, et toutes les fêtes et les couvertures étalées sur les pelouses, les belles journées de septembre. On aurait pu croire que cette génération-ci était simplement plus studieuse que les précédentes, mais d'un simple coup d'œil sur les écrans on s'apercevait bien vite que la plupart d'entre eux affichaient une page de Facebook ou de YouTube, ou divers sites d'information pour blogueurs. «Vous devriez mettre un peu plus le nez dehors», avait-il eu envie de leur conseiller.

Il avait trouvé une table libre d'où il pourrait l'observer tranquillement. Elle n'avait pas ouvert son sac pour sortir ses livres, mais l'avait gardé sur ses genoux, serré contre elle, le regard fixé sur la cloison vitrée. Elle ne semblait rien regarder en particulier.

Le crépuscule les avait lentement enveloppés, tandis qu'il la regardait et qu'elle ne regardait rien. Elle était jolie malgré sa tristesse. Il aurait aimé savoir quelle en était la cause. Il aurait aimé savoir si une intervention de sa part lui aurait apporte le moindre réconfort. Il s'était plu à imaginer les effets de sa timide empathie et ne voyait pas très bien où elle aurait pu le conduire.

Il voulait la voir, il voulait être près d'elle. Il ne voulait pas perdre sa trace un seul instant. Mais l'aborder lui semblait trop difficile. Il avait perdu l'habitude. Qu'avait-il à lui offrir? Une longue et heureuse vie? Il n'avait jamais eu de longue vie, c'était donc assez improbable. Il avait trouvé à plusieurs reprises le moyen de mettre fin prématurément à la sienne, mais même lorsqu'il s'en était abstenu, il n'avait jamais vécu très longtemps. Et le bonheur? Il en avait un peu, oui, principalement en sa compagnie. Ce n'était pas son fort, non plus. Certes, elle pourrait lui en procurer, mais lui, était-il capable seulement de lui en apporter?

Et les enfants? Ils étaient l'ingrédient naturel et capital de toute vie longue et heureuse, et ça non plus, ce n'était pas son fort. Non qu'il fût un mauvais partenaire en amour : il se défendait bien, peut-être était-il même assez doué, bien qu'il n'ait pas beaucoup pratiqué ces derniers temps. Mais cela faisait plus d'un millier d'années qu'il roulait sa bosse, avait atteint plus d'une fois sa maturité sexuelle et fait l'amour aussi souvent que possible, mais principalement à des époques où la contraception n'existait pas. Il n'avait donc jamais compris pourquoi il n'avait pas eu d'enfant.

Certains hommes semblaient en faire souvent et sans la moindre difficulté. Pensez au nombre de fois où un garçon emmenait une fille, dont il ne connaissait même pas le prénom, à l'arrière d'une voiture et aussitôt, bingo, le voilà papa ! Étaient-ils en quelque sorte plus estimables que lui ?

Il avait l'habitude de se dire qu'il avait bien dû engendrer quelques gamins à son insu. Mais il n'y croyait pas vraiment. Il savait que ce n'était pas la vérité. Il y avait eu beaucoup trop d'occasions où, si cela avait été le cas, il l'aurait appris. Ce n'était pas simplement quelque chose qu'il n'avait pas fait, mais plutôt qu'il ne pouvait faire. Et il n'en connaissait pas précisément la cause.

Avant, il se disait qu'il finirait bien par se retrouver dans un corps pourvu d'une belle paire produisant un sperme d'excellente qualité. Mais aujourd'hui, il était sûr d'avoir ce qu'il fallait où il fallait. Ce n'était donc pas le problème. C'était lui, c'était la façon mystérieuse dont son corps réagissait chaque fois à ses ordres inconscients.

Peut-être était-ce dû à cette fameuse Mémoire. Et si elle était d'une certaine manière héréditaire ? Peut-être que Dieu avait reconnu son erreur et, ne pouvant la réparer, il avait pris des mesures pour être sûr qu'elle ne se répète pas.

Il s'était levé et dirigé vers la cloison de verre qui le séparait d'elle. Il avait posé la main à plat sur la vitre, puis y avait appliqué le front. Si elle levait la tête tout de suite, elle le verrait. Elle le reconnaîtrait probablement. Si elle levait la tête tout de suite, il irait la voir. Sinon, il la laisserait tranquille.

« Ne lève pas la tête. »

« Si, lève vite la tête. »

Il s'était rappelé la dernière fois où ils s'étaient vus, à cette fête de fin d'année atroce, et toujours avec ce même sentiment de honte. Il n'avait réussi qu'à lui faire peur. Avait-il mieux à lui proposer aujourd'hui ?

Il l'avait regardée aussi longtemps que possible, jusqu'à ce que la nuit tombe, mais elle n'avait pas levé la tête. Il n'était pas allé la voir. Il était resté où il était, en proie à ses propres tourments.

Il avait beaucoup songé à sa sécurité à elle, mais jamais à son bonheur.

Fairfax, Virginie, 1972

J'ai réussi à mourir de mort naturelle à la bataille de Khe Sanh, au printemps 1968. J'ai péri sous un feu d'artillerie peu avant la fin de ce siège féroce, juste avant que l'opération Pégase n'atteigne la base, en avril.

Ensuite, j'ai vu le jour dans une famille de professeurs de Tuscaloosa, en Alabama. Nous vivions dans une maison près d'un grand étang où les oies venaient se réfugier en hiver. Mes grands-parents maternels habitaient juste au bout de la route.

En 1972, j'avais quatre ans, nous avons déménagé à Fairfax, Virginie, où mon père avait été nommé inspecteur des écoles. J'étais triste de quitter les oies et mes grands-parents, surtout mon grand-père Joseph, qui adorait les avions au moins autant que moi.

Je partageais ma chambre avec mes deux frères, et avais la chance cette fois d'être l'aîné : c'était donc moi qui décidais de la fréquence et de l'intensité de nos bagarres. J'avais déjà servi avec l'un d'eux lors de la Première Guerre mondiale, tandis que l'autre était une toute jeune âme. Il était tellement actif qu'on le voyait à peine passer à table, le soir au dîner, mais il était d'une inventivité à toute épreuve, notamment en ce qui concernait les pétards.

Ma mère avait été mon institutrice de CP dans ma vie précédente, et je l'aimais pour sa façon de me lire des histoires, pour ses jus de fruits et ses gâteaux. Elle adorait la science-fiction et cultivait des dahlias qui étaient primés dans les concours. Elle était merveilleuse et a été une de mes mères préférées. Lorsqu'elle me grattait le dos ou nous racontait des histoires avant de dormir, c'était exactement ce que je me disais : « Tu es une de mes mères préférées. »

Il s'est produit une espèce de miracle quelques mois après notre installation en Virginie. Nous étions tous les cinq à l'église, avec mon frère tout bébé. Je fixais le bout de mes petits mocassins qui se balançaient à cinquante centimètres du sol, tout en feuilletant mon livre de prières et en me lisant des passages en latin. C'est en général le moment où ma mémoire se met en route et où mes vies antérieures défilent en accéléré. Je ne me souvenais pas que je connaissais le latin jusqu'à mon arrivée dans cette église, parce que les missels que nous avions en Alabama n'étaient pas en latin.

Il y avait un grand espace libre sur le banc à côté de moi et, au-delà de cet espace, une dame d'une cinquantaine d'années et, encore plus loin, une autre dame, plus âgée. J'ai cru à leur attitude qu'il s'agissait de la fille et de la mère. J'observais la première attentivement. Elle avait les cheveux gris et une robe bleue avec une petite ceinture. Elle portait des bas et des chaussures marron à bouts ronds. Elle avait l'air un peu raide, et je me souviens que mon regard était attiré par le réseau de veines bleues qui saillaient sur le dos de sa main. J'avais envie d'en toucher une pour en sentir la consistance. Je me rapprochai donc un peu d'elle.

Mon petit frère, Raymond, s'est mis à pousser de petits cris perçants, et la dame a tourné la tête. Je m'attendais à lui voir prendre cet air agacé des personnes à cheveux gris lorsqu'un bébé se met à pleurer à l'église, mais ce ne fut pas son cas. Elle avait les joues roses et l'air tout à fait tranquille.

Quand, soudain, j'ai réalisé que je la connaissais. J'atteignais juste l'âge où j'étais à même d'identifier des gens issus de mes vies antérieures, mais en réalité cela m'était arrivé deux ans plus tôt, en rêvant de Sophia.

J'ai eu l'impression qu'une bombe explosait au ralenti à l'intérieur de mon crâne. Elle a tourné de nouveau la tête vers le chœur de l'église alors que j'aurais tant aimé pouvoir l'observer plus à mon aise. Ma mère s'est dépêchée de quitter notre rang en emportant Raymond dans ses bras et de sortir de l'église pour qu'il puisse accompagner de ses cris les voitures et les oiseaux. Je me rapprochais subrepticement de la dame et me trouvais pratiquement sous son aisselle quand elle m'a enfin regardé.

Je me souviens très bien de mon étonnement, du haut de mes quatre ans. C'était Sophia. Elle avait le regard humide et triste, et sa peau était flasque et tachetée, mais c'était bien elle. La dernière fois que je l'avais vue, du temps où elle était Constance, elle était si jeune et si jolie, contrairement à aujourd'hui, mais c'était néanmoins elle. À mon étonnement s'était mêlée une certaine perplexité, et il m'a fallu quelques minutes pour comprendre ce qui me troublait. En repensant au médecin que j'étais quelques années plus tôt, avant ma mort, je sais que je m'attendais alors à la retrouver soit très âgée et toujours Constance, soit très jeune – comme moi ou même plus jeune – et incarnée en quelqu'un d'autre. Je n'avais pas imaginé qu'elle puisse être une dame d'un certain âge qui, j'en étais à peu près certain, n'était plus Constance.

«Es-tu toujours Constance?» me suis-je demandé, dubitatif. Il m'était beaucoup plus facile de la reconnaître en Sophia que de savoir avec certitude s'il s'agissait de Constance, et j'étais presque sûr que ce n'était pas elle. Donc, j'ai essayé de comprendre comment une chose pareille avait pu se produire. Ma mémoire avait beau être exceptionnelle, elle n'était pas encore d'un grand secours pour la cervelle d'un enfant de quatre ans plongé en pleine confusion.

À quatre ans, on oublie aisément où se trouve son propre corps et où il est censé se trouver. Tout en me livrant à de savants calculs, je m'étais donc approché au point de me blottir contre elle. J'ai levé la tête : elle ne m'avait pas quitté des yeux. Si j'étais troublé, elle l'était également. Si j'étais occupé à de savants calculs, elle l'était aussi. Sur le coup, j'ai cru que c'était parce qu'elle croyait me reconnaître, mais il est plus vraisemblable qu'elle était simplement un peu gênée d'avoir un bambin de quatre ans qui se glissait sous son bras.

Elle était embarrassée, mais elle a accepté ma présence auprès d'elle. Elle a passé son bras autour de moi. J'ai vu mon père tendre le cou vers nous, l'air tout aussi gêné. Elle lui a fait un petit signe de tête, lui signifiant qu'il n'y avait pas de mal.

Elle m'a serré contre elle, et je me suis brusquement détendu tandis qu'elle posait la main sur mon petit ventre rebondi.

J'étais un peu déçu. Cela n'avait rien de très étonnant, mais étant donné le bien-être physique que me procurait sa présence, je me comportais de manière presque réservée, par égard pour celui que j'étais avant et celui que je serais après. C'était une chose que j'avais toujours ressentie assez précocement : cette fidélité tacite à mes personnalités antérieures. Sophia était censée être jeune comme moi cette fois-ci, et non vieille et grosse, et je devais comprendre pourquoi il n'en était pas ainsi.

– Je suppose que tu es morte jeune la dernière fois, ai-je murmuré à la hauteur de ses côtes.

Certes, j'étais très déçu, mais j'avais quatre ans et elle me serrait contre elle ; alors, quand on a quatre ans, les plaisirs du corps l'emportent souvent sur ceux de l'esprit.

J'ai effleuré la veine bleue de sa main, qui de fait était si souple qu'elle a disparu sous la légère pression de mes doigts d'enfant.

J'ai fréquenté l'église de Fairfax pendant encore un an ou deux. À peine apercevais-je Sophia que je courais m'asseoir à côté d'elle. Mes parents, qui l'avaient baptisée ma «grande amie», l'ont donc invitée un dimanche à venir prendre une limonade à la maison après la messe, mais elle a refusé sous prétexte qu'elle devait raccompagner sa mère chez elle.

Ma mère à moi a fini par se lasser de ce qu'elle qualifiait de sermons sexistes et a déniché une église hippie à Arlington, où le prêtre chantait ses prêches en s'accompagnant à la guitare acoustique. Je me souviens qu'il y avait beaucoup de chansons extraites de la comédie musicale *Godspell*. Je préférais nettement ce genre d'office, mais j'étais malheureux de ne plus voir Sophia. Je crois que mon père en a été franchement soulagé. Il trouvait mon attachement un peu étrange. Le jour où j'ai fait toute une comédie pour qu'on me trouve son numéro de téléphone, je n'ai pas reçu beaucoup d'aide de la part des adultes. Je l'appelais toujours Sophia et, lorsqu'il a fallu chercher ses coordonnées dans le gros annuaire, je me suis aperçu que je ne connaissais pas son nom.

À l'âge de neuf ans, j'ai pris l'autobus pour notre ancienne église, mais elle n'y était pas. Je m'y suis rendu tous les dimanches pendant deux mois, mais elle ne fréquentait plus cette paroisse. Je ne l'ai pas revue avant l'année 1985, quand j'avais dix-sept ans.

Joseph, mon grand-père maternel, resté en Alabama, était mourant. Molly, ma mère, a alors décidé de le placer dans un hospice, à côté de chez nous. Elle avait déjà perdu sa mère d'une crise cardiaque et voulait être près de son père. J'allais lui rendre visite avec elle. J'étais aussi bouleversé par mes propres sentiments envers lui que par ceux de ma mère à son égard. Son chagrin était palpable dans toutes les pièces de la maison. Je me rappelle m'être dit : «C'est bon. Ce n'est pas trop grave. Tu en auras bientôt un autre.» Et pourtant, j'avais beau me le répéter à longueur de temps, ça ne me paraissait pas tout à fait juste. Avec mes innombrables vies et mon immense érudition, je voulais croire que j'en savais plus long que Molly. Mais c'était faux. Je ne connaissais rien à l'amour, comparé à Molly.

Je songeais souvent à Laura, du terrain de jeux de Géorgie, qui aux yeux de sa mère passait pour une petite fille normale. Cela m'a attristé, sans que j'en détermine la cause. Je n'avais jamais vraiment pensé jouer un rôle dans la vie de quelqu'un d'autre. J'étais beaucoup plus intéressé par mon propre rôle; les autres se contentaient de faire de la figuration chacun leur tour. Parce qu'ils oubliaient et que moi je me souvenais. C'était ainsi que je considérais les choses. Ils ne tarderaient pas à disparaître tandis que je perdurerais. Le mieux que je pouvais faire, c'était de m'accrocher à eux après qu'ils avaient oublié jusqu'à leur existence.

Non que je n'aie pas fait mon devoir; je l'ai fait. Je me suis assuré que toutes mes mères, sauf celles qui m'avaient abandonné ou qui étaient mortes quand j'étais en bas âge, aient de quoi vivre et un minimum de confort. Je me suis assuré que quelqu'un s'occupe d'elles quand elles étaient malades ou âgées. L'argent que j'avais amassé, je l'ai employé essentiellement pour elles. Je n'y pensais pas plus que ça. Dans une vie comme la mienne, on a de nombreuses mères, et on en perd aussi un grand nombre. On n'apprécie peut-être pas à sa juste valeur ce qu'on possède, mais on souffre de ce qu'on perd. Après quelques pertes douloureuses, j'ai appris à mieux les supporter. «Une de perdue, dix de retrouvées», avais-je coutume de me dire.

Mais j'ai mesuré au chagrin de ma mère combien elle était attachée à son père. Elle ne l'aimait pas parce qu'il était simplement son père, non, c'est l'être qu'elle aimait. Elle aimait la tendresse qu'il lui avait manifestée, les moments qu'ils avaient passés ensemble. Il n'y avait rien d'abstrait dans la façon dont elle l'aimait ou dont elle nous aimait tous. «Tu en auras une nouvelle», me rassurais-je, mais je savais au fond de moi que c'était impossible.

La deuxième fois que je me suis rendu à l'hospice pour voir Joseph, j'ai jeté par inadvertance un coup d'œil dans une chambre en passant et j'ai aperçu une dame fort diminuée assise dans son lit. J'ai dû faire encore une vingtaine de pas avant de réaliser que je la connaissais. J'ai donc fait demi-tour et je l'ai observée depuis le seuil. C'était Sophia. Je ne l'avais jamais vue dans cet état. Elle était la même qu'à l'ancienne église, mais plus âgée et bien malade. Après avoir pris congé de mon grand-père, je suis retourné dans sa chambre.

Je suis resté un moment à son chevet. Je lui ai pris la main. Elle a ouvert les yeux et m'a regardé. Ils étaient chassieux et vides. Je savais que c'était les yeux de Constance et de Sophia, mais je me suis refusé à les considérer ainsi. J'étais le témoin impuissant d'un immense chagrin et ne savais comment le soulager. J'avais l'étrange impression de m'élever dans les airs ; tout, en dessous, rapetissait et je ne voyais plus que l'ensemble au lieu d'en distinguer les petits éléments déroutants.

«Cela ne va pas durer. Tu seras de nouveau jeune et bien portante», lui répétais-je inlassablement dans ma tête. Et je ne le faisais pas pour elle, mais pour moi.

Je suis encore allé la voir deux fois. Je suis resté auprès d'elle et lui ai raconté toutes sortes de choses. Je crois que j'ai dû parler en permanence, mais elle avait l'air contente que je sois là. Une aide-soignante grincheuse m'a dit qu'elle demandait tous les jours, et même plusieurs fois par jour, si j'allais venir. Elle n'avait, paraît-il, ni enfants ni petits-enfants. J'étais pratiquement la seule personne à lui rendre visite.

Un jour où elle semblait plus éveillée et présente, elle m'a fixé d'un air particulier.

– Te souviens-tu de moi ? lui ai-je demandé.

Elle m'a regardé attentivement.

– Je me souviens de quelqu'un qui portait ton nom.

– Ah, oui ?

– Il y a très longtemps.

– Quelqu'un que tu connaissais ?

– Pas vraiment, non. C'était quelqu'un que j'attendais. Ma mère ne cessait de me dire que j'étais bête, et elle avait raison.

– Que veux-tu dire ?

– Quand j'étais jeune fille, je vivais à Kansas City, avant la mort de mon père et notre déménagement dans l'Est. Je m'amusais bien là-bas. Il y avait des fêtes, des projets. J'étais d'un tempérament romantique, mais ma mère disait que je préférais mes rêves à n'importe quel garçon en chair et en os. Et ça l'a beaucoup déçue de ma part.

Je prenais à présent toute la mesure de sa solitude, qui n'était pas seulement due à la vieillesse, et de ce qu'elle était devenue. Durant toutes ces années où j'avais tenté de retrouver Constance, l'imaginant en train de vieillir de l'autre côté de l'océan, elle grandissait comme moi, à quelque deux cents kilomètres. J'ai repensé à Rapido, le pigeon. Je ne pouvais pas la retrouver puisqu'elle était morte.

Je n'avais pas pris la mesure de toute cette tragédie. J'étais adolescent, aussi égoïste qu'un gamin de deux ans, et on ne pouvait rien y faire. J'avais toujours souhaité qu'elle me revienne, et elle l'avait fait. Du moins, avait-elle essayé. Je l'attendais alors qu'elle était tout près et qu'elle m'attendait aussi. À sa façon, elle se souvenait.

Sophia a posé sur moi son regard de vieille femme et j'ai détourné la tête. Elle n'avait pas idée de tout ce que nous avions perdu.

– Il t'attendait aussi.

Je l'avais déçue.

– J'ai toujours été bête.

Je suis resté auprès d'elle le plus longtemps possible, ressassant mes pensées. Je suis resté jusqu'à ce qu'on me mette à la porte, peu après dix heures du soir.

Je suis revenu le lendemain matin et lui ai parlé du temps jadis. Je gardais sa main dans la mienne pendant des heures et lui racontais notre expédition dans le désert. Je lui racontais aussi la Première Guerre mondiale, son manoir de Hastonbury, comment il avait été transformé en hôpital et la façon dont elle m'y avait soigné. Je l'appelais Sophia et lui disais que je l'aimais. Que je l'avais toujours aimée. Elle s'était endormie, mais j'avais besoin de le lui dire. J'avais peur de la perdre définitivement cette fois.

À la fin de la troisième visite, j'avais pris ma décision.

– Ne t'inquiète pas, lui ai-je dit. Je t'accompagne. Nous reviendrons ensemble.

C'était ce qu'elle avait voulu faire à l'époque de Hastonbury, quand elle était Constance et que j'avais refusé. Cette fois, nous le ferions tous les deux. Cette fois, c'était sa vie qui s'achevait et la mienne qui était neuve et pleine de promesses. J'étais celui qui pouvait voir plus loin. Les choses étaient donc plus faciles.

– C'est l'occasion ou jamais, lui ai-je affirmé.

J'étais ennuyé de quitter cette vie-là. J'étais surtout ennuyé pour ma mère, Molly. Elle allait perdre son père et son fils en l'espace de quelque temps, et je savais – du moins je l'aurais su si j'y avais un tant soit peu réfléchi – que ce serait une catastrophe pour elle. Mais j'avais une technique qui me permettait de supporter les pertes, et elle ne nécessitait pas trop de réflexion.

J'aurais aimé pouvoir dire à Molly que c'était ce que je désirais et que je reviendrais bientôt. J'aurais aimé qu'elle sache que tout allait bien. Mais une autre petite voix me chuchotait à l'oreille : «Elle ne veut pas te perdre, non, tout ne va pas bien.»

Je savais au fond de moi ce qu'il en était, mais j'ai réussi à passer outre. J'étais jeune et bête, et terriblement pressé de retrouver Sophia. Qu'aurais-je pu faire d'autre? C'est fou le nombre de choses que l'on considère comme allant de soi.

Une grande part de moi résistait à l'amour de Molly. J'ai même eu le front de penser que j'y étais parvenu. C'était suffisamment difficile de s'accrocher à une seule personne d'une vie à l'autre. C'était suffisamment difficile de voir la personne que vous aimiez vous oublier d'une vie à l'autre. Peut-être Ben était-il capable de se raccrocher à l'amour d'un nombre infini d'individus, mais moi j'avais déjà du mal avec un seul.

Je me suis rendu dans un endroit sordide du quartier un soir d'hiver, peu avant mon dix-huitième anniversaire. Je ne repense pas très souvent à cette soirée, mais plutôt à ce qui s'est passé la veille. C'était la première fois depuis très longtemps que je réfléchissais à ce que pouvait éprouver une mère pour tenter de lui faire mes adieux. Je ne chercherai pas à décrire tout ce qu'elle m'a dit ni tout ce que j'ai ressenti. Ainsi que l'a écrit Whitman, « ils dépassent ma capacité à les décrire ».

Je ne suis pas très doué pour mener des vies constructives, mais je fais en sorte que mes morts le soient, dans la mesure du possible. Je m'arrange pour qu'elles servent d'une certaine manière à quelqu'un ou à une cause mais, cette fois-là, j'étais trop jeune et trop impatient pour trouver une idée, à part celle de semer la pagaille parmi les drogués.

Je me suis donc rendu dans cette boîte près de D. Street, je crois que c'était à côté du 9:30 Club, où j'allais de temps en temps écouter de la musique. Je me suis retrouvé dans une piaule au fond d'une impasse fréquentée par les drogués. Pas les joyeux petits fumeurs d'herbe, mais les consommateurs de drogues dures. J'avais apporté assez d'argent pour faire impression. Virgil, une toxico en manque d'une trentaine d'années, aux bras qui en disaient long sur son addiction, était là. Je lui ai promis de lui payer sa dose si elle me trouvait ce qu'il y avait de mieux et de plus costaud sur le marché. Elle a dû croire que je savais ce que je faisais, et je ne l'ai pas démentie. Puis il y a eu sa seringue, sa précipitation, ses doigts qui ont attaché l'élastique autour de mon bras.

C'était la première et la dernière fois que je prenais de l'héroïne. Je crois qu'en mourir n'était pas la meilleure façon de commencer à en prendre. Peut-être ai-je un peu tenté le diable. Ce n'était pas véritablement un suicide, mais j'en étais aussi près que possible. C'était de la triche, une façon de l'éviter techniquement. J'espérais que mon seul désir irrésistible de rejoindre Sophia suffirait à me faire revenir très vite, ce qui heureusement a été le cas. Ce n'était pas la mort que j'appelais de mes vœux. C'était très clair pour moi au moment de mourir : je voulais vivre à tout prix.

Mais quand la nature vous fait un véritable cadeau, il existe un châtiment pour ceux qui le refusent. Je suis en effet revenu très vite à la vie mais, si vous croyez en ces choses, vous comprendrez pourquoi j'ai reçu cette autre mère en échange.

Centre commercial de Tysons Corner, Virginie, 2001

Ma mère suivante était toxicomane. Manifestement, je l'étais moi aussi en venant au monde. Ça se tenait. Elle était probablement la variante moderne d'un personnage désespéré que j'avais connu dans une vie antérieure, mais j'étais trop jeune pour l'identifier quand elle est morte, puisque je n'avais pas trois ans. On m'a retrouvé seul dans l'appartement d'une voisine. Je crois que je devais y être depuis deux jours et je me souviens que j'avais très peur. Quand on n'a que trois ans, on a plus de mal à avoir une vision d'ensemble.

J'ai été recueilli à l'assistance publique pendant un mois avant d'être placé dans une famille d'accueil. Je me revois la veille de mon placement demandant à l'assistante sociale :

– Quand est-ce que je vais voir ma maman ?

J'ai donc été placé dans une famille qui habitait près de Shepherdstown, Virginie-Occidentale. Ils avaient deux enfants à eux et deux autres placés. Ils passaient leur temps devant la télévision, dans cette maison et les deux parents fumaient toute la journée. Cette époque est indissociablement liée à l'odeur de deux cigarettes en train de se consumer, et j'en ai la nausée rien que d'y repenser.

Je ne me rappelle pas que l'on ait dîné une seule fois à table. Je ne me rappelle pas un seul repas sans la télé allumée. L'un des enfants placés, Trevor, était violent et fugueur, de sorte que je restais souvent seul dans mon coin, sauf quand je me trouvais dans le passage au beau milieu d'une grave tourmente, ce qui m'est arrivé quelquefois et que j'ai payé très cher.

C'était étrange d'enchaîner ainsi deux enfances si différentes. Mon affection pour mon ancienne famille et la douleur d'en être privé étaient étroitement liées, et c'était beaucoup plus pénible à supporter que d'avoir à vivre dans cette nouvelle famille. Avec eux, au moins, je n'étais pas forcé d'aimer quiconque ni d'être leur obligé. Ils n'étaient pas assez gentils pour exiger quoi que ce soit de ma part en retour et je me suis efforcé de ne pas répondre à leur méchanceté. J'étais donc dépourvu d'affection, vivant dans mon monde et me débrouillant tout seul. Je ne crois pas les avoir beaucoup dérangés. J'ai jeté un coup d'œil à mon dossier plus tard, lors de l'un de mes entretiens périodiques avec l'assistante sociale, quand j'avais une quinzaine d'années. «Trouble de l'attachement», voilà ce qui était écrit dessus en gros caractères.

Il m'arrivait le soir d'écouter assez fort dans mon lit des retransmissions sportives à la radio, et j'entendais encore les parents se disputer. Alors je songeais à Molly et à ma famille d'avant, et me demandais ce qu'ils pouvaient bien faire en ce moment. Parfois, quand ils me manquaient trop, je me faisais des reproches : «Qu'ai-je donc fait ?» Mais, avec l'âge, le besoin d'une mère se faisant moins sentir, j'ai recommencé à penser à Sophia. C'est ça qui m'a permis d'aller de l'avant.

J'étais maladroit dans ce corps qui grandissait et grossissait plus vite que mes autres corps. Je n'étais ni rapide ni particulièrement coordonné, comme par le passé, mais j'étais fort. Le père faisait à peine un mètre soixante-dix et j'étais nettement plus grand que lui.

Je passais mon temps à sculpter des animaux dans des morceaux de bois, à lire des livres à la bibliothèque et à échafauder des plans pour retrouver Sophia. Je m'arrangeais pour cacher la plupart de mes petites sculptures, mais la mère me surprit un jour où je mettais la dernière touche à une oie. Elle l'a examinée sous toutes les coutures.

– À mon avis, elle pourrait être exposée dans un musée, a-t-elle déclaré, ce qui pour elle n'était pas forcément un compliment.

Nous fréquentions une école passablement sinistre, mais j'avais quelques bons profs. Comme j'avais manifestement certaines facilités, un éducateur au grand cœur s'est mis en tête que j'étais «surdoué». On m'a fait asseoir tout seul dans une salle de classe pendant que les autres étaient en récréation, et fait faire des tests standards où l'on doit remplir des cases. Je me souviens d'avoir répondu à une question sur deux.

Je savais depuis longtemps qu'il était très risqué de se faire remarquer. Il y a eu la fois catastrophique où mes parents ont voulu tester mon Q.I. Ç'a été une bonne leçon. Inutile de dire qu'il fallait des capacités mentales considérables et hors du commun pour se rappeler un millier d'années d'événements sans grand intérêt.

Dès que j'ai été en âge de le faire, je suis parti à la recherche de Sophia. Je disposais cette fois de quelques éléments. Je savais qu'elle avait dû mourir à la fin de l'année 1985 ou au début de 1986, et je l'avais vue et lui avais parlé dans son hospice si peu de temps avant sa mort que j'avais bon espoir de lui avoir instillé quelques idées susceptibles de laisser des traces dans son subconscient. Je sentais, presque instinctivement, qu'elle ne tarderait pas à réapparaître dans les environs. Ça lui était déjà arrivé, et je faisais des vœux pour que ça se renouvelle.

Mon premier coup de chance est survenu un après-midi au centre commercial de Tysons Corner quand j'avais quinze ans. J'ai aperçu la fille, qui aujourd'hui s'appelle Marnie, en train de se faire photographier dans une de ces cabines en voie de disparition,

263

juste à l'entrée du centre. Évidemment, j'ignorais alors qu'elle s'appelait Marnie. Je l'avais croisée à l'époque où elle fréquentait l'église de Fairfax au début des années soixante-dix et je l'ai reconnue grâce à ses sourcils en accent circonflexe. Elle avait le genre de regard qui faisait peur tout en cherchant à rassurer. C'était alors la femme assise à côté de Sophia : sa mère. Elle avait dû vivre aussi longtemps que sa fille. Elles avaient été proches, c'était évident, et la nature de leurs relations me laissait fortement augurer qu'elles réapparaîtraient ensemble et toujours aussi intimes.

« Tu ne devrais pas chercher à tout contrôler », m'avait mis en garde Ben. Je me suis rappelé ses paroles tout en décidant de suivre Marnie. Elle est sortie du centre commercial pour se rendre dans un immeuble occupé par de nombreux cabinets de médecins et de dentistes, où elle a retrouvé sa mère avant de descendre avec elle dans un parking souterrain. Elles sont montées toutes les deux dans une voiture et sont parties. J'ai pu relever le numéro d'immatriculation, et c'est ainsi que je me suis retrouvé à Hopewood, Virginie.

C'est le samedi suivant que j'ai revu Sophia sous sa toute dernière apparence. C'était une journée mémorable. J'étais très tendu pendant tout le trajet en autocar jusqu'à Hopewood. On ne sait jamais qui on va trouver à l'arrivée, ni si on va trouver quelqu'un. Je me suis donc rendu à l'adresse de Marnie dans la matinée et j'ai fait les cent pas sur le trottoir, sans savoir ce qui m'attendait. Puis je l'ai vue. Elle avançait dans ma direction. C'était assez fou. Je ne peux pas décrire l'état dans lequel j'étais. C'était une superbe journée de printemps, et le soleil chatoyait dans ses cheveux blonds qui se soulevaient gracieusement à chacun de ses pas. Elle portait un short fait dans un pantalon coupé, des tongs et un T-shirt vert. Elle semblait si jeune et fraîche, alors que je l'avais vue si vieille et à l'article de la mort sur son lit d'hôpital. Elle avait de longues jambes fuselées et bronzées, et maigrichonnes comme celles des petites filles.

C'est un souvenir de ma vie actuelle, comme tout le monde peut en avoir, mais je l'ai déjà rangé parmi les meilleurs. Quand j'y repense, je la revois s'avancer vers moi au ralenti, avec en fond sonore toujours la même chanson : *Here comes the sun*.

Il y avait tant de détails familiers que j'ai retrouvés en elle : la façon dont elle penchait la tête en riant; ses mains sèches et nerveuses; le creux de ses coudes, le bout de son oreille pointant à travers ses longs cheveux; la petite tache de rousseur sur le menton.

Je me souviens parfaitement de ce que j'ai pensé sur le moment : «C'est le début de quelque chose de formidable. Notre heure est arrivée.»

J'étais absolument anéanti par cette rencontre imprévue et, malgré ma joie de la voir, je n'osais pas lui parler de peur de me montrer maladroit dès le départ. J'étais de nouveau un inconnu pour elle. J'aurais plus de mal à l'aborder, elle risquerait de se méfier... Elle était trop jolie pour que je ne fasse pas particulièrement attention à mon comportement. Je menais alors une vie presque totalement dépourvue d'amour, et ne savais plus comment il fallait s'y prendre. Serais-je capable de m'en faire aimer de nouveau?

Mais je nourrissais un optimisme à tout crin. Elle était jeune, et moi aussi. Je savais à quoi elle ressemblait aujourd'hui; je savais où elle habitait; elle était réapparue dans mon «réseau» et elle n'était mariée ni avec mon frère ni avec quelqu'un d'autre. Je la tenais enfin, la vie que nous allions pouvoir partager, du moins l'espérais-je, si toutefois je ne commettais pas d'imprudence.

Sophia a tourné soudain dans l'allée de Marnie et je suis resté planté sur le trottoir, comme un imbécile. Marnie a ouvert la porte et je l'ai entendue lui demander :

– Hé, c'est qui ce mec?

– Quel mec?

– Là, en face.

Avant qu'elle n'ait eu le temps de se retourner, j'avais fait demi-tour.

— Aucune idée.

— Dommage, il était très mignon...

Mon cœur a explosé de joie à l'idée d'être enfin quelque chose : j'étais ravi d'être mignon, car dans mes deux vies précédentes j'étais plutôt laid.

Mais je savais que je devais me montrer prudent. Cette vie était celle pour laquelle j'avais tout sacrifié et je ne voulais pas la rater. J'étais tellement habitué à faire table rase d'une vie sur l'autre, sorte de touche « bis », ou même retour à la case départ, pour effacer toutes les grosses erreurs que j'avais commises. Mais, dans cette vie, Sophia aurait une aussi bonne mémoire que moi. Il n'y avait pas de retour à la case départ. L'ensemble de l'entreprise me paraissait fragile, et je doutais terriblement de moi-même. Je ne tenais pas à ce qu'elle me prenne pour un dingue ou un obsédé. Avec le recul, je regrette de ne pas m'être davantage écouté.

Je suis allé la guetter encore deux fois à Hopewood au cours des deux années suivantes, sans avoir le courage de lui parler. La première, elle plantait des suzanne-aux-yeux-noirs dans la plate-bande devant chez elle. La seconde, elle était avec sa sœur Dana dans un *coffee shop* de Coe Street. Je me rappelle avoir été frappé par le contraste entre elle et sa sœur : l'enthousiasme réfléchi de Lucy et l'excitation instinctive de sa sœur. Dana m'était familière, probablement d'une vie antérieure, mais aussi parce qu'elle avait cet air hagard des âmes profondément agitées. Elle faisait partie de ces êtres qui transportent leur tourment, leur désordre, d'une vie à l'autre, dévastant tout sur leur passage. Je suis certain qu'elle a fait souffrir les gens qui l'aimaient, les obligeant à se demander où ils avaient fait fausse route alors que, dans un sens comme dans l'autre, ils n'auraient rien pu changer à son destin.

J'ai attendu d'avoir dix-sept ans pour passer à l'action. Je ne voulais pas que mon départ de Shepherdstown fasse trop de vagues. Je m'inquiétais d'ailleurs beaucoup plus pour les migraines que cela donnerait à mon assistante sociale que pour ma famille d'accueil qui s'apercevrait à peine de mon absence. Je suis donc parti m'installer à Hopewood, où j'ai loué un petit studio au-dessus d'un restaurant indien, et je suis entré au lycée dans la classe de terminale de Sophia.

HOPEWOOD, VIRGINIE, 2008

Après avoir obtenu son diplôme universitaire, Lucy prit dès le lendemain un bus pour Hopewood, avec ses deux sacs, un philodendron informe et Passe-Partout dans son ridicule terrarium en verre. Elle avait expédié le reste de ses affaires dans des cartons. Elle retournait chez elle sans trop savoir ce qu'elle allait faire dans un futur proche, à part préparer des jus de fruits super diététiques ou vendre de la lingerie chez Victoria's Secret. C'est alors qu'il se passa quelque chose d'étrange. Pendant douze nuits consécutives, elle rêva d'un jardin.

La première nuit où elle en eut conscience, ce n'était pas un jardin où elle était déjà allée, mais il lui était néanmoins familier, et d'un réalisme tel qu'elle ne se serait pas crue dans un rêve. La deuxième nuit, elle s'y trouvait de nouveau. Elle reconnut parfaitement les détails de la veille : la fontaine, le muret de pierre, les superbes massifs de pivoines roses, fuchsia et blanches. Et surtout, elle sentit leur parfum. Elle ne se rappelait pas avoir déjà senti quoi que ce soit en rêve, mais ce parfum-là s'insinua par tous les pores de sa peau.

La nuit suivante, elle éprouva une grande joie à se retrouver pour la troisième fois dans ce jardin. C'était exactement le même endroit, avec son charme singulier mais, cette fois, elle décida de s'aventurer plus avant. Elle passa sous une pergola croulant sous une clématite rouge flamboyant et pénétra dans un jardin plus petit entouré d'un muret. Il était envahi de cornouillers roses et peuplé d'un million de papillons qui bougeaient lentement leurs ailes au milieu des marguerites, des gueules-de-loup, des zinnias et des cosmos. Ces papillons, de toutes les couleurs, de toutes les formes et de toutes les tailles, restaient perchés en un étrange équilibre instable et suspendu. Quand brusquement ils s'envolèrent tous en même temps. Ils tournoyèrent autour de sa tête, et l'idée de les avoir dérangés l'affola. Puis la spirale virevoltante se densifia et ralentit son rythme jusqu'à ce que la jeune fille en devînt le centre. Au moment où elle cligna des yeux, tous les papillons s'égaillèrent et revinrent se poser délicatement sur les fleurs.

La quatrième nuit, elle s'y enfonça plus avant encore. La cinquième nuit, elle était si impatiente de commencer à rêver qu'elle se mit au lit à neuf heures du soir. Il faisait encore un peu jour. Elle ne s'était pas couchée aussi tôt depuis qu'elle avait été opérée des amygdales, en sixième.

Elle était heureuse dans ce jardin, plus heureuse qu'elle ne l'avait jamais été depuis sa tendre enfance, bien avant que les ennuis ne commencent avec Dana. Elle ressentait une sorte d'émerveillement qui lui évoqua, dans son sommeil, très mystérieusement, profondément et inexplicablement, les joies que l'on pouvait éprouver à être un enfant. Tous les soirs, elle se couchait impatiente de s'endormir, redoutant de ne pas rejoindre le jardin, suppliant sa conscience éveillée de l'y emmener, et toutes les nuits elle y retournait. Elle aurait aimé échanger ses jours contre ses nuits, la réalité contre les rêves. Avait-on le droit de passer de l'autre côté ?

Elle n'avait jamais autant dormi de sa vie. Ce qui ne l'empêchait pas de bâiller à longueur de journée dans son magasin de produits diététiques et de bâiller encore pendant le dîner, toujours aussi impatiente de regagner son lit et son jardin.

La sixième nuit, elle rêva qu'elle traversait un pont miniature au-dessus d'un petit ruisseau et elle explora une nouvelle parcelle du jardin. La plupart des plantes lui étaient étrangères, elles étaient aussi moins raffinées et plus épineuses, et les parfums, différents. Il n'avait pas le même charme que le précédent, mais l'atmosphère lui semblait magique. Certaines des plantes étaient si particulières qu'elle les étudia de près et, à peine réveillée, elle les dessina sur un petit carnet avant que le souvenir ne s'estompe. La nuit suivante, elle posa son carnet de croquis et ses crayons de couleur à côté de son lit et, une fois endormie et de nouveau dans ce secteur du jardin, elle observa d'autres fleurs attentivement, semblant savoir en rêve qu'elle les dessinerait dès son réveil. Elle chercha à se les rappeler autant que possible, se pénétrant de leur parfum et de la texture de leurs feuilles. Elle se réveilla tôt le lendemain matin et passa deux heures à dessiner avant d'aller travailler.

Ce soir-là, lorsqu'elle rentra du travail, elle sortit sa chère encyclopédie de la Société américaine de botanique et, le cœur battant, chercha parmi les plantes existantes celles qui s'apparentaient le plus à ses dessins. Cela lui prit un certain temps, mais elle en découvrit quelques-unes qui y ressemblaient en tous points. Elle s'aperçut qu'elles provenaient toutes du même chapitre de l'ouvrage consacré aux plantes médicinales : grande camomille, mouron blanc, rue-de-chèvre, actée bleue, immortelle. Ce nouvel espace était un jardin de simples.

La huitième nuit, elle y rencontra quelqu'un, du côté des papillons. Au début, elle crut qu'il s'agissait de Dana et s'en réjouit, mais elle ne tarda pas à s'apercevoir qu'elle ne ressemblait pas à sa sœur et en effet ce n'était pas elle. C'était une jeune femme d'une vingtaine d'années, brune avec des taches de rousseur et les yeux gris clair.

– Je vous ai déjà vue quelque part, lui dit Lucy dans son rêve.

– Oui, c'est exact, ma chérie.

À son réveil, Lucy resta encore un long moment dans son lit, à essayer de se remémorer les traits de cette femme qui lui était apparue en rêve. Elle était certaine de l'avoir déjà vue, mais où?

À peine levée, elle alla chercher dans son placard la monographie sur le manoir de Hastonbury qu'elle avait achetée à la boutique de souvenirs. Elle alla directement aux chapitres sur les jardins et examina les photos, incrédule. Il n'y avait rien d'étonnant à ce que ses rêves soient aussi précis : c'était le jardin de la mère de Constance. C'était le jardin où elle avait vécu quand elle était petite, deux vies plus tôt. Elle referma le livre. Elle ne voulait pas qu'il prenne tout de suite le pas sur ses rêves.

Elle passa le week-end à le dessiner et, une fois satisfaite du résultat, compara ses croquis aux photos de Hastonbury. Le jardin de ses rêves était beaucoup plus beau et plus travaillé que celui des photos de la monographie ou même de celles qu'elle trouva sur Internet, mais il correspondait en tous points aux différents documents. Mais ce fut la photo au verso du livre qui lui coupa le souffle. Elle l'avait déjà aperçue, mais sans vraiment la regarder. À présent, elle savait précisément qui y figurait : la femme dont elle avait rêvé au jardin. La mère de Constance, évidemment.

La douzième nuit, le rêve se modifia. Le jardin commença à perdre ses limites. Il s'étendit plus loin et dans de nouvelles directions. Elle emprunta une allée et se retrouva dans son propre jardinet, juste avant la maladie qui avait décimé les

framboisiers. De l'autre côté, elle se retrouva au village académique de l'université de Virginie, dans les jardins de Thomas
Jefferson, entourés de ses murs serpentins. Elle se dirigea d'un
autre côté encore et découvrit avec stupeur sa piscine avec les
fleurs qui poussaient jusqu'au bord, telle qu'elle l'avait imaginée et dessinée.

Le lendemain matin, sa décision était prise. Elle trouva le
dossier sur Internet et l'imprima. Elle passa la journée à le
remplir et y joignit les plus réussies de ses esquisses des jardins de Hastonbury réalisés d'après ses rêves et ses dessins des
plantes médicinales. Sur un coup de tête, elle ajouta les trois
croquis qu'elle préférait de son projet de piscine.

Le treizième jour, elle glissa le tout dans une grande enveloppe, l'apporta à la poste et l'envoya. Le quatorzième jour,
elle désherba son jardin.

Deux mois plus tard, en août, la veille de son départ définitif, Lucy rangeait ses affaires quand elle s'aperçut qu'elle ne
pouvait pas emporter le serpent de Dana en voyage. Si Passe-
Partout semblait destiné à vivre éternellement, ce n'était pas
son cas à elle. Sans se donner le temps de réfléchir à la question, elle le sortit de son bocal et le laissa s'enrouler autour de
son bras. Ils se regardèrent fixement.

– Dommage qu'on ne se soit pas mieux entendus tous les
deux. Ce n'est pas moi qui t'ai choisi...

Elle descendit l'escalier, traversa la cuisine et sortit par la
porte de derrière, laissant claquer la porte-moustiquaire sur
son passage. Elle traversa la cour et s'assit en tailleur dans
l'herbe devant son massif d'hortensias. Elle regarda une dernière fois Passe-Partout dans ses yeux de serpent. Elle avait
toujours pensé que les reptiles symbolisaient le mal et la
duplicité, et que Dana s'était acheté cet animal dans le seul
but d'embêter encore un peu plus ses parents. Mais, en admi-

rant la jolie petite tête triangulaire, elle revint sur son opinion. Elle songea à toutes ces mues abandonnées au fil des ans, ces doubles vidés de toute vie afin de renaître à l'infini. Peut-être était-ce ce qu'il représentait pour Dana.

– L'heure de la libération a sonné, annonça-t-elle avec solennité.

Elle le posa par terre pour voir ce qu'il allait faire. Il resta encore accroché quelques instants à son bras, puis il tendit courageusement la tête. Il se laissa glisser lentement, se déroulant centimètre par centimètre, la tête dressée et suspendue au-dessus de cet univers inconnu. Il finit par se laisser choir sur le sol et disparut prestement dans les hautes herbes du «dôme de plaisir» de Lucy.

CHARLOTTESVILLE, VIRGINIE, 2009

Ce que Lucy désirait voir arriver plus que tout au monde, qu'elle désespérait de voir arriver un jour, se produisit en fait peu après six heures du soir, un mardi du mois de janvier.

Elle était assise devant Campbell Hall, le bâtiment qui abritait le programme d'architecture de paysage, ainsi que le reste de l'école d'architecture, où elle venait de passer dix heures à l'atelier. Un peu étourdie par la faim, en grosse doudoune et bonnet de laine, elle prenait l'air et s'offrait une pause avant de retrouver le rythme du monde moderne.

Ce soir-là, Marnie et Leo, son amoureux, devaient préparer un repas chinois dans leur minuscule appartement, non loin du cimetière d'Oakwood. Marnie travaillait dans la journée chez Kinko's, une entreprise de transport de marchandises, tout en suivant des cours du soir dans une école préparatoire de droit. Lucy, elle, avait prévu de travailler à plein temps comme serveuse dans un bar, le Mudhouse, tout l'automne et le début de l'hiver. Elle avait reçu son dossier d'inscription à son master si tard que le responsable des admissions lui avait annoncé qu'elle devait attendre le mois de janvier pour commencer les cours. Mais comme une place s'était libérée, l'administration avait bien voulu faire une entorse au règlement et, à la grande joie de Lucy, l'avait autorisée à commencer en septembre. De sorte qu'elle ne travaillait que dix heures par semaine au Mudhouse, et s'endettait lentement et consciencieusement pour payer ses études. C'était Marnie et Lucy qui avaient loué l'appartement en août mais, depuis, Leo était devenu le troisième colocataire officieux et logé à l'œil. En attendant, il faisait bien la cuisine.

– Tu ne te sens pas un peu seule maintenant que Marnie a un copain ? s'était inquiétée sa mère quelques semaines auparavant.

– Non, pas vraiment. Je passe beaucoup de temps à l'atelier en ce moment.

En réalité, Lucy voyait bien que c'était sa mère qui se sentait un peu seule.

– Ne me dis pas que tu attends toujours Daniel ? lui avait reproché Marnie le samedi précédent, alors que Lucy refusait de les accompagner à une fête, Leo et elle.

– Non.

Marnie trouvait son amie d'une sagesse inquiétante et Lucy ne chercha pas à démentir. Elle ne pouvait pas lui avouer qu'elle avait couché quatre fois avec son frère Alexander au cours de l'été.

Lucy n'attendait plus Daniel. En tout cas, pas consciemment. Elle s'était résignée à accepter le fait que ce n'était pas elle qu'il était revenu chercher cette fois. Mais, dans ses rêves, il lui manquait terriblement. Dans ses rêves, elle pensait que leur histoire n'était pas terminée : elle marquait simplement une pause. «Je ne peux pas t'attendre indéfiniment», se surprenait-elle à songer certains matins, dans son lit, repensant à ses rêves en attendant que le réveil sonne.

Et, aujourd'hui, assise sur un banc, dans la pénombre de l'hiver, elle réfléchissait à tout cela lorsqu'un jeune homme vint vers elle.

– Tu es Lucy ?

Elle leva la tête, espérant le connaître. Il était bien habillé et rasé de près, tel un sportif à l'ancienne mode ou le membre d'un cercle d'étudiants.

– Oui.

Elle ne le connaissait pas. Il devait probablement être en cours avec elle, et elle ne tenait pas particulièrement à cultiver sa compagnie.

– Je suis Daniel, se présenta-t-il.

Le prénom la fit un peu sursauter, comme s'il avait été puisé dans ses propres songes.

– On se connaît?

Ce n'était peut-être pas la question la plus délicate et, si elle avait voulu faire preuve de tact, elle aurait tourné sa phrase autrement.

Il semblait un peu vouloir faire des mystères.

– Tu n'es peut-être pas au courant, mais oui, on se connaît.

Elle n'était pas d'humeur à badiner. En général, avec son bonnet marron enfoncé jusqu'aux oreilles et emmitouflée dans sa doudoune, l'occasion ne se présentait jamais.

– Ah, oui? Et comment est-ce possible? demanda-t-elle sans entrain ni curiosité, tout en ôtant une à une les petites peluches de ses gants de laine.

Peut-être était-il en cours avec elle l'année dernière. Peut-être était-ce un ami d'ami qui l'avait poussé à lui parler parce que les copains de Lucy trouvaient qu'elle ne sortait pas assez.

Il se pencha davantage vers elle, comme s'il cherchait à l'obliger à le regarder.

– Je sais que je ne ressemble plus à ce que j'étais. Je sais que je vais avoir du mal à te convaincre, mais je suis Daniel. Le Daniel que tu as connu.

Cette fois, elle le regarda.

– Qu'est-ce que tu racontes?

– Je t'ai connue au lycée. Mais je te connaissais déjà bien avant.

Elle se leva, à la fois hésitante et comme électrisée.

– Je ne comprends pas.

– Je suis Daniel Grey, de Hopewood.

Elle tenait à peine debout.

– Tu veux dire que tu es Daniel Grey ?

– J'ai changé, oui. Mais c'est bien moi.

Elle le fixa, cherchant à capter son regard.

– Comment est-ce possible ?

– Tu veux bien qu'on marche un peu ?

Il s'éloigna de quelques pas et elle le suivit. Elle ne se sentait pas bien, la tête lui tournait, tout semblait vaciller autour d'elle. Elle frissonnait et en même temps avait trop chaud dans sa doudoune. Il marchait à longues enjambées et elle dut accélérer le rythme pour se maintenir à sa hauteur.

– J'ignore ce que tu sais précisément de moi, dit-il en regardant droit devant lui.

Elle fixait son profil. Était-ce une mauvaise plaisanterie ? Ce ne pouvait être « son » Daniel. Elle avait un peu l'impression qu'à force d'avoir désiré aussi intensément sa présence, il s'était matérialisé, qu'il soit ou non le véritable Daniel.

– Je crois que je ne sais rien du tout, répliqua-t-elle, réalisant aussitôt que ce n'était pas vrai. Je veux dire, je sais peut-être une ou deux petites choses.

Elle pressa le pas. Et si c'était véritablement lui ? C'était envisageable… Elle rata un trottoir et mouilla le bas de son pantalon dans la neige fondue.

– J'ai entendu parler de Constance, dit-elle précipitamment. J'ai entendu parler de Sophia.

Toutes ses défenses étaient tombées, et ça lui était bien égal. Peu lui importait à présent qu'il la prenne ou non pour une folle.

– Donc tu en sais déjà pas mal, rétorqua-t-il d'un ton plus sec, différent de celui auquel elle aurait pu s'attendre.

Elle aurait aimé le regarder dans les yeux à cet instant. Comment ce pouvait-il être lui ? Et si ce n'était pas lui, à quoi jouait ce garçon ? Elle était prête à admettre que des gens puissent revenir sur terre dans des enveloppes corporelles différentes, mais là elle ne comprenait plus rien.

– Je ne te comprends pas. Je ne comprends pas comment tu peux être Daniel. Si tu étais bien mort en sautant du pont il y a trois ans et demi, tu devrais être un petit garçon aujourd'hui, non ?

Dans ses fantasmes de retrouvailles avec Daniel, elle s'était imaginée courant vers lui, se jetant dans ses bras, restant serrée contre lui pendant des heures et lui racontant tout ce qu'elle avait appris et pensé depuis la dernière fois qu'ils s'étaient vus. Mais ce n'était pas ainsi que les choses se passaient.

– Tu ne comprends pas et moi je ne peux pas tout t'expliquer. Il y a des mystères que personne ne comprend. Mais, quand on est comme moi, on n'a pas besoin de grandir à chaque fois. Dans quelques cas très rares, on peut… récupérer un corps qui a été abandonné.

– Qu'est-ce que ça signifie ?

Elle se trouvait dans une dimension de l'univers de plus en plus vertigineuse, mais au moins elle n'était plus obligée de faire les questions et les réponses.

– Récupérer le corps de quelqu'un d'autre ? Pourquoi voudrait-on abandonner son propre corps ?

– En général, il ne s'agit pas d'un choix. Mais, parfois, c'en est un. Certaines personnes abandonnent leur corps en mourant.

– Mais si elles meurent, c'est parce que ce corps ne fonctionne plus, non ?

– Oui, la plupart du temps. Mais parfois les gens... Comment dire les choses simplement ? Les gens disparaissent avant l'heure. Ils prennent peur et ils s'éclipsent. C'est tentant.

– Pourquoi est-ce tentant ?

– Parce que quand on souffre, il vaut mieux disparaître.

Lucy essaya d'être à l'écoute de ses propres impressions mais, hormis les battements affolés de son cœur sous le choc, elle en était incapable.

– Et quelqu'un prend le relais ?

– Le moment opportun est extrêmement fugace et il faut que le corps soit récupérable, évidemment.

Elle se demanda vaguement quelle serait la réaction d'un passant qui surprendrait leur conversation. Ils marchaient trop vite pour qu'on en entende suffisamment et, par ailleurs, elle était trop tendue et dépassée par les événements pour s'en soucier véritablement. Mais de quoi parlaient-ils au juste ? Comment pouvait-elle seulement accepter cette discussion et comment ne pas l'accepter ? Avait-elle perdu tout espoir de voir le monde tourner rond ?

– Mais que se passe-t-il après ? S'ils veulent retrouver leur propre corps ?

– Ça n'arrive jamais, lui répondit-il d'un air et d'un ton autoritaires dont elle n'avait pas souvenir chez le Daniel qu'elle avait connu. Je me contente de prendre ce dont on ne veut plus.

Il posa un instant sa main nue sur celle de Lucy, gantée.

– Et l'âme qui résidait dans ce corps suit son destin, quel qu'il soit.

– Elle réintègre ensuite un autre corps ? demanda-t-elle.

Il se frotta les mains l'une contre l'autre pour les réchauffer.

– Le plus souvent, oui. C'est ce qui se passe pour la plupart des gens.

Elle eut soudain envie de partir en courant, et s'en voulut d'une telle réaction. Elle avait tant de doutes; elle avait le chic pour tout gâcher. Après ce qu'elle avait appris, ne pouvait-elle essayer de le croire? Le simple fait qu'elle tienne une telle conversation signifiait qu'elle avait bien affaire à Daniel. Qui d'autre que lui pouvait être au courant de ce genre de phénomènes?

– Donc, en quelque sorte... tu as simplement... pris place dans ce corps qui est aujourd'hui le tien. Il y avait donc quelqu'un d'autre avant toi, là-dedans?

– C'est difficile à concevoir, je sais. Il y a tant de choses que les gens ignorent au sujet de la naissance, de la mort et de tout ce qui se trouve entre les deux. Mais tu commences à comprendre, non?

Elle marcha dans une flaque et sentit à peine l'eau glacée tremper ses chaussettes.

– Je crois.

Il s'arrêta et tendit les mains. Réalisant que c'était à elle que ce geste s'adressait, elle lui tendit maladroitement les siennes qu'il serra de toutes ses forces.

– Lucy...

Elle hocha la tête. Elle sentait derrière ses paupières des torrents de larmes qui ne demandaient qu'à jaillir, sans qu'elle en comprît bien la cause, et elle avait d'autant plus de mal à le regarder.

– Je suis heureux de te revoir. Et toi, tu es contente?

Toutes ces choses qu'elle avait imaginé lui dire ces derniers temps, elle était incapable de les prononcer avant d'être certaine qu'il s'agissait bien de Daniel, et cela, elle n'en était pas encore complètement convaincue.

– Je n'arrive pas encore à croire que tu es Daniel, avoua-t-elle en essayant de le regarder dans les yeux, alors qu'il était occupé à lui ôter ses gants. Es-tu vraiment Daniel?

– Je suis vraiment Daniel.

Elle hocha de nouveau la tête. Elle avait le choix : le croire ou ne pas le croire. Si elle ne le croyait pas alors que c'était bien lui, ce qui semblait presque sûr, elle aurait encore raté sa chance. Et elle ne voulait pas passer à côté de nouveau.

– Je suis désolée pour la dernière fois, dit-elle précipitamment. Je suis désolée de ne pas avoir fait d'efforts pour comprendre.

Quelques petites larmes perlèrent au bord de ses paupières.

– Je ne te le reproche pas. Personne n'arrive à y croire. Et c'est peut-être mieux ainsi.

– Mais je regrette de ne pas avoir au moins essayé.

– D'accord. Je sais, répondit-il en baissant la tête. Parmi les choses qu'on a faites dans le passé, il y en a toujours qu'on regrette.

Son expression l'étonna ; elle ne s'y attendait pas. Mais à quoi au juste s'était-elle attendue ? Pourquoi s'obligeait-elle à croire qu'elle le connaissait ou qu'elle avait des raisons d'en attendre ou d'en penser quoi que ce soit ? Elle ne le connaissait pas à l'époque et elle ne le connaissait pas plus maintenant. Sa seule relation avec lui, ainsi que l'avait dit Marnie, était celle qu'elle entretenait dans son imagination. Et voilà qu'elle cherchait à le faire correspondre à sa propre vision !

– Mais nous avons l'opportunité de remettre les compteurs à zéro, reprit-il.

Elle le fixa d'un air incrédule. On aurait dit qu'il avait deviné sa lutte intérieure. Le problème n'était pas tant la différence entre cet homme et le Daniel d'avant qu'entre Daniel et sa propre imagination. Certes, ce Daniel-là ne ressemblerait pas à celui avec lequel elle avait passé tant de moments dans l'intimité de son cœur. C'était à la réalité qu'il incombait de vous indiquer l'étendue de vos illusions. Cela lui fit penser à la compagnie d'électricité, la fois où les employés n'avaient pas pu accéder au compteur. Ils avaient envoyé des factures d'après estimation pendant huit mois d'affilée, et quand le type était enfin venu le relever, il avait dit à ses parents qu'ils étaient tellement loin du compte qu'ils devaient quatre mille dollars.

– Si tu le veux bien, ajouta-t-il.

Ils pouvaient repartir de zéro ? Le pouvaient-ils réellement ? Et que se passerait-il si elle le décidait ?

C'était bien Daniel. Elle n'en était pas encore entièrement convaincue, parce qu'elle était puérile et prisonnière de ses propres fantasmes, mais c'était lui. Si elle avait l'intention de préférer les illusions à la réalité, alors elle n'avait plus qu'à adopter des tas de chats et à s'enfermer chez elle tout de suite.

Certes, il était différent mais, en y réfléchissant, elle aussi avait changé. Quand elle le voyait, au lycée, elle s'arrangeait toujours pour faire des manières, la bouche en cœur, avec ses lèvres tartinées de gloss en permanence, son jean serré et ses cheveux parfaitement lissés. Aujourd'hui, elle n'était plus attirée ni intéressée par les mêmes choses, au point qu'elle en oubliait de se regarder dans la glace et de faire ses mimiques. Elle avait encore eu de la chance qu'il ne soit pas parti en courant.

Sa vie entière s'était complètement arrêtée à cause de lui. L'idée qu'elle se faisait du monde avait volé en éclats à cause de lui. Allait-elle vraiment laisser passer sa chance ? C'était sa lâcheté qui l'avait éloignée de lui la première fois et qui l'arrêterait de nouveau si elle ne faisait pas quelque chose. Elle avait quelques années de plus. Elle avait les pieds sur terre. Aujourd'hui, elle était capable de décider.

– Oui, d'accord, répondit-elle en versant une autre larme.

Il lui sourit. C'était un sourire différent de celui qu'elle attendait. Et là, elle faillit se donner des claques : non, elle n'attendait rien.

– J'habite en ce moment dans le district de Columbia et je travaille dans une entreprise de marketing. Je dois repartir terminer un truc à la boîte ce soir. Je ne pensais pas que je te trouverais du premier coup. Si j'avais su, je me serais arrangé pour me libérer. Mais je reviendrai ce week-end, d'accord ? Je pourrai t'emmener quelque part samedi, si tu veux. Tu as un restaurant préféré dans le coin ?

Elle était un peu déconfite qu'il soit obligé de repartir aussi vite, mais en même temps assez soulagée. Elle serait mieux seule pour se tourmenter.

– Bon, très bien.

Elle lui indiqua un endroit à une vingtaine de minutes.

– On se retrouve là-bas, lui dit-elle nerveusement.

Elle s'aperçut qu'elle n'avait aucune envie qu'il vienne chez elle. Elle n'aurait pas su comment expliquer sa présence à Marnie.

– Génial, répondit-il avant de se pencher vers elle pour l'embrasser sur la joue, mais en réalité plutôt sur la bouche.

Il se redressa et partit en agitant la main au-dessus de son épaule.

Elle resta pétrifiée, tandis que persistait sur son visage la douceur de son baiser. Lorsqu'il fut sur le point de tourner vers le parking, au coin de la rue, elle se composa un visage dans l'espoir qu'il se retournerait une dernière fois, mais il n'en fit rien. « Tais-toi. Tu ne comprends rien du tout », ordonna-t-elle à son propre désappointement.

Elle se remit en route. Sans s'en apercevoir, elle se retrouva devant le mur serpentin sur lequel elle grimpa pour s'asseoir, serrant ses genoux ramassés contre sa poitrine. C'était décidément un monde difficile à comprendre…

Mais qu'avait-elle ? Daniel était réapparu. Pourquoi avait-elle peur? Pourquoi ne s'était-elle pas jetée à son cou? «Nous avons l'opportunité de remettre les compteurs à zéro», lui avait-il dit. Alors, où était le problème? Qu'aurait-elle voulu entendre à la place?

«Je ne pensais pas que ça me ferait cette impression.»

Ne pouvait-elle pas passer outre le fait qu'il ne ressemblait plus à ce qu'il était? Était-elle à ce point superficielle? Ce n'était pas qu'il n'était pas beau: il l'était. Il était vraiment séduisant, en toute objectivité. Peut-être même plus qu'avant.

Un souvenir tenace de cette soirée fatidique avec le Daniel d'autrefois lui revint en mémoire, lui déclenchant aussitôt un violent pincement au cœur. C'était quand il l'avait attirée vers lui. Quand leurs genoux s'étaient touchés. Quand il l'avait embrassée. Un vieux souvenir datant de quatre ans lui faisait plus d'effet que le baiser qu'il venait de lui déposer sur la joue.

«C'est parce que tu ne connaissais pas encore cette nouvelle variante du personnage.»

«Je ne connaissais pas non plus l'ancienne.»

L'ancien Daniel était celui que Constance avait aimé. Et Sophia aussi. Cela avait une signification pour elle auparavant. Pourquoi cela n'en avait-il plus à présent?

Elle approcha la main de sa bouche: une dentelle de fils de laine givrés apparut sur son gant, elle leva la tête et vit de gros flocons de neige tomber de façon désordonnée autour d'elle. C'était une neige comme il en tombait en Virginie, où le ciel n'était pas un ciel de neige et où les flocons n'avaient pas l'air de tomber du ciel.

Peut-être était-ce elle qui avait changé. Peut-être tout le problème était-il là. Elle était tellement plus tendre à l'époque, tellement désireuse de tomber amoureuse, ou de croire qu'elle l'était. Elle était plus dure aujourd'hui, plus solitaire, et elle avait les idées plus arrêtées. Peut-être n'était-elle plus capable de vivre ce genre de relation.

Mais pour quelle raison ? À cause de ce qu'elle avait appris auprès de Mme Esme, du docteur Rosen et dans le vétuste manoir de Hastonbury ? Peut-être s'était-elle laissé submerger par la découverte de tous ses êtres antérieurs. Peut-être était-elle ensevelie sous leur poids.

Elle se sentait triste, et elle posa les mains sur ses yeux, se demandant si c'était bien elle qu'il avait jamais désirée.

Il avait changé lui aussi, et peut-être était-ce un bien. Non seulement à cause de son apparence, mais au moins pour un détail : il l'avait appelée par son prénom. Il l'avait appelée Lucy.

CALCUTTA, INDE, 2009

La femme lui téléphona de Calcutta au début de l'année 2009, peu de temps après qu'il eut suivi Sophia à la bibliothèque de l'université, et elle se présenta comme étant Amita. Elle bavarda avec lui pendant une minute entière en bengali avant qu'il ne réussisse à lui faire entendre qu'il ne comprenait pas cette langue.

– Comment se fait-il que vous ne parliez pas bengali ? lui demanda-t-elle avec un fort accent.

– Eh bien, c'est comme ça. Pourquoi le parlerais-je ?

– Vous n'avez pas vécu ici, c'est ça ? Et l'hindoustani ? Vous le parlez ?

– Un tout petit peu. Tenons-nous-en à l'anglais pour l'instant, voulez-vous ?

Alors qu'elle éclatait de rire, il comprit qu'il avait affaire à Ben.

– Ah, mais c'est mon vieil ami ! s'exclama-t-il dans l'ancien dialecte italien qu'ils parlaient sur le bateau.

– Ça y est, tu te décides à parler les langues étrangères, hein ? se moqua-t-elle, s'exprimant de nouveau en anglais.

– Nous en avons beaucoup en commun, répliqua Daniel en latin.

– Tu ne veux pas venir me faire une petite visite ? lui proposa-t-elle gaiement en anglais.

Il ne se faisait jamais prier chaque fois que Ben le lui proposait.

– Oui. Quand ?

– Très vite ! Quand tu veux.

Elle lui donna une adresse, et il s'acheta un billet d'avion dès le lendemain. Il avait des tas de jours de congé à prendre à l'hôpital.

Il la trouva dans son petit appartement, au dernier étage d'une vieille maison, dans un quartier surpeuplé et misérable de Calcutta. Elle était jeune et avait un visage très expressif. Elle portait un ravissant sari bleu canard et de nombreux bracelets en or qui cliquetaient à son poignet. Elle le serra aussitôt dans ses bras et le conduisit dans une cuisine minuscule et vieillotte où mijotait un plat sur le feu.

– Tu es très beau, Daniel, le félicita-t-elle en haussant les sourcils et en écarquillant les yeux d'un air enjôleur.

– J'ai eu de la chance dans cette vie. Si toutefois la beauté est une chance.

– Parfois oui, parfois non, répondit-elle en trempant le doigt dans la marmite. Délicieux ! déclara-t-elle.

– Je suis content de te voir.

– Moi aussi, dit-elle en avançant vers lui une cuillère à la main et en l'embrassant sur le menton. J'aimerais bien t'embrasser davantage, ajouta-t-elle avant de faire un grand geste avec sa cuillère en direction d'une petite chambre à la porte entrouverte. Et j'aimerais bien aussi t'emmener là-bas, mais je sais que tu en aimes une autre.

Daniel éclata de rire. Il ne savait pas si elle parlait sérieusement mais, indépendamment de ça, il ne se voyait pas du tout dans ce lit défait en compagnie de Ben. D'abord parce que c'était Ben et ensuite parce qu'il l'avait brièvement connue en tant que Laura et sous quelques autres identités. Il était incapable d'oublier ses vies antérieures. Il ne le pouvait avec personne et encore moins avec Ben. Si, la première fois qu'il rencontrait quelqu'un, il s'agissait d'un homme, Daniel avait énormément de mal à se sentir attiré par lui lorsqu'il se réincarnait en femme. Les périodes d'adaptation lui étaient particulièrement pénibles.

– Je suis *Amita*, affirma-t-elle d'un ton péremptoire, lisant comme toujours dans ses pensées.

– Tu es le roi de la métamorphose, plaisanta Daniel.

– Non, ça s'appelle simplement vivre, répliqua-t-elle avec agressivité. Et ce n'est pas ce que tu fais, toi.

Daniel ne put s'empêcher d'esquisser un mouvement de recul, malgré le regard affectueux d'Amita.

– Parle-moi un peu de ton amoureuse, reprit Amita, plus gentiment, car elle ne voulait pas le blesser.

– Je sais où elle se trouve.

– Pourquoi n'es-tu pas avec elle ?

Ben avait le chic pour entrer dans le vif du sujet. Daniel était fatigué, il était venu jusqu'à Calcutta et se devait d'être franc et honnête.

– J'ai essayé de lui parler il y a quelques années et j'ai tout fait foirer. J'ai voulu aller trop vite et je lui ai fait peur. Je ne crois pas qu'elle ait envie de me revoir après ça. Je lui laisse un peu de temps avant de réessayer.

Son explication ne sonnait pas très juste à ses propres oreilles. Combien de temps avait-il l'intention de lui laisser ?

– Peut-être ne veut-elle pas de ton temps.

Il se passa la main sur le visage, encore moite de transpiration et de la poussière du long voyage.

– Je ne sais pas ce qu'elle désire. Mais je ne pense pas que ce soit moi..., conclut-il d'une voix faible.

Amita le contempla d'un air songeur, la cuillère en l'air.

– Oh, Daniel, finit-elle par répondre, toi, tu as besoin

qu'on t'aime. Voilà ce qu'il te faut. Et tu manques sérieusement d'entraînement.

– C'est pour ça que tu voulais me mettre dans ton lit? demanda-t-il en riant.

– Quand on aime, on aime!

Daniel secoua la tête. Il ne comprenait pas bien qu'elle lui fasse la charité de ses avances.

– Je ne crois pas que ce soit le moment de retenter quelque chose avec Sophia. En attendant encore un peu, je mets davantage de chances de mon côté.

– Oui, et tu attendras peut-être toute ta vie, répondit Amita avec tristesse.

Elle reposa la cuillère dans la marmite et se hissa sur le plan de travail. Elle resta un bon moment à réfléchir, le menton au creux de la main.

– Si tu l'avais abordée en tant qu'elle-même et non quelqu'un d'autre, tu ne l'aurais peut-être pas fait fuir.

– Que veux-tu dire? C'est ce que j'ai fait... Je l'ai appelée Sophia, parce qu'elle est Sophia. J'ai tort de me souvenir d'elle?

– Sophia, ce n'est pas son nom. Sophia n'est qu'une réminiscence, affirma Amita en sautant à terre et en se remettant à touiller son plat. Je crois qu'elle s'appelle Lucy.

– C'est la même fille.

– Oui et non.

– Que veux-tu dire par là? demanda-t-il d'un ton qui lui parut enfantin.

– Tu ne jettes jamais rien, toi, tu gardes tout.

Ben lui avait fait maintes fois ce reproche par le passé.

– Aime qui tu veux sur le moment. C'est tout ce que tu peux faire. Et lâche quand il le faut. Si tu sais aimer, tu trouveras toujours quelqu'un à aimer.

Les conseils de Ben était aussi réjouissants que ceux d'un

manuel de développement personnel, mais Daniel se sentit néanmoins ébranlé par ses paroles et étrangement fragile. Il ne savait que répondre, et Amita s'en aperçut et s'approcha de nouveau de lui en brandissant sa cuillère.

– Goûte-moi ça, lui dit-elle gentiment.

– Oh, c'est fort !

Elle acquiesça en écarquillant les yeux.

– N'est-ce pas, hein ?

Puis elle consulta quelques secondes son livre de cuisine et le referma d'un coup sec.

– Depuis que mon mari s'est engagé dans l'armée, je fais la cuisine et je lis. Cuisine et lecture.

– Ton mari ?

Daniel se sentit coupable d'avoir regardé avec insistance la bande de peau brune que laissait entrevoir son sari.

– Oui. Et quand il reviendra, je le surprendrai avec mes plats, se réjouit-elle en faisant tournoyer sa cuillère telle une baguette magique.

Daniel avait la bouche en feu.

– Oui, oui. C'est sûr.

Il l'observa quelques instants. Elle hachait, parsemait et mêlait les ingrédients avec une étonnante aisance. Elle semblait prendre un réel plaisir à jeter les piments dans la marmite au lieu de les ajouter plus délicatement.

– Il y a des moments où il ne faut pas avoir peur de faire des saletés, l'informa-t-elle joyeusement.

Elle goûta le brouet verdâtre qui cuisait dans la petite gamelle en cuivre.

– Oooh ! s'exclama-t-elle, le souffle coupé. Eh bien, c'est assez surprenant...

– Ah, bon ?

– Oui ! Mais les surprises ne sont pas toutes excellentes. Et cuisiner réserve bien des surprises, tu ne trouves pas ?

Cela faisait quatre siècles qu'il ne trouvait plus cela particulièrement surprenant, depuis le jour où il avait dû faire la cuisine pendant sept longues années, enfermé dans la coquerie d'un bateau naviguant sur l'Adriatique.

– Non, pas particulièrement, répondit-il avec sincérité.

– C'est pourtant vrai. En permanence, affirma-t-elle avant d'ouvrir de nouveau son livre de recettes. Je n'ai ni mère ni sœur pour m'apprendre, donc je suis bien obligée de me débrouiller toute seule.

Il se sentit soudain très las. Ce devait être les effets conjugués du décalage horaire et de la tendance qu'avait Ben à le pousser constamment dans ses retranchements.

– Comment fais-tu pour que les choses t'apparaissent chaque fois comme nouvelles ? lui demanda-t-il. Comment fais-tu pour être encore surpris ?

Elle hésita une fraction de seconde et le regarda. Puis elle trempa son doigt dans la petite marmite et le lui tendit à lécher. C'était absolument infect. Peut-être même dangereux pour la santé.

– Tu as raison. C'est extrêmement surprenant, concéda-t-il avec un calme parfait.

Et il repensa à ce qu'elle lui avait dit à l'époque où elle était encore Ben et où ils contemplaient le ciel étoilé, alors qu'ils étaient tous deux de quart en pleine mer Égée : « J'ai du mal à avoir une vision globale. »

Daniel savait qu'elle finirait bien par aborder la raison pour laquelle elle l'avait fait venir à Calcutta, et c'est en effet ce qu'elle fit après dîner, sur la terrasse encore tiède, tout en grignotant des graines parfumées et en regardant une famille nombreuse allongée dans des chaises longues sur la terrasse de leur maison, de l'autre côté de l'étroite ruelle.

– Ce n'est pas moi le roi de la métamorphose, dit-elle à brûle-pourpoint. C'est ton ancien frère.

Elle examina de plus près une graine avant de la jeter dans la rue, en bas. Son visage ne manifesta aucune sorte d'expression pendant une fraction de seconde, mais elle entendait le mettre en garde.

– C'est vrai ?

– Oui. Il est capable de voler des corps sans la moindre difficulté, maintenant. Et il s'est fait un ami très dangereux.

– De qui s'agit-il ? Dis-moi.

Daniel passa mentalement en revue tous les gens qu'il avait pu croiser ou dont il avait entendu parler au cours des ans. Il y avait l'homme qui l'avait approché autrefois à Gand et qui prétendait être l'archange Azraël. Évangeline Brasseaux, cette femme de La Nouvelle-Orléans et sa tripotée de disciples, qui disait avoir assisté à l'apocalypse. Il existait toute une faune du même acabit, et bien qu'il eût un peu fréquenté ce milieu, il y avait assez longtemps, il préférait l'éviter. Autour de ceux qui possédaient d'authentiques réminiscences gravitaient toutes sortes de parasites, de faiseurs de mythes, de colporteurs de rumeurs et de fieffés menteurs. Il s'était senti complètement perdu parmi ces gens et ce n'est qu'aujourd'hui qu'il regrettait de ne pas s'être davantage intéressé à eux.

Elle se gratta le bras. Elle avait les os fins et très dessinés des oiseaux.

– Cela fait un bon moment qu'il rassemble ses forces. Pendant que tu passes ton temps à ne pas retrouver la fille, lui, il la cherche.

Il eut l'impression désagréable qu'une aiguille lui transperçait les oreilles et la gorge, et eut du mal à s'en débarrasser.

– Il cherche Sophia ?

Elle cassa bruyamment une petite coque avec ses dents avant de l'ôter de sa bouche.

– En la retrouvant, il te trouvera aussi.

– Que veux-tu dire ?

Amita réfléchit un instant.

– Peut-être l'a-t-il déjà retrouvée.

Daniel se leva et arpenta la petite terrasse. L'atroce, quoique surprenant, dîner lui donnait des crampes d'estomac.

– Comment est-ce possible ? Il est incapable de reconnaître les âmes. C'est toi qui me l'as dit. Tu te souviens ?

Elle le rejoignit au bord du muret qui servait de balustrade et cracha une autre petite coque.

– Il se peut qu'il ait reçu de l'aide, insista-t-elle.

– Mais comment ? Qui ? Explique-toi.

Il commençait à en avoir assez de toujours répéter la même chose, sachant que c'était le genre de questions auxquelles Ben ne répondait jamais, mais il était trop inquiet.

Il cessa néanmoins de s'agiter et, pour la première fois, Amita s'immobilisa totalement.

– Comment le sais-tu ? demanda-t-il encore, souffrant le martyre.

Elle secoua la tête mais, comme elle avait très bien perçu son tourment, elle eut pitié de lui et lui fournit une réponse :

– Je m'en suis souvenu.

Il la regarda fixement.

– Mais ça ne s'est pas encore produit, dis-moi ?

Elle éluda la question d'un gracieux mouvement de son fin poignet tintinnabulant.

– Je lis Proust, annonça-t-elle à Daniel qui l'aidait à remettre la cuisine dévastée en état.

Elle ne voulait plus parler de Joaquim ni de Sophia, et il dut s'y résoudre. Il connaissait trop bien Ben pour savoir qu'il vous donnait exactement ce que vous aviez la capacité d'entendre et rien de plus.

– C'est vrai ? répondit-il d'un ton distrait, voulant se montrer aimable.

– Oui. Nous avons une excellente bibliothèque au bout de la rue.

– Tu ne l'avais jamais lu ?

– Si, probablement.

Elle éclata d'un rire formidablement juvénile qui contrastait avec sa vie étonnamment longue.

– J'adore…

Il hocha la tête, tout en essuyant la sauce qui maculait le plafond.

– Qu'est-ce qu'il est devenu ?

– Proust, tu veux dire ?

– Oui. Est-ce qu'il avait lui aussi des réminiscences ?

Dès lors que l'on aiguillait Ben sur un sujet qui le passionnait et qui n'engageait à rien, on pouvait espérer glaner au passage quelques informations assez intéressantes.

Elle secoua la tête, faisant osciller en même temps ses petites boucles d'oreilles en or.

– Pas l'ombre d'une, répliqua-t-elle avant de réfléchir un instant. Il est femme au foyer dans le sud du Kentucky. Et très redoutable au bridge.

– Pas l'ombre ? répéta Daniel assez étonné.

– Pas l'ombre. Et Joyce a disparu, tu sais.

– Il a disparu ?

– Oui, il n'a vécu qu'une seule vie. Mais quelle vie !

– Hmm. Aucune réminiscence, j'imagine.

– Non, et Freud non plus. Tu le savais ?

– Je ne l'aurais jamais cru.

– Mais Jung, oui, certainement, enchaîna Amita avec entrain. Et sa mère également.

– Ah, bon ?

– Évidemment.

Daniel tournait autour de la question qu'il brûlait de poser.

– Et ce... cet ami dangereux, il a des réminiscences ? demanda-t-il lentement.

Elle haussa les épaules avec sa désinvolture habituelle, mais son regard reflétait toute la complexité du problème.

– Tu sais, il n'y a pas que nous, lui dit-elle d'un air un peu triste.

Amita voulait qu'il passe la nuit chez elle. Elle lui proposa de partager son lit en lui promettant solennellement de ne pas le toucher. Ses sourcils levés le firent rire, ce qu'il ne pensait pas possible un instant plus tôt. Mais il refusa son offre, car il devait rentrer.

Elle eut l'air morose en le serrant dans ses bras.

– Tu aimes tes souvenirs, mais c'est ton amie que tu dois aimer, lui recommanda-t-elle en guise d'adieu. Tu te souviens de ce qui est perdu, et tu oublies ce que tu as sous les yeux.

Il comprenait ce qu'elle essayait de lui dire, mais il ne raisonnait pas comme elle et ne lui ressemblait pas.

– Si j'oublie, qui se souviendra ? s'enquit-il avec une irrépressible mélancolie. Cela n'existera plus.

– Cela n'existe déjà plus, soupira-t-elle.

CHARLOTTESVILLE, VIRGINIE, 2009

Daniel était devant Campbell Hall. Il regardait les fenêtres éclairées en se demandant si elle était derrière l'une d'elles. Il était venu trois fois en dix jours à Charlottesville sans avoir réussi à la voir, mais il était néanmoins confiant. Elle avait eu son diplôme. Elle aurait pu décider de vivre n'importe où dans le vaste monde, et pourtant c'était ici qu'elle était revenue. Il avait l'adresse de son appartement d'Oak Street, mais il n'y était pas allé.

À plus d'un détail, il avait réussi à se rapprocher d'elle. Il s'était lié d'amitié avec le gardien qui surveillait l'accès aux ateliers d'architecture ; il avait discuté avec une étudiante (de troisième cycle) du nom de Rose, qui connaissait Lucy et semblait passer toute la journée à l'atelier. Il leur avait fait croire qu'il connaissait bien Lucy, et il en ressentait une certaine culpabilité. Il avait horreur de faire peur aux gens et ne voulait surtout pas s'imposer à elle, mais il était doublement inquiet depuis son retour d'Inde. Il ne voulait pas l'importuner. Il voulait juste s'assurer qu'elle allait bien.

Il traîna un peu dans le hall jusqu'à ce qu'il aperçoive Rose, qui revenait probablement de dîner.

– Salut, comment ça va ?
– Bien. Tu attends Lucy ?

– Oui. On devait manger un morceau ensemble ce soir, mentit-il. Tu ne l'aurais pas vue, par hasard ?

– Non, répondit-elle avec assurance. D'habitude, elle est ici tous les soirs jusqu'à minuit, mais depuis quelques jours, elle part plus tôt. Le bruit court à l'atelier qu'elle aurait un petit ami, ajouta-t-elle avec des airs de conspiratrice.

Daniel se demanda si Rose n'était pas un peu sadique.

– Ah, bon ? dit-il d'un ton détaché.

– Oui, elle était sur son trente et un mercredi soir. Personne ne l'avait jamais vue en talons hauts et maquillée. Elle a fait sensation ici.

Daniel se surprit à détester Rose.

– Bon, d'accord. Tant mieux pour elle. Jamais entendu parler de ça.

Il avait la désagréable impression que son imposture se voyait comme le nez au milieu de la figure et il décida que la meilleure défense consistait à en rajouter.

– J'ai dû oublier de lui laisser un message pour le dîner, ajouta-t-il sans conviction et en voyant Rose en agent de la Stasi dans une vie antérieure.

Ainsi Lucy avait-elle maintenant un petit ami... Quel terme ridicule. Il essaya de se souvenir quand, dans l'histoire du langage, cette expression était apparue. Il n'avait jamais été son petit ami. « Tu seras ce qu'elle voudra bien que tu sois », décida-t-il en toute sincérité.

Alors qu'il s'éloignait de Campbell Hall, Daniel se sentit immature et jaloux, mais pas particulièrement inquiet. C'était déjà ça. Lucy s'était faite belle. Elle était sortie avec son petit ami. Il n'y avait pas l'ombre de Joaquim derrière tout ça. Il était un peu déprimé de savoir qu'elle avait un petit ami, mais il était sûr que ce n'était pas le moyen qu'aurait choisi Joaquim pour entrer en contact avec elle. D'après tout ce qu'il savait, il y avait de fortes chances pour que Lucy se sente très mal à l'aise en présence de Joaquim.

Il se dirigea lentement vers sa voiture, submergé par un désir qu'il n'éprouvait, ou du moins qu'il ne s'autorisait à éprouver, que rarement.

Il roula sans réfléchir vers le nord en direction de Fairfax. Il suivit les routes qu'il fréquentait adolescent, dans les années quatre-vingt. Sa mère lui laissait conduire sa Toyota Celica rouge, et il traversait le Potomac pour aller voir le mémorial de Lincoln et celui de Jefferson briller dans la nuit noire. Son père avait découragé ses demandes, mais Molly était presque toujours d'accord pour lui prêter sa voiture.

Un sentiment douloureux l'assaillit alors qu'il approchait de la vieille maison. Il n'avait pas l'intention, au départ, de venir jusque-là, mais c'était ainsi. Il n'y était pas retourné depuis vingt-deux ans.

S'il avait pu laisser le monde en paix, il aurait peut-être vécu dans le coin aujourd'hui. Il aurait vu Molly, son père et ses frères tout le temps. Il se serait peut-être marié et aurait eu un travail où il aurait employé ses vastes connaissances à bon escient. Peut-être aurait-il été professeur, comme ses parents. Il avait à partager un point de vue unique sur l'histoire mondiale. Ou peut-être se serait-il contenté de tondre sa pelouse, d'arracher les mauvaises herbes et d'essayer de tout oublier hormis les matchs du dimanche. Il y avait des jours où il était convaincu qu'une mauvaise mémoire était la clé du bonheur.

Ses parents devaient avoir aux environs de soixante-dix ans, s'ils étaient encore en vie. D'ailleurs, habitaient-ils toujours ici? Il examina la façade et les fleurs de la plate-bande. Même dans l'obscurité, il savait que c'était des dahlias.

Une lampe brillait dans la cuisine et il vit au premier étage les reflets bleutés de la télévision. Il se représentait la maison comme si c'était la sienne. C'était la sienne, avant. Pourquoi ne l'était-elle plus ? Pourquoi n'était-ce plus chez lui ? Parce qu'il y avait renoncé, il l'avait abandonnée. Il n'avait plus que lui-même à qui se raccrocher puisqu'il avait renoncé à tout le reste.

Il songea à ses frères, les trois Robinson propres comme des sous neufs pour aller à l'église. Sa mère et ses pastilles à la menthe, ses autocollants et ses coloriages pour les faire tenir tranquilles. Et Daniel, pour qui c'était inutile, trop occupé à retrouver Sophia. Cela la contrariait-elle ?

Elle avait dû sentir qu'il ne lui appartenait pas véritablement. Ce devait être une source de chagrin pour elle, il le savait. Elle s'asseyait sur son lit le soir et essayait de le faire parler, pensant ainsi percer imperceptiblement ce qu'il semblait lui cacher. Elle l'avait aimé autant qu'il le lui avait permis. Plus qu'il ne le lui avait permis : on ne pouvait pas tout contrôler.

Ensuite, il avait disparu sans raison, sans lui avoir donné la moindre satisfaction. Elle n'avait pas mérité ça. Il y avait toujours un manque à cet endroit. Il le reconnaissait s'il voulait être honnête. Un grand vide pour elle comme pour lui.

Et le revoilà, vivant et bien portant, devant la maison de sa mère. Quel bien cela lui faisait-il à elle ? Et à lui ?

« Je ne veux pas aller de l'avant. Je veux revenir en arrière. » Non, il ne voulait pas aller de l'avant, mais il désirait toujours avoir une autre chance. Il était l'homme des commencements et des fins, tandis que les gens comme Molly vivaient entre les deux, comme si c'était tout ce qu'ils avaient.

Il se surprit à souhaiter que Molly sorte de chez elle. Il revit ses dents de travers, ses taches de rousseur et ses cheveux gris frisottés, et elle lui manqua cruellement. Mais elle ne se montra pas. Pourquoi en aurait-il été autrement ? Il resta seul dans sa voiture.

Cela n'aurait pas fait une grande différence s'il avait été mort. Ses réminiscences le rendaient invisible avec le temps, même aux yeux de ceux qu'il croyait le mieux connaître et chérissait le plus. Ils finissaient par l'oublier et ne se souciaient plus de lui. Quand les gens qu'on aime vous ignorent, il ne vous reste plus qu'à faire semblant de contrôler tous les rapports humains.

Il ressemblait plus à un fantôme qu'à un être humain, guettant les gens, passant son temps à les attendre. Pas pour leur adresser la parole, les prendre dans ses bras ni construire une vie avec eux, mais uniquement pour se souvenir d'eux.

Lucy buvait toujours un petit peu trop quand elle sortait avec Daniel. Il l'emmenait dans de bons restaurants, commandait systématiquement du vin et payait discrètement l'addition. Quel que fût son choix en la matière, Lucy vidait consciencieusement ses verres et se trouvait chaque fois en état d'ivresse en sa compagnie.

«Pour quelle raison fais-je cela?» Ça ne lui arrivait jamais dans d'autres circonstances. Elle aimait bien garder l'esprit clair. Alors pourquoi faisait-elle tout le contraire quand elle était avec lui?

Ils en étaient à la fin du dîner, partageant de façon très romantique un fondant au chocolat pour le dessert, et l'addition n'allait pas tarder à arriver. Il avait l'air de bien gagner sa vie.

Elle l'observa, face à elle. Elle avait le plus grand mal à se rappeler l'ancien Daniel tant elle s'était efforcée de fondre les deux visages en un seul. Se souvenant d'une conversation qu'ils avaient eue dans le passé, elle se sentit soudain le courage de lui en parler.

– Avant, tu m'appelais Sophia.

– Quand ça?

– Au lycée. À cette soirée calamiteuse. Tu ne peux pas avoir oublié.

Il lissa du bout de l'index le bord de la table recouverte d'une nappe blanche.

– Avant, tu étais Sophia.

– Il y a très longtemps, non ? insista-t-elle, tout à fait pompette.

– Oui. Très longtemps.

– Tu t'en souviens ?

– Bien sûr.

– Comment ça se fait ?

– C'est comme ça. Il y a des gens qui ont cette capacité.

– J'aimerais pouvoir en faire autant.

– Ce n'est pas toujours agréable.

– Tu te souviens de Constance ?

La jolie serveuse apporta l'addition. Il la parcourut du regard avant de répondre :

– Bien sûr.

– Comment fais-tu pour reconnaître quelqu'un ? D'une vie à l'autre ? Je ne vois absolument pas comment c'est possible.

Il signa la note et se leva.

– Partons, veux-tu ?

Il n'attendit pas son accord, de sorte qu'elle le suivit à travers les embûches que représentait pour elle le passage au vestiaire puis au parking, ne sachant si elle devait donner des pourboires à la jeune fille et au voiturier. En général, elle avait toujours un peu de monnaie sur elle pour le cas où.

Une fois devant le restaurant, il se tourna vers elle et la prit dans ses bras dans un même mouvement. Il l'embrassa à pleine bouche avant qu'elle ait pu avoir un doute sur ses intentions. Il avait toujours rêvé de le faire en public, ce qui était exactement le contraire de ce qu'elle désirait.

Elle essaya de répondre à ses attentes, mais se mit à trembler de tout son corps, les genoux, les épaules, tout. Et elle claquait beaucoup trop des dents pour pouvoir lui rendre son baiser. Elle se dégagea afin de lui épargner cela.

– Tu veux bien venir chez moi ? lui proposa-t-il en glissant deux doigts entre sa peau nue et la ceinture de sa jupe. S'il te plaît…

Irait-elle ? Non, c'était impossible. Elle avait voulu s'enivrer pour pouvoir accepter, mais apparemment elle n'avait pas encore assez bu.

– Non, je ne peux pas.

Elle se rappela en rougissant l'envie folle qu'elle avait eue lorsqu'il avait glissé son genou sous sa robe, à la soirée du lycée, et le baiser qu'ils avaient échangé avant même de dire trois mots. Et elle commençait à se demander quelle importance avait l'âme dans cette histoire.

La voiture était là avant qu'il n'ait le temps de glisser ses mains entre ses cuisses. Comme c'était une Porsche, il fut contraint de répondre à la curiosité du zélé voiturier, au grand soulagement de Lucy.

– Pourquoi ne peux-tu pas ? lui demanda-t-il en l'asseyant sur ses genoux, sur le capot de la voiture tant enviée, dès que le voiturier fut reparti pour garer un gros 4 x 4.

– J'ai cours demain. Et en plus j'ai une évaluation d'atelier. Je suis censée achever une maquette.

Il hocha la tête d'un air résigné. Il semblait ignorer que trois excuses revenaient à pas d'excuse du tout. Il glissa précipitamment ses mains sous son manteau et son chemisier, et les introduisit dans son soutien-gorge. Il y avait manifestement certaines choses qu'il n'ignorait pas.

Il avait les mains glacées. C'était la raison pour laquelle elle continuait à grelotter.

– La prochaine fois ?

– La prochaine fois, répondit-elle.

C'était devenu un rituel entre eux : c'était toujours la prochaine fois.

Il alluma une cigarette et la raccompagna à sa petite voiture minable, qu'elle avait garée à l'autre bout du parking ; elle avait eu trop honte de la confier au voiturier.

– Parle-moi un peu de Sophia, lui demanda-t-elle, faisant apparaître un petit nuage à chacune de ses expirations.

Son petit nuage à elle était une légère bouffée blanche et le sien une volute grise. Elle désirait qu'il lui fournisse une bonne raison de croire en une prochaine fois.

– Que veux-tu que je te raconte ?

– Qu'est-ce qu'elle représentait pour toi ?

Il retira brusquement ses mains.

– C'était mon épouse.

– Ah bon ?

– Oui.

– Tu l'aimais ?

C'était le vin qui la poussait à parler. C'était la perspective de la prochaine fois aussi. Il ne la touchait même plus, mais elle se remit à trembler et à claquer des dents comme si elle avait peur. « Je n'ai pas peur. De quoi devrais-je avoir peur ? »

Il la regarda fixement.

– Pas autant que je l'aurais dû.

– Il a énormément changé.

Lucy essayait de raconter à Marnie son dîner avec Daniel. Elle avait espéré qu'elle dormirait à son retour, mais elle était assise sur le canapé de leur salon microscopique, l'ordinateur calé sur les genoux, quand Lucy ouvrit la porte sans bruit.

– Quels si grands changements peut-il y avoir en si peu de temps ? s'étonna Marnie.

Elle avait le chic pour poser les bonnes questions et Lucy celui pour se défiler.

– Eh bien, là, tu vois... ils sont énormes.

Lucy espérait qu'elles parlaient assez bas pour ne pas risquer de réveiller Leo. Elle mit un temps fou à enlever son manteau, son bonnet, ses bottes et ses chaussettes.

– Que veux-tu dire ?

Lucy avait l'intention de lui expliquer les choses comme elle les ressentait, mais comment faire ? Marnie pensait avoir envie de savoir, mais était-ce vraiment le cas ? Lucy lui avait déjà réservé pas mal de déconvenues et elle regrettait leur amitié d'antan, l'époque où Lucy lui racontait tout ; elle ne comprenait pas pourquoi les choses avaient changé. Lucy regrettait également leur ancienne amitié, mais elle ne pouvait faire machine arrière. De même qu'elle ne pouvait pas dire la vérité à Marnie. Parce que la vérité ne serait pas très rassurante à entendre et qu'elle ne contribuerait pas à les rapprocher.

– Juste que... C'est difficile à expliquer.

« Jusqu'à quel point as-tu vraiment envie de savoir ? » Voilà ce que Lucy voulait lui demander.

– Quand est-ce que tu vas te décider à l'amener ? Tu le caches ? Je veux le voir.

Oui, Lucy le cachait résolument. Comment pourrait-elle expliquer que, physiquement, il n'avait rien à voir avec le Daniel qu'elle connaissait ? Cela avait été bien assez difficile pour elle de réviser entièrement sa vision du monde pour lui faire une place. Elle n'avait pas le courage d'imposer tout ça à Marnie.

– Non, non. Il viendra un de ces quatre. Il travaille dans le district de Columbia. Il a un vrai boulot qui ne lui laisse pas beaucoup de temps.

Lucy déroula lentement sa longue écharpe et la rangea soigneusement dans le placard au lieu de la laisser en tas sur la tablette de l'entrée, comme à son habitude. Elle prit également tout son temps pour chercher son téléphone au fond de son sac.

– Je crois que moi aussi j'ai changé, déclara-t-elle dans le silence pesant. Je suis totalement différente de celle que j'étais au lycée.

Marnie étendit ses jambes devant elle.

– Tu es en train de me dire qu'il ne te plaît plus autant qu'à l'époque.

– Non, ce n'est pas ça, se défendit Lucy. J'étais vraiment bête, comme tu me l'avais dit toi-même.

Lucy tripotait nerveusement son chargeur de téléphone. Elle ne voulait pas s'asseoir sur la chaise en face de Marnie parce que, là, elle aurait été obligée d'être sincère.

– Eh bien, moi, je préférais l'époque où tu étais bête, dit Marnie avec nostalgie. Et puis d'abord, je n'ai jamais dit ça.

– Oui, enfin, je me comprends... Il me... Je bavais carrément devant lui. Je ne pense pas que ce soit encore le cas.

Tout en enroulant le câble de son ordinateur autour de son pied, Marnie ne se départit pas de son calme pragmatique.

– Et pourquoi ?

Lucy lui fut reconnaissante de ne pas se décourager et de continuer à la questionner, quelles qu'en puissent être les conséquences.

Elle soutint un moment le regard de son amie avant de baisser les yeux. Lâchement.

– J'ai simplement vieilli, je suppose.

– Tu l'as embrassé, cette fois ?

– Un petit peu.

– Combien de fois es-tu sortie avec lui ?

– Je n'en sais rien. Sept ou huit peut-être. Quelque chose dans le genre.

– Et tu me dis que tu l'as embrassé un petit peu ? Non, mais tu as quel âge ? Douze ans ?

– J'ai une évaluation d'atelier demain.

– Est-ce qu'il s'agit bien du même Daniel ? demanda soudain Marnie en secouant la tête.

Lucy déglutit avec difficulté et acquiesça.

– Donc, il ne te plaît plus.

ARLINGTON, VIRGINIE, 2009

Ce matin-là, Daniel avait quitté de bonne heure l'hôpital des Anciens Combattants et roulait en direction de Charlottesville après une nuit de service longue et harassante. Quand il s'aperçut que la circulation était bouchée sur le périphérique, il décida de bifurquer pour prendre une autre route.

Il se surprit à penser à son grand-père Joseph, le père de Molly, non pas âgé et malade à l'hospice de Fairfax, mais tel qu'il était lorsqu'ils habitaient en Alabama, au bord de l'étang. Les oies venaient y passer tout l'hiver et ils allaient leur apporter du pain sec presque tous les matins. Il était assez délicat d'approcher une oie sauvage, mais ils y parvinrent néanmoins. À vrai dire, ils ne l'avaient pas vraiment fait exprès. Ils étaient tous deux des lève-tôt et ce jour-là ils étaient arrivés de fort bonne heure. Il revoyait le sourire béat de Joseph au milieu de cette masse ondulante de têtes noires au cou blanc, d'ailes grises et de becs sombres cacardant à tout va. Les oies vivaient en couple, comme les humains, lui avait expliqué Joseph. Mieux que les humains, car, elles, elles étaient fidèles.

Daniel se remémora aussi l'époque où, au début du printemps, les premiers groupes d'oies repartaient vers le nord et le Canada ou vers toute autre destination d'origine. Le nez en l'air, ils suivaient des yeux leur impeccable formation en V, telle l'âme d'un unique oiseau, avec l'excitation des grands départs et la tristesse des adieux. Daniel se rappelait leur avoir envié leur détermination et le lien qui les soudait, ainsi que la façon dont elles pouvaient soudainement décider de s'envoler. Collectionner les plumes était pour lui une manière de maintenir le lien avec elles. Sa grand-mère disait que ce n'était pas hygiénique, mais sa mère le laissait faire en cachette.

Joseph avait rêvé de devenir pilote, et il le serait devenu s'il n'avait pas eu la polio à l'adolescence et, en conséquence, la jambe gauche handicapée. Daniel avait assuré à Joseph que c'était aussi ce qu'il voulait faire plus tard, et il le pensait sincèrement sur le moment. Après leur déménagement, son grand-père lui avait envoyé régulièrement les photos des avions qu'il pensait le voir un jour piloter. Daniel était désolé d'avoir mis un terme à cette vie avant d'avoir pu réaliser ce rêve.

Il roulait sur une petite route en direction du sud, à quelques kilomètres de la ville, lorsqu'il réalisa qu'elle lui était familière, ce qui expliquait le fait qu'il n'avait cessé de penser à son grand-père. Il roula encore sur deux kilomètres environ, cherchant des yeux sur sa gauche le cimetière où Joseph et sa grand-mère Margaret étaient enterrés. Au lieu de continuer tout droit, il tourna dans une allée de vieux chênes.

Il fut un peu étonné de son geste car les cimetières n'étaient pas des lieux qui l'attiraient particulièrement. Ils représentaient beaucoup moins de choses que ne s'imaginaient la plupart des gens. Il avait connu une femme, une voisine du temps où il vivait à Saint Louis, qui faisait tous les jours plus d'une vingtaine de kilomètres en voiture pour aller se recueillir sur la pierre tombale glacée de son mari disparu depuis des lustres, alors que ce fameux mari tenait une épicerie à huit cents mètres de chez elle.

Daniel n'avait pas revu son grand-père depuis son décès,

bien qu'il se fût montré particulièrement vigilant. Ils auraient eu sensiblement le même âge aujourd'hui. Il aurait cru possible de croiser son chemin, étant si proches l'un de l'autre. Mais comme cela ne s'était jamais produit, il se demanda si par hasard Joseph n'avait pas vécu sa toute dernière vie. C'était plausible, en y réfléchissant, et cela lui fit de la peine. Il y a des occasions qui sont définitivement perdues.

Il se gara et continua à pied vers le sommet d'une petite colline. Le grand air et la marche lui firent du bien. Il avait sommeil et était tellement tourné vers ses pensées intimes qu'il s'attendait presque à ce que ce corps s'arrête de respirer.

La tombe de son grand-père était telle qu'il l'avait imaginée, hormis le fait qu'il n'y avait pas les dahlias. Il regarda autour de lui et découvrit les fleurs familières un petit peu plus loin dans la rangée, une énorme touffe de dahlias rose foncé parfaitement entretenue. Cela ne manqua pas de le troubler et de l'inquiéter un peu. Y aurait-il eu un nouveau décès dans la famille? Il avait vu son père en vie assez récemment. Il espérait qu'il n'était rien arrivé de fâcheux à ses frères. Poussé par la curiosité, il s'approcha de la tombe abondamment fleurie et dut s'y reprendre à deux fois pour saisir toute la portée de l'inscription : «Daniel Joseph Robinson, fils bien-aimé de Molly et de Joshua».

Il était tout à fait possible qu'il ait réellement cessé de respirer, car il avait à présent le souffle court et douloureux. Ils avaient gravé en second le prénom qu'ils lui avaient donné et en premier celui qu'il s'était lui-même donné. Il y avait non seulement des fleurs, mais deux bougies et une photo dans un cadre. Il n'avait pourtant pas l'intention de regarder la photo, mais il la prit quand même.

C'était lui, bien sûr. C'était lui en tenue de cross, à côté de Molly. Il était en sueur, les cheveux collés dans le cou : il venait de gagner une course et c'était Molly qui tenait le trophée. Elle ne le brandissait pas pour la photo, non, elle le tenait à bout de bras. Il remportait la plupart des compétitions, et elle savait que les trophées n'étaient pas ce qui le motivait.

Il devait avoir une quinzaine d'années et il n'était pas encore tout à fait aussi grand que Molly. Il avait la tête sur l'épaule de sa mère, les yeux fermés, et il riait, pas pour l'objectif, non, il riait franchement. Il savait pourquoi elle avait gardé cette photo. Elle devait représenter un de ces rares moments où elle s'était sentie fière de lui.

Il ne se rendait jamais sur ses propres tombes. Il n'avait aucune envie de voir d'anciennes photos de lui. Il avait évité ce genre de choses, sans savoir très bien pourquoi, mais aujourd'hui il en comprenait la raison. Il s'assit et s'aperçut qu'il avait gardé la clé de sa voiture à la main et qu'il tremblait. Il la fourra dans sa poche.

Il se remémora les courses. Il se remémora la vitesse à laquelle il courait, sans le moindre effort. Il se remémora ces journées d'automne et sa course préférée dont le parcours traversait la forêt de tsugas. Jamais il n'avait couru aussi bien auparavant. Peu importaient l'effort et la stratégie mis en œuvre dans une course, ses jambes à lui étaient simplement beaucoup plus rapides que toutes les autres.

Il songea à Molly qui entretenait cette tombe, s'occupait des fleurs, allumait les bougies, et il eut brusquement envie d'aller la voir et de lui dire : «Je vais bien. Je t'aime toujours et je pense à toi tout le temps. Je ne suis pas là, dans ce trou, je suis ici.»

Il regarda de nouveau la photo, puis ses mains, et se rappela celles qu'il avait avant : l'ongle du majeur gauche qui poussait de travers, ses articulations noueuses, sa peau constellée de taches de rousseur. Ces mains-là ne lui appartenaient plus : elles étaient là, en bas. Ou du moins ce qu'il en restait. Ces jambes si rapides n'étaient plus les siennes : elles étaient aussi enterrées là-dessous. Il s'agissait bien de lui, le fils de Molly, et il était mort et enterré : il n'était plus là. «C'était moi.»

Ce corps lui manquait. Il avait été tellement sensible à la musique dans ce corps-là. Ses doigts couraient si vite et gracieusement sur les touches du piano. C'était un corps doté de tant de talents et de facilités que c'était une honte de s'en être séparé.

En se penchant sur le visage de Molly, sur la photo, il sut qu'il n'avait pas aimé ce corps pour l'unique raison qu'il était rapide et doué pour la musique. Ça lui aurait fait plaisir de le croire, mais il savait que ce n'était pas la vérité. Il l'avait aimé parce qu'il avait été aimé. Parce que Molly l'avait aimé.

Dans son corps actuel, personne ne l'avait aimé, et d'ailleurs il ne trouvait rien d'aimable en lui. S'il n'avait jamais cherché à susciter ce genre de sentiment chez une mère, Molly en tout cas l'avait éprouvé spontanément.

La propension qu'il avait à croire qu'il était en mesure de conserver toutes les caractéristiques de sa personnalité d'une vie à l'autre, oubliant qu'en quittant un être comme Molly, on abandonnait à tout jamais une part de soi-même, cette propension était stupéfiante. De temps en temps, il se demandait si sa mémoire pour les choses importantes était véritablement bonne.

Il jeta un dernier regard sur la photo avant de se relever, les jambes en coton. Il n'avait pas été en mesure de s'en rendre compte ou de l'admettre jusqu'à présent mais aujourd'hui, cela lui sautait aux yeux : il était son portrait craché.

CHARLOTTESVILLE, VIRGINIE, 2009

Le premier vendredi des congés de printemps, après que Lucy eut rendu son mémoire sur les fameux arbres plantés par Jefferson dans son domaine de Monticello et passé deux examens en trois jours, Daniel se présenta à la réception de son bâtiment et l'appela par l'interphone peu après midi. Elle était si étonnée et tendue à l'idée de le savoir en bas qu'elle sortit en quatrième vitesse de chez elle et descendit l'escalier quatre à quatre en survêtement et T-shirt, sans songer à se changer ni à mettre un soutien-gorge.

Il lui ouvrit les bras et elle se laissa enlacer avec quelque réticence. Comme elle n'avait pas eu le réflexe de lever la tête, ce sont ses cheveux pas encore lavés qu'il embrassa.

– J'ai une grosse surprise pour toi, annonça-t-il avec enthousiasme.

Sa présence ici, au sein de son univers, représentait déjà une assez grosse surprise. Elle n'était pas certaine nerveusement de pouvoir en encaisser une autre. Elle l'entraîna vers le renfoncement réservé au téléphone à pièces hors d'usage, n'osant pas le faire monter car Marnie et Leo dormaient encore.

– Qu'est-ce que c'est ?

Il sortit des papiers de la poche de son long manteau et

les lui tendit, non pour qu'elle les prenne, mais pour qu'elle regarde.

– Des billets d'avion?

– Oui. Enfin, pas encore précisément les billets, mais notre programme.

– Notre programme?

– Tu es en vacances, non? Tu as dit que tu n'avais pas de projets. Je t'emmène une semaine au Mexique.

Elle ne sut que répondre. Elle n'avait pas prévu que leurs relations puissent déboucher sur ce genre de proposition. Si on lui avait dit que Daniel réapparaîtrait dans sa vie et, en prime, qu'il l'emmènerait passer une semaine au Mexique, elle aurait été dans un état de béatitude totale. Mais là, elle se sentait à la fois troublée et agacée.

– Je comptais aller voir mes parents pendant quelques jours. Je leur ai dit que je...

– Tu as deux semaines de vacances. Tu auras tout le temps.

Des gens entraient et sortaient du bâtiment. Des gens qu'elle connaissait. Et si Marnie descendait à cet instant? Lucy ne tenait pas à ce que la discussion se prolonge.

– Nous prenons l'avion demain après-midi, déclara-t-il gaiement.

S'il perçut son hésitation, il n'en laissa rien paraître, et ce détail, ajouté à bien d'autres, sembla étrange à Lucy.

– Va préparer tes affaires. Tu veux que je passe te prendre demain ou tu préfères qu'on se retrouve à l'aéroport?

– On se retrouve à l'aéroport, lâcha-t-elle. Je ne suis pas du tout sur ta route.

– Génial! répondit-il avant de l'embrasser. Rendez-vous à midi. Je t'appelle pour te donner le numéro de la porte d'embarquement.

Elle le regarda partir avec un immense soulagement et se

demanda si elle n'avait pas accepté de partir avec lui au Mexique rien que pour qu'il s'en aille le plus vite possible.

Daniel fit quelque chose qu'il s'était pourtant promis de ne pas faire. Le samedi précédent, dans la matinée, il s'était rendu dans l'immeuble de Lucy. Cela ne lui suffisait plus de rôder autour d'elle. Il avait besoin de s'armer de courage et de lui parler. Il devait à tout prix la mettre en garde. Il était terriblement inquiet depuis son retour d'Inde, mais ces dernières vingt-quatre heures, c'était devenu une véritable hantise : il avait rêvé d'elle durant son unique heure de sommeil et passé le reste du temps dans un état d'angoisse terrible. Il ne savait pas très bien si c'était sa visite au cimetière qui l'avait secoué ou l'étrange prémonition de son rêve, mais l'idée d'attendre davantage lui semblait insupportable. Il trouva son nom à côté du numéro de son appartement et appuya sur le bouton de l'interphone. La voix qui répondit lui était familière, mais ce n'était pas celle de Lucy.

– Est-ce que Lucy est là ?

– Non. Qui est-ce ?

– C'est... euh..., balbutia-t-il aux abois. C'est toi, Marnie ?

– Oui. Qui est là ?

– C'est Daniel. Daniel Grey. De Hopewood, cria-t-il tout en se sentant ridicule de crier ainsi. Tu ne te souviens peut-être pas de moi, mais...

– Oh, si, je me souviens parfaitement de toi. Tu es en bas, à la réception ? Qu'est-ce que tu fais là ?

Son ton était tout sauf amical.

– J'espérais voir Lucy.

– Qu'est-ce que tu racontes ? glapit Marnie avec impatience et d'une voix soudain stridente, même à l'interphone. Vous ne deviez pas aller vous balader tous les deux au Mexique ? Lucy est partie depuis une heure à l'aéroport où elle devait te rejoindre.

– Pardon ? dit-il poliment, soudain glacé jusqu'au sang.

– Je croyais que tu devais l'emmener au Mexique...

– Au Mexique ? Je devais l'emmener ? Mais qu'est-ce que tu racontes ?

– Elle est partie te rejoindre ! Voilà ce qu'elle m'a dit. Je ne comprends pas ce que tu fabriques là en bas. Tu es bien Daniel Grey ou c'est une blague débile ?

Daniel sentit brusquement son estomac se nouer.

– Est-ce que je peux monter pour te parler ? Ou tu préfères descendre ?

– J'arrive.

Il vit l'ascenseur monter la chercher à son étage puis redescendre. Il ne voulait plus faire de mystères. Il était trop inquiet de savoir Lucy partie en un lieu où il ne pourrait plus la retrouver.

– Ah, oui, c'est bien toi, dit Marnie avec une réelle surprise lorsque les portes de l'ascenseur s'ouvrirent. Viens par ici.

Elle l'entraîna vers un canapé défoncé, au fond du hall, et l'observa un moment avant de s'asseoir.

– Tu n'as pas tant changé que ça. Je dirais même que tu as exactement la même tête.

– Qu'est-ce que tu veux dire ?

– Lucy n'arrête pas de me répéter que tu as beaucoup changé et qu'elle a eu du mal à te reconnaître.

Daniel se sentit de nouveau noué. L'avait-elle repéré alors qu'il s'ingéniait à passer inaperçu ? Y avait-il autre chose ?

– Quand t'a-t-elle dit qu'elle m'avait vu ?

Marnie secoua lentement la tête, avec l'air de le prendre pour un imbécile.

– Tout le temps. Le week-end dernier. Le week-end d'avant. Hier. Vous sortez tout le temps.

– Et elle t'a dit que je voulais l'emmener au Mexique ?

– Oui.

Il vit que, malgré son attitude un peu froide, Marnie commençait elle aussi à s'inquiéter.

– Et elle est partie.

– Oui, elle est partie.

– Tu es sûre.

– Je sais qu'elle a fait sa valise et qu'elle est partie quelque part, affirma Marnie d'un ton sec, mais on sentait qu'elle avait envie de lui faire confiance. Elle a pu me mentir sur la personne avec qui elle partait. Elle a pu me mentir sur toute la ligne.

Sous ses sourcils en accent circonflexe, ses yeux lui rappelèrent l'époque où elle était la mère de Sophia.

– Mais elle t'a dit qu'il s'agissait de moi, Daniel Grey, du lycée de Hopewood ?

– Oui, oui. Tu es le méchant frère jumeau ou bien quoi ? Parce que je ne comprends pas comment ça peut être une surprise pour toi. D'après elle, c'était le Daniel Grey du lycée de Hopewood qui l'emmenait dans les restaurants les plus chers de l'État de Virginie.

Il secoua la tête, abattu.

– Je n'ai pas de jumeau. Et s'il y a un méchant dans le secteur, je ne pense pas que ce soit moi… A-t-elle dit où elle devait aller au Mexique ? demanda-t-il après avoir réfléchi un instant.

– Quelque part sur la côte Pacifique. Ixtapa ? Ça existe ? Je crois bien qu'elle a dit qu'ils prenaient l'avion pour Ixtapa.

Marnie était suffisamment fine pour sentir à quel point il était inquiet.

– Tu vas partir au Mexique ? Tout de suite ?

– Dès que possible.

– Et si elle n'est pas avec toi ? Avec qui est-elle alors ?

– C'est ce que je dois découvrir. Tu n'as aucun autre renseignement à me fournir ? Le nom d'un hôtel, par exemple ?

– Non, je suis désolée. Elle a emporté deux maillots de bain, donc elle va bien au bord de la mer. C'est tout ce que je sais.

– Pourrais-tu me donner son numéro de portable ?

– Oui, mais il ne va pas te servir à grand-chose. Elle a dit qu'il n'y aurait certainement pas de réseau là-bas.

Elle lui dicta le numéro qu'il enregistra néanmoins dans son propre téléphone.

– D'accord. Je te remercie, Marnie, conclut-il en éprouvant une certaine tendresse pour elle.

– Tu sais, Daniel...

– Quoi ?

Il était déjà au milieu du hall.

– Au lycée, je n'ai jamais compris... Pourquoi ne l'aimais-tu pas ?

Il se retourna vers Marnie et la regarda droit dans les yeux.

– Je l'aimais. Je l'aime depuis la première fois où je l'ai vue.

IXTAPA, MEXIQUE, 2009

Daniel trouva un vol pour Mexico à partir de Dulles le soir même, avec une correspondance pour Ixtapa Zihuatanejo qui le faisait arriver le dimanche à midi. Il ne parvint même pas à lire le journal dans l'avion. Il avait des fourmillements dans les mains, les genoux qui tressautaient et la tête qui tournait à force d'essayer de comprendre comment tout cela avait pu se produire. Il avait de bonnes raisons de croire qu'on lui avait tendu un piège dans lequel il se jetait. Et, dans ce cas, la personne qu'il haïssait serait probablement beaucoup plus contente de le voir que celle qu'il aimait. La pilule était amère, mais il n'avait pas le choix. Il n'avait rien d'autre à faire que de foncer.

Il avait l'impression d'avoir à résoudre une équation à plusieurs inconnues. Comment Joaquim avait-il réussi à retrouver la trace de Sophia ? Si quelqu'un l'y avait aidé, ainsi que Ben le lui avait laissé entendre, qui était cette personne et pourquoi l'avait-elle fait ? Et quel genre de mémoire possédait-elle ? À moins que Joaquim n'ait acquis la capacité de reconnaître tout seul les gens ?

Quelle que soit la façon dont Joaquim était parvenu à ses fins, il devait avoir eu vent de sa présence actuelle dans les environs, comme de son absence aux côtés de Lucy, et Daniel se sentit ridicule. Pourquoi ne s'était-il pas manifesté plus tôt? Hormis une certaine lâcheté, quelle était la raison précise d'un tel comportement? Cédait-il à sa propre peur, ou à celle de Lucy? En se tenant à distance, tout en sachant ce qu'il savait, il exposait Sophia aux pires machinations.

Et cette idée troublante le conduisit à la seconde catégorie d'inconnues. Comment Joaquim avait-il réussi à se faire passer pour Daniel auprès de Lucy? Quels moyens de persuasion avait-il pu employer pour l'en convaincre? Et, de surcroît, comment s'y était-il pris pour arriver à ses fins? Daniel, qui l'aimait depuis toujours, l'avait fait fuir, tandis que lui, Joaquim, qui s'était invariablement montré violent à son égard, parvenait on ne sait comment à l'emmener en vacances au Mexique. Daniel n'avait jamais réussi à la persuader de quoi que ce soit, et Joaquim l'avait convaincue de... de Dieu sait quoi. Peut-être allaient-ils passer quelques jours follement romantiques. Peut-être que Daniel, après tout, ne connaissait absolument rien à la nature humaine.

– Merde, murmura-t-il entre ses dents.

Joaquim ne lui ferait pas de mal. Du moins, pas tout de suite. C'était le seul et unique avantage de son imposture : tant qu'il se ferait passer pour Daniel, il ne la ferait pas souffrir. Mais dès que le véritable Daniel aurait fait son apparition, plus rien ne le retiendrait.

La chaleur qui s'abattit sur lui à sa descente d'avion à Ixtapa était accablante. Il se retrouva dans une file de jeunes qui voulaient profiter des vacances de printemps, déjà rougis par les coups de soleil et sirotant de la tequila dans des gobelets en carton. Il était sinistre de la tête aux pieds, avec sa mine de chien battu et ses tristes habits d'hiver qu'il n'avait pas eu le temps de changer. Il essaya de trouver quelque chose à dire au douanier dans son castillan du XVIIIe siècle afin qu'il le fasse passer devant tout le monde.

Il était impossible d'arriver à quoi que ce soit dans une ville remplie de touristes à moitié éméchés. Personne à part lui n'était pressé. Il lui fallut une heure et demie pour louer une voiture. Il fut sur le point d'abandonner, mais il savait qu'il aurait à le regretter. «Du calme. Il ne va pas lui faire de mal. Pas pour l'instant.»

Une fois à Ixtapa, il ne mit pas longtemps à la retrouver. Ce n'était pas très grand, et les hôtels de luxe n'étaient pas nombreux. S'il lui restait encore des doutes sur la réalité d'un coup monté, s'il voulait être certain que Joaquim faisait tout pour qu'on le retrouve, il lui suffit de vérifier sous quel nom ils étaient enregistrés à l'Ixtapa Grand Imperial : M. et Mme Daniel Grey. Bon, d'accord, Daniel avait une drôle de relation avec son nom, mais quand même. Ça le mit franchement en colère.

L'original, l'actuel, l'authentique Daniel attendait à la réception. Il en profita pour étudier la configuration de l'hôtel jusqu'au moment où il aperçut enfin un visage connu. Ce n'était pas celui qu'il escomptait, mais il eut le mérite d'éclaircir les choses. Et, bien qu'il connût l'identité de l'imposteur, cela lui fit quand même un choc. Le type qui assistait au match des Lakers, au deuxième rang, à la coupe de cheveux impeccable et à l'âme noire, était beaucoup plus impressionnant en chair et en os. Il y avait quelque chose de si profondément corrompu en lui que Daniel eut le plus grand mal à le reconnaître par les moyens habituels, mais il était certain de ne pas se tromper, et le temps n'avait en rien atténué la répugnance qu'il lui inspirait. C'était bien ce qu'il avait imaginé et craint, mais c'était ainsi.

– Vous vendez des cigarettes ? entendit-il demander Joaquim au portier, sans prendre la peine de s'exprimer en espagnol.

L'homme lui indiqua une boutique au coin de la rue.

– Vous n'en vendez pas sur place ? Vous vous fichez de moi ?

– Non, je suis désolé, monsieur. Juste à côté.

Joaquim se dirigea vers la sortie tandis que Daniel s'approchait du comptoir de la réception.

– La chambre de M. Grey, s'il vous plaît, demanda-t-il en espagnol.

– Je ne peux pas vous donner le numéro de la chambre, mais je peux vous la passer au téléphone.

– Très bien.

Daniel resta assez longtemps au comptoir pour voir sur quel bouton appuyait l'employé. L'homme dit quelques mots au téléphone et mit la ligne en attente.

– Mme Grey est là, monsieur, mais M. Grey est sorti.

– Je réessaierai plus tard.

Dès que l'employé eut le dos tourné, Daniel disparut dans l'escalier et monta six étages. Il faisait chaud dans cet hôtel. S'il y avait l'air conditionné, il devait être réservé aux chambres. Il s'arrêta devant la porte de la chambre 632 et frappa.

– Oui ? répondit timidement une voix qu'il reconnut.

– Euh, c'est le service d'étage.

Un tout autre jour, il aurait été incapable de dire cela en gardant son sérieux.

Il attendit nerveusement qu'elle vienne jusqu'à la porte. « Ouvre, s'il te plaît. » Le temps était compté.

Qu'allait-elle penser en le voyant ? Pour la première fois depuis longtemps il eut l'impression d'entrer pour de bon dans sa propre vie au lieu de poireauter devant la porte. Enfin, ce serait vrai si elle voulait bien le laisser entrer... Il espérait seulement qu'elle ne lui claquerait pas la porte au nez.

Elle était assise sur le lit en peignoir, les bras serrés autour des genoux. Daniel avait exigé qu'elle laisse les fenêtres fermées et fasse fonctionner à fond l'air conditionné, mais heureusement il était sorti et elle put prendre une douche rapide, et ouvrir la haute et antique fenêtre pour que la brise marine puisse enfin pénétrer dans la chambre.

Elle avait supporté une nuit à ce régime-là, mais n'était pas certaine de pouvoir en supporter encore six. Elle ne pouvait pas coucher avec lui. Tout son être se hérissait à l'idée de faire l'amour avec lui, et elle était strictement incapable de s'endormir à ses côtés. Ils étaient arrivés tard la veille, et elle était déjà trop nerveuse pour dormir. Elle finit par trouver le sommeil en lisant dans un fauteuil et se réveilla en sursaut bien avant le lever du soleil. Elle avait beau s'accuser de tous les torts, cela ne changeait pas grand-chose à ses sentiments. Elle lui avait fourni toutes sortes d'excuses oiseuses : elle avait ses règles et était hémophile, avait terriblement mal au ventre, etc., tout ce qu'on peut inventer pour décourager un homme, de préférence pour toujours. C'était plus fort qu'elle : elle ne pouvait pas coucher, ni même dormir avec lui.

Et naturellement, cela l'exaspéra. On n'emmène pas une fille au Mexique pour qu'elle passe la nuit dans un fauteuil avec son livre. Il ne s'était permis aucun geste déplacé, mais elle se tenait étrangement sur ses gardes en sa présence. Elle sentait une sorte d'irritabilité à fleur de peau qu'elle n'avait jamais perçue chez lui, au lycée. Quand il partit acheter des cigarettes, elle fut soulagée de pouvoir rester seule, même pour quelques minutes. L'idée de quitter discrètement l'hôtel et de rentrer chez elle lui traversa même l'esprit. Mais qu'avait-elle donc ? Qu'aurait dit Constance ? Comment en était-elle arrivée là ?

« Je suis désolée, Constance. J'ai essayé de ne pas lui fermer mon cœur, j'ai vraiment essayé. Mais je ne crois pas qu'il puisse me rendre heureuse. »

Peut-être n'était-ce pas finalement une si mauvaise chose,

si elle considérait sa situation d'un certain point de vue. Avant qu'il ne la retrouve, sa vie était dans une impasse. Elle ne pouvait faire un pas sans penser à lui. Elle était persuadée qu'elle ne l'oublierait jamais. Mais à présent qu'elle était avec lui, elle savait qu'elle en était capable. À présent qu'elle était avec lui, c'était toute son imagerie romantique qui lui paraissait grotesque. Elle avait fait bien plus que l'oublier, en dépit du fait qu'elle était coincée avec lui encore six jours au Mexique, dans une chambre d'hôtel. Elle pouvait aisément et avec un immense soulagement se représenter la vie sans lui. Elle était navrée pour Constance et Sophia de ne pas avoir accepté leur legs, mais c'était impossible. Ce nouveau monde qui lui avait paru autrefois si prometteur s'était révélé décevant. Et peut-être cela valait-il mieux ainsi. Elle pouvait enfin réintégrer l'ancien sans regrets.

Son cœur s'arrêta quand elle entendit des pas dans le couloir. Elle n'avait pas envie de le voir revenir si vite. Elle s'étonna qu'il frappe à la porte.

– Oui ?

– C'est le service d'étage.

Elle n'avait rien commandé. S'en était-il chargé ? Elle s'avança vers la porte le cœur léger. Elle n'aurait pas ouvert à Daniel dans cette tenue, mais n'avait rien à craindre des employés.

Elle s'attendait à se trouver face à un inconnu avec un plateau à la main, et ne comprit pas immédiatement qui elle avait face à elle. Elle regarda, détourna la tête, regarda de nouveau.

– Oh, non...

– Hé ! s'exclama-t-il, en jetant un coup d'œil derrière lui, dans le couloir, puis dans la chambre.

– Daniel, murmura-t-elle.

C'était une apparition, oui, mais une apparition en nage,

qui piétinait sur place et laissait des traces de pas sur l'épaisse moquette.

– Tu te souviens de moi?

– Oh, non...

Les hypothèses se précipitèrent dans sa tête. Avait-il encore changé? Adopté un autre corps? Retrouvé celui qu'il avait avant? Comment avait-il fait? Était-ce seulement possible? Mais elle scruta ses yeux, son menton, ses épaules, ses chaussures, son cou, ses mains, et conclut que l'homme qui se tenait devant elle n'était pas du tout, mais pas du tout, le même que celui qui était parti chercher des cigarettes un peu plus tôt. « Oh, non... » C'était LUI.

– Je suis vraiment désolé de débarquer comme ça au milieu de tes vacances, mais accepterais-tu de partir avec moi?

– Où ça?

– Loin d'ici.

– Là... comme... comme ça? balbutia-t-elle en jetant un regard à son peignoir.

– Oui, comme ça.

– Tout de suite?

Elle avait l'impression que son cœur, son petit cœur tendre et romantique, allait éclater.

La sonnette de l'ascenseur qui s'arrêtait à l'étage retentit.

– Oui, tout de suite.

Elle se dépêcha de sortir de la chambre et c'est lui qui en referma la porte, sans bruit. L'ascenseur était au bout du couloir, mais on entendait déjà les portes s'ouvrir. Il la prit par la main et elle le suivit, pieds nus. Ils tournèrent deux fois dans le couloir. Elle perçut des pas non loin derrière eux et le cliquetis d'une serrure, celle de sa chambre probablement, que l'on ouvrait avec une carte magnétique. Il s'arrêta devant une porte juste avant la cage d'escalier, l'ouvrit, la poussa à l'intérieur et referma précipitamment. C'était une sorte de cagibi qu'il réussit à verrouiller.

Ils étaient dans le noir, et elle essayait de reprendre son souffle quand elle s'aperçut qu'ils se tenaient toujours par la main.

– Serions-nous en train de fuir le mec avec qui je suis arrivée ici? chuchota-t-elle.

– Oui. Ça t'ennuie?

– Non.

– Parfait.

Il était si près d'elle que leurs deux souffles ne faisaient qu'un.

– Je suis désolé pour la surprise...

Elle rit. Et ce rire résonna de manière incongrue à ses oreilles, un peu comme si elle n'avait jamais ri de sa vie.

– Tu ne crois pas si bien dire.

Il sourit devant tant de franchise puis, d'une pression de la main, lui signifia de ne plus faire de bruit.

Lucy sentait les battements de son cœur jusque dans sa gorge et son ventre. L'idée que l'individu avec lequel elle était venue au Mexique avait pu être Daniel était tellement absurde qu'elle s'en voulait d'avoir pu se laisser abuser un seul instant.

– Je n'arrive pas à croire que tu sois là, chuchota-t-elle. Tu es vraiment là? Tu es bien vivant? Ce n'est pas un rêve?

Elle ne riait plus. Les larmes se mirent à couler lentement le long de ses joues.

– Oui, je suis vraiment là.

Il mourait d'envie de la prendre dans ses bras, mais il se retint. Il avait perdu toute confiance en lui. La dernière fois qu'il avait agi sur un coup de tête, il était tombé de haut. Il ne tenait pas à faire la même erreur. Il se sentait aussi vieux que les pierres et, à l'instar des pierres, il ne savait pas lire dans les larmes et ne connaissait plus rien à l'amour.

– Ça va ?

– Oui. Je suis contente de te voir.

Il chercha à distinguer son visage, confiant et courageux, et cela lui fit un pincement au cœur. Peut-être, après tout, s'y connaissait-il un tout petit peu en amour.

– Même après ce qui s'est passé la dernière fois ?

– Ce n'était pas ta faute. C'était la mienne.

– Non, s'insurgea-t-il.

Deux personnes marchaient dans le couloir, non loin de leur cachette. Joaquim invectivait un homme qui lui répondait calmement en espagnol.

– Je suis navré, monsieur, mais nous ne pouvons rien pour vous. C'est à la police que vous devez vous adresser.

Cette fois, c'est Sophia qui lui serra fort la main. Les éclats de voix et les bruits de pas s'éloignèrent puis s'éteignirent.

– Il m'a dit qu'il était toi. Je savais que ce n'était pas vrai. Pourquoi m'a-t-il dit cela ? Qu'attend-il de moi ?

– C'est une très longue histoire. Et probablement difficile à croire. Mais je te la raconterai si tu le désires.

– Maintenant ? Dans ce placard ?

– Non. Je crois que ce que nous avons de mieux à faire c'est de rester ici encore quelques minutes et de sortir de l'hôtel en passant par les cuisines. Je suis garé juste derrière. Je connais un endroit un peu plus haut sur la côte où nous pouvons aller, avant que je nous trouve un vol pour quitter le pays.

Elle hocha la tête, à la fois impatiente et abasourdie, l'examinant des pieds à la tête dans la pénombre.

– Tu as toujours ces chaussures…, fit-elle remarquer tout bas.

Il regarda ses pieds et releva la tête d'un air interrogateur.

– Les chaussures que tu avais au lycée. Je m'en souviens très bien.

– C'est vrai ? s'étonna-t-il, tout heureux.

Il attendit qu'il n'y ait plus aucun bruit avant de fouiller à tâtons le petit cagibi au fond duquel il découvrit sur un cintre une blouse à fermeture Éclair comme celles du personnel d'entretien.

– Tu te feras moins remarquer avec ça, dit-il en lui tendant le vêtement de travail.

Il trouva également le foulard qui allait avec.

– Garde la tête baissée, d'accord ? Il ne faut pas qu'on sorte en même temps. Tu vas passer devant et je te suivrai. Et surtout, ne t'occupe pas de moi, et ne t'arrête pas. Prends l'escalier à droite et entre dans les cuisines. Traverse-les tout droit vers la porte métallique signalée « sortie » et tu te retrouveras dehors. La voiture est une Ford Focus rouge avec des plaques mexicaines, garée juste en face. Les portières seront ouvertes. Ne t'arrête à aucun moment et ne parle à personne si possible. D'accord ?

– D'accord.

– C'est bon.

Il désirait la serrer dans ses bras. Il désirait sentir son corps contre le sien. Il avait le plus grand mal à ne pas la toucher et, en même temps, il ne s'y sentait pas autorisé. Que pensait-elle de lui en ce moment ?

– Il est dangereux ?

– Oui. Mais je ne te quitterai pas une seconde des yeux.

Elle prit la blouse et il ne put s'empêcher de sourire.

– Sauf maintenant. Je vais me retourner pendant que tu te changes.

Elle sourit à son tour. Et, s'il n'avait pas vraiment envie de se retourner, il le fit quand même. Il l'entendit juste enfiler la blouse.

– J'ai fini.

Il lui fit face, les mains dans les poches. Le peignoir était par terre et la fermeture Éclair de la blouse remontée jusqu'au cou. Elle était en train de glisser ses cheveux dans le foulard.

– Et les chaussures ?

– Exact.

Il trouva dans un des casiers contre le mur une paire de tongs en plastique rose et les lui tendit.

– Elles devraient m'aller.

Puis il prit sur une étagère une grosse pile de linge blanc qu'il lui déposa dans les bras.

Il s'approcha de la porte et posa la main sur la poignée. Il tendit l'oreille un instant.

– Prête ?

– Oui.

Il ouvrit la porte.

– Vas-y et ne lève pas la tête.

Elle sortit dans le couloir, prit un temps avant de se tourner vers lui et le gratifia d'un sourire désarmant. Quelle jolie femme de ménage elle faisait !

Personne ne prêta attention à eux jusqu'à ce qu'ils soient dans la voiture. Quand un homme en costume de groom ouvrit soudain la porte des cuisines en criant quelque chose, la voiture quittait déjà la ruelle dans un crissement de pneus.

– Il relève l'immatriculation, lui dit Daniel en regardant dans le rétroviseur.

– Qu'est-ce qu'on fait ?

– On va se débrouiller.

Elle ôta ses tongs et cala ses pieds nus contre le tableau de bord.

– C'est amusant.

Elle aurait dû avoir peur, et c'était un peu le cas, mais il lui était difficile d'attacher beaucoup d'importance au monde réel quand il était si près d'elle.

– Si on arrive à sortir d'ici, oui, ce le sera.

Daniel se concentra quelques instants afin de trouver la

route qui les conduirait vers le nord. Il ne cessait de jeter des coups d'œil dans le rétroviseur pour s'assurer qu'ils n'étaient pas suivis.

– Est-ce qu'il a une voiture ?

– Pas à ma connaissance. Nous n'en avons pas loué en tout cas. Nous sommes venus en taxi de l'aéroport.

– Parfait. Ça nous laisse un peu d'avance sur lui.

– Tu es sûr qu'il va nous suivre ?

– Non. Mais je pense qu'il finira bien par nous rattraper. Ce n'est pas maintenant qu'il va abandonner. Nous n'avons plus qu'à espérer que ça lui prendra un bon moment.

Elle enleva son foulard et étudia le profil de Daniel. C'était si bon d'être avec lui, quoi qu'il advienne.

– Ce ne serait pas le moment de me raconter ton histoire ? demanda-t-elle.

Il acquiesça prudemment, et elle comprit pourquoi.

– Elle est longue et étrange, et tu n'es pas obligée de me croire. Donc je vais te raconter ma vision des choses et ensuite nous essaierons tous les deux de trouver une explication qui tienne la route.

Son ton était enjoué, et cela émut fortement Lucy : cela faisait si longtemps qu'il se débattait seul avec son interprétation du monde. Elle voulait qu'il sache à quel point elle le comprenait et compatissait. Elle aurait aimé le lui dire et beaucoup d'autres choses aussi, mais elle semblait ne pas pouvoir s'y résoudre. Les idées se bousculaient à toute vitesse dans sa tête et elle ne parvenait ni à ralentir leur course folle ni à y réfléchir rationnellement.

– C'est bon, Daniel, réussit-elle à dire. Je comprends plus de choses que tu n'imagines.

Il quitta des yeux la route une fraction de seconde pour la regarder.

– Qu'est-ce que tu veux dire ?

Elle s'efforça d'apaiser le cours de ses pensées et de respirer lentement.

– Je veux dire que... je ne comprends pas très bien de quoi il s'agit exactement, mais je crois... je pense que je crois à l'idée que nous... que nos âmes... nous survivent de sorte qu'on est capable de reconnaître des gens et de se souvenir de choses au cours de plusieurs vies.

Son regard passa plusieurs fois alternativement de la route à son visage. Il était beaucoup plus difficile de mener cette discussion sans se regarder en face. Elle était impatiente de pouvoir entrer d'une manière ou d'une autre en contact avec lui, et pas précisément de se jeter sur lui et de l'embrasser, sans vouloir exclure cette hypothèse, mais pour comprendre quels étaient ses sentiments à lui à son égard, pour mieux saisir les raisons de sa gaucherie, pour commencer à effacer cinq années abrutissantes d'incertitude.

– Qu'est-ce qui t'a amenée à... à penser ça? demanda-t-il avec prudence.

– Eh bien, euh... une voyante, un hypnotiseur et quelques autres événements auxquels je ne crois pas. Ceci est une autre histoire.

Il était parfaitement immobile, les deux mains agrippées au volant.

– Que sais-tu de moi?

On aurait dit qu'il se méfiait.

– Pas grand-chose. Je sais que je te connaissais avant. Du moins, je le pense, dit-elle en jouant avec sa ceinture de sécurité. Est-ce que tu pourrais m'éclairer sur un point au moins?

– Bien sûr.

– Comment se fait-il que tu sois toujours Daniel alors que les autres réapparaissent sous d'autres identités? Cela fait donc très longtemps que tu es en vie?

Il sembla soulagé.

– C'est ce que tu crois ? Que j'ai plusieurs centaines d'années ? dit-il en souriant. J'ai l'impression que tu es devenue beaucoup plus laxiste en ce qui concerne l'âge de tes amoureux.

Elle rit.

– Ces années ont été très curieuses.

Il expira lentement et se cala contre le dossier de son siège.

– J'ai vingt-quatre ans. Il est exact que je vis depuis très longtemps, mais je suis mort aussi un certain nombre de fois, tout comme toi.

– Alors, comment se fait-il que tu ne changes pas d'une vie à l'autre ?

– C'est vrai. C'est mon esprit qui reste identique à lui-même. Parce que je me souviens.

Elle hocha la tête.

– C'est la seule chose qui soit extraordinaire chez moi, ajouta-t-il. Mais particulièrement extraordinaire : ma mémoire.

Elle resta songeuse un moment.

– Et tu te souviens vraiment de tout ? De toutes tes vies ? De tous les gens que tu as connus ?

Il ne cessait de la regarder par intermittence, comme s'il ne voulait pas perdre une occasion de lui expliquer tous ces phénomènes.

– Je n'ai pas une mémoire infaillible, mais oui, je me souviens de presque tout. Sauf de mon anniversaire. Lui, j'ai tendance à l'oublier, avoua-t-il avec une certaine légèreté qui n'échappa pas à Lucy.

– Ce n'est pas vrai.

– Si. J'ai l'impression qu'un jour sur deux ce pourrait être mon anniversaire. Ça perd un peu de son charme.

– J'imagine.

– Et ça entame sérieusement ma confiance en l'astrologie.

– C'est triste.

– C'est triste et heureux, dit-il d'un ton plutôt guilleret.

– Alors… joyeux anniversaire.

– Eh bien, merci !

Il tripota les boutons de la radio et tomba sur un morceau de salsa. Ils souriaient tous deux béatement.

– Existe-t-il quelqu'un d'autre au monde comme toi ? demanda-t-elle en pianotant sur son genou.

– Quelques personnes.

– Tu les connais toutes ? C'est une espèce de club, non ?

Il éclata de rire.

– Non, pas exactement. Ni T-shirts ni poignées de main codées. Mais j'en connais personnellement deux et j'en ai déjà croisé quelques-unes ou en ai entendu parler.

– Qui, par exemple ?

Daniel jeta un regard dans le rétroviseur.

– L'homme qui ne va pas tarder à se lancer à notre poursuite.

– Je t'ai déjà enlevée une fois, tu sais, lui dit Daniel tandis que les rayons du soleil inondaient la voiture, leur conférant un teint ambré.

– C'est vrai ? Moi qui croyais que c'était la première fois aujourd'hui.

Cela le fit rire. Il était étonnamment détendu, presque enivré par un cocktail d'excitation, de soulagement et de peur. Son soulagement venait du fait qu'elle ait connu bien des détails à son sujet, qu'elle l'ait cru, ne l'ait pas fui ni considéré avec appréhension et méfiance. La façon dont elle était venue à bout de ces difficultés était franchement étonnante. Qu'est-ce que cela voulait dire ? Que représentait-il à ses yeux ? Puis les idées noires menacèrent de l'assaillir de nouveau. Comment avait-elle pu le confondre avec Joaquim? Comment avait-elle pu accepter de partir au Mexique avec Joaquim?

– Alors, quand était-ce?

– Il y a très longtemps.

– Comment m'appelais-je à cette époque?

Il la considéra avec stupeur.

– Sophia.

– Sophia? C'est comme ça que tu m'as appelée au lycée.

– C'est le premier prénom que j'ai connu de toi. La dernière fois donc, je t'ai enlevée sur un beau pur-sang arabe, ce qui était nettement plus romantique qu'une Ford Focus.

– Je me débrouille mieux avec une Ford Focus, plaisanta-t-elle pour le faire rire.

Quelles que soient les raisons pour lesquelles elle se trouvait en ce moment à ses côtés, il était étonnamment réconfortant d'échapper à Joaquim, de partager avec elle une même cause et de sentir qu'il pouvait la protéger. C'était l'unique service que Joaquim lui ait jamais involontairement rendu, à lui comme sans doute à quiconque.

Elle glissa ses pieds sous elle et le regarda avec plus de gravité.

– Pourquoi m'avais-tu enlevée cette première fois?

– Pour la même raison qu'aujourd'hui et à cause du même homme. Je cherchais à te venir en aide.

– En avais-je besoin?

– Oui. Mais tu n'y étais pour rien.

– Que me veut-il?

Daniel tourna en direction de Los Cuches et accéléra.

– Maintenant ou avant?

– Commençons par avant.

Il acquiesça.

– Je vais donc commencer par le commencement, si tu veux bien.

– D'accord.

– Pas au tout début, mais au début de notre histoire à tous les trois, toi, moi et l'homme avec lequel tu es venue ici. Il s'appelait Joaquim à l'époque, et j'ignore le nom qu'il a adopté aujourd'hui. Nous savons qu'il n'est pas Daniel, donc je l'appellerai Joaquim. Je suis plutôt attaché aux anciens noms, comme tu t'en es peut-être aperçue.

Elle hocha la tête.

– Tout a commencé il y a plus de douze siècles dans ce pays qui est de nos jours la Turquie.

JOLUTA, MEXIQUE, 2009

Ils laissèrent la voiture sur le parking d'un supermarché puissamment illuminé, à quelques kilomètres de la côte Pacifique. Daniel demanda à un jeune homme de les conduire au bord de la mer, à une demi-heure de là, pour une poignée de pesos. Il avait imaginé rester un certain temps avec elle dans un bungalow sur la plage déserte d'une baie sauvage située entre deux promontoires rocheux.

Le soleil, qui semblait les attendre, déclinait lentement vers l'horizon lorsqu'ils arrivèrent à destination. Daniel remercia le chauffeur et nota son numéro de téléphone portable.

– Il se peut que j'aie besoin de vous joindre de toute urgence, lui expliqua-t-il dans son curieux espagnol.

Il s'était montré si généreux qu'il semblait évident que le jeune homme ferait son possible pour lui être agréable.

– Vous pouvez m'appeler à n'importe quelle heure, répondit-il.

Daniel trouva la clé sous un pot de fleurs, comme convenu avec l'agence de location.

– Comment as-tu fait pour organiser tout ça ? s'étonnat-elle. Comment savais-tu que les choses allaient se passer ainsi ?

– Je ne le savais pas. J'espérais seulement que nous pourrions arriver jusqu'ici. Et je voulais donc m'assurer que nous aurions un point de chute au cas où nous réussirions. Je vais louer un avion à Colima, vraisemblablement, mais nous ne bougerons pas d'ici avant demain matin.

C'était une maison blanchie à la chaux, au toit de tuiles, qui croulait sous un beau bougainvillier orange foncé. Il ouvrit la porte. La grande pièce principale, haute de plafond et embaumant l'air marin, donnait sur une terrasse et la plage au-delà. Deux ventilateurs tournaient lentement. La cuisine, sur l'arrière, ouvrait sur la grande pièce. Il y avait une chambre de part et d'autre, très simples et de bon goût.

Ils firent le tour de la petite maison sans se quitter des yeux, et elle se demanda s'il était possible que son incrédulité à lui puisse être à la hauteur de la sienne. Quelle était la nature de cette aventure? Veillait-il simplement sur elle? Allait-il la raccompagner gentiment chez elle et retrouver sa vie d'avant? Mais une part d'elle-même la ramenait inlassablement à l'histoire de Sophia et de lui-même qu'il lui avait racontée dans la voiture. Il l'avait laissée dans un village perdu dans les collines, était parti et s'était fait tuer.

Un muret bas entourait la terrasse et, sans se concerter, ils allèrent s'y asseoir pour admirer le coucher du soleil. Elle portait toujours cette ridicule blouse de femme de ménage couleur pêche. Quant à lui, il était vêtu comme en plein hiver à Washington. Ils étaient tous deux silencieux.

Elle sentait la pression de sa cuisse contre la sienne et elle ne put s'empêcher de penser qu'elle était nue sous la blouse. Elle avait quitté précipitamment sa chambre d'hôtel en peignoir sans avoir eu le temps de songer à emporter quoi que ce soit.

Dans une semi-torpeur, elle fixait le ponton flottant arrimé à une cinquantaine de mètres de la plage et se disait que ce serait agréable de le rejoindre à la nage. C'était exactement le genre de chose qu'ils auraient faite s'ils avaient été en vacances, se dit-elle rêveusement. Mais ce n'était pas le cas. Elle aurait aimé le croire, mais c'était faux. Ils étaient en mission humanitaire pour la sauver des griffes d'un ennemi redoutable. Daniel ne cherchait qu'à lui venir en aide. Peut-être avait-il simplement pitié d'elle. Peut-être était-ce en souvenir du bon vieux temps. «Pourvu que ce ne soit rien de tout ça!» souhaita-t-elle.

Qu'importe ce qu'elle pouvait ressentir à son égard, elle devait se méfier de ses émotions. Il aurait pu la retrouver depuis longtemps s'il l'avait voulu. Elle songeait à toutes ces années où elle l'avait attendu en vain. Pourquoi, s'il avait désiré la revoir autant qu'elle l'avait rêvé, n'était-il pas venu plus tôt?

Lorsque le soleil eut sombré dans l'océan Pacifique, il alla voir ce que contenait le réfrigérateur.

– Tu veux quelque chose à boire? lui cria-t-il.

– Oui, merci. Ce que tu voudras. Mais pas de bourbon.

Daniel avait quelque chose à dire, mais il n'y parvint qu'après deux sodas au gingembre, une mangue très mûre, deux sandwiches et un sachet de chips.

– Comment a-t-il réussi à t'approcher? finit-il par lui demander, comme la suite logique d'une longue conversation quelque peu frustrante.

– Tu veux parler de Joaquim?

– Jamais je ne l'aurais imaginé après tout ce qu'il t'a fait subir quand tu étais sa femme. Je sais bien que c'était il y a très longtemps, mais en général ces impressions sont très tenaces. Je croyais que tu l'aurais fui. Mais je devais me tromper. Peut-être que les sentiments finissent par s'estomper au bout d'un certain temps. À moins qu'il n'y ait quelque chose qui m'échappe.

Elle posa son verre. Elle comprenait son ressentiment et se dépêcha de lui répondre :

– J'avais vraiment envie de fuir, Daniel. Et je l'aurais fait. Je me faisais violence pour m'asseoir à côté de lui. J'ignore comment j'y suis parvenue. J'ai cru que j'allais vomir quand il m'a embrassée. Je me suis sentie coupable sur le coup, mais maintenant, quand j'y repense, je ne me trouve pas seulement stupide, mais j'ai encore envie de vomir.

– Est-ce que tu l'as… ?

Une autre question brûlait les lèvres de Daniel. Elle avait deviné ce qui le tourmentait, mais ne voulait pas lui faciliter la tâche.

– Est-ce que j'ai quoi ?

– Est-ce que tu l'as… beaucoup embrassé ?

– Non, pas beaucoup.

Il était un peu gêné, mais surtout très obstiné.

– Est-ce que vous êtes allés plus loin ?

– Ça te regarde ?

– Non.

– Daniel, dit-elle en se levant avec l'envie de le secouer. Je n'ai pas fait l'amour avec lui. Je ne l'aurais jamais laissé me toucher. Je ne l'aurais pas supporté. La nuit dernière, je l'ai passée dans un fauteuil. C'est bien ça que tu voulais savoir, non ?

Il acquiesça, l'air peiné.

– Mais pourquoi es-tu quand même partie avec lui malgré ce qu'il t'inspirait ?

– Tu sais très bien pourquoi : parce qu'il m'a dit qu'il était toi.

Il hocha la tête et resta silencieux un moment.

– Et ça te semblait une bonne chose ?

– Comment peux-tu me poser une telle question ? répliqua-t-elle, les larmes aux yeux.

Il s'enhardit à poser un doigt sur l'un des siens et un pouce sur son poignet.

– La dernière fois que je t'ai vue, à la fête du lycée, je t'ai fait fuir. Je comprends fort bien pourquoi. C'était entièrement ma faute, je le sais. Mais la dernière chose que tu m'as dite, c'était que je devais te laisser tranquille; tu m'as demandé de te lâcher. J'ai essayé, puisque c'était ce que tu désirais. Je ne voulais pas te faire davantage de peine. Et je ne savais pas comment m'y prendre pour t'aborder de nouveau sans faire d'erreur. Je ne tenais pas à compromettre l'infime chance qui pouvait se présenter un jour ou l'autre.

Elle se frotta les yeux avant que les larmes ne se mettent à couler.

– Tout a changé depuis ce fameux jour. J'ai eu peur des choses que tu m'avais dites, mais j'ai eu beaucoup plus peur encore de tout ce que j'ai commencé à ressentir. Je me suis mise à avoir des… des visions, et j'ai cru que je devenais folle. Je n'arrêtais pas d'y penser, et à tout ce que tu m'avais dit. Je voulais te revoir, mais je te croyais mort. Quelqu'un t'avait vu sauter dans l'Appomattox.

Il hocha la tête d'un air morose.

– J'ai sauté, mais je ne suis pas mort.

– Je m'en doute. Mais je l'ignorais à l'époque. Je t'ai cherché partout. Tu ne peux pas imaginer à quel point j'avais envie de te retrouver et combien j'ai pu penser à toi ces cinq dernières années.

Son étonnement n'était pas de nature à être feint.

– Je n'en avais pas la moindre idée. Si j'avais su…

– Bon, peut-être que toi tu ne l'as pas su, mais lui, il a dû apprendre d'une façon ou d'une autre que je te cherchais désespérément. Il s'est pointé à la fac en se faisant passer pour toi. Je ne l'ai pas cru sur le moment. Mais il savait des choses qu'il n'aurait pu connaître autrement. En tout cas, c'est ce que je me suis dit. J'ai découvert tant de choses incroyables sur notre monde ces dernières années que je ne sais plus ce qui est possible et ce qui ne l'est pas. Il m'a parlé de ces phénomènes mystérieux auxquels tu avais fait allusion au bal. Il m'a dit que tu étais mort, ce que j'avais déjà conclu, et que tu étais revenu dans un autre corps. Il m'a même expliqué ce processus complexe qui consiste à migrer d'un corps à l'autre.

Les traits de Daniel reflétaient une grande souffrance.

– C'était la seule chose vraie dans tout ce qu'il t'a raconté.

– Ah, oui ?

– Oui.

– Il a dit qu'il ne faisait de mal à personne en faisant ça.

– C'est faux. Il fait souffrir les gens.

Elle ferma les yeux.

– Je ne le savais pas. Je ne savais rien du tout. C'est hallucinant ce que j'ai pu me dire pour me convaincre. Et j'aurais pu me dire n'importe quoi, pour la bonne raison que j'avais envie de le croire.

– Pourquoi ?

– Parce que je voulais être avec toi.

Ils descendirent sur la plage pour marcher au bord de l'eau. Il faisait nuit, mais la lune était pleine et lumineuse. La mer était calme et semblait les appeler. Daniel avait très envie de se baigner. Il sentit que Lucy aussi, mais il n'osa pas le lui proposer. Il pouvait garder son caleçon, tandis qu'elle n'avait que sa blouse et probablement rien dessous.

Il se prit alors à songer à son corps dans ce vêtement informe, et au même débarrassé de cette blouse. Puis il l'imagina en train de baisser la fermeture Éclair avant d'entrer dans la mer, et il réalisa que ce ne serait plus une excellente idée de se mettre en caleçon. Tourmenté par son embarras et sa maladresse, il ne parvint qu'à se décider à lui prendre simplement la main.

– Qu'est-ce qui t'est arrivé, s'alarma-t-elle en voyant son bras dont la manche était remontée.

– Comment ça?

– Ces cicatrices.

– Ce n'est rien, répliqua-t-il en baissant sa manche.

Elle la releva à son tour.

– Ça n'a pas l'air d'être rien du tout.

Alors, elle se pencha sur son bras et embrassa les traces de brûlure, chacune des trois, lentement et posément. Il la fixa avec stupeur. De toutes les parties de son corps qu'il aurait aimé qu'elle embrasse, celle-ci était précisément celle qu'il aurait voulu garder secrète.

– J'ai eu des parents adoptifs assez durs, se justifia-t-il précipitamment. La mère était une fumeuse invétérée au très mauvais caractère.

Lucy eut l'air affolé.

– C'est elle qui t'a fait ça?

– Ce n'était pas ma vraie mère. C'était simplement la femme chez qui je vivais quand j'étais petit, commenta-t-il d'un ton si méprisant qu'il en devenait grossier, mais c'était plus fort que lui.

– Alors qui était ta mère?

– La femme qui m'a donné le jour était héroïnomane. Elle est morte quand j'étais tout petit. Je n'en ai aucun souvenir, j'étais trop jeune.

Il semblait indifférent, et tel devait bien être son sentiment.

Elle lui embrassa de nouveau le bras. Elle était beaucoup plus affectée que lui, et il regretta de ne pouvoir partager la même émotion.

– Ça n'a aucune importance, ce n'est pas grave. J'ai vécu

bien pire. Je me moquais de ce qu'elle pouvait me faire subir. Elle croyait peut-être me faire souffrir, mais c'était impossible.

Elle leva la tête et le regarda dans les yeux.

– Comment peux-tu dire une chose pareille ? Comment peux-tu dire que ça n'a aucune importance ? Tu étais un enfant, et elle t'a fait mal. Elle t'a brûlé et ça a laissé des cicatrices. Évidemment que c'est grave ! Autrement, tu ne les cacherais pas.

Il secoua la tête, brusquement agacé.

– Je ne les cache pas.

– Si, tu les caches ! Qu'importe combien de vies tu as eues ou les souvenirs qu'il t'en reste, ça laisse des traces. Ça compte !

– Pas comme tu l'imagines.

Il éprouvait une certaine colère. Ce n'était pas le genre de sujet dont il avait envie de discuter avec elle.

– Je ne suis pas comme toi, Sophia, je suis différent. C'est tout. Je ne ressemble à personne. Tu ne peux pas comprendre.

– Oh, si, je comprends très bien, riposta-t-elle en se rembrunissant. Et, au passage, je suis Lucy… Tu es ce que tu es, mais tu n'es pas aussi différent que tu le crois. Tu es l'homme que j'ai en face de moi, ici et maintenant, affirma-t-elle en lui prenant le bras des deux mains. Avec cette peau et ces cicatrices et ta fichue mère ! C'est ce que nous sommes.

– Tu te trompes, répliqua-t-il en la foudroyant du regard. Nous sommes plus que cela.

Elle avait l'air furieuse, et c'était tant mieux : il préférait la voir ainsi plutôt que compatissante. Elle le provoquait, et il lui en voulait, mais il s'en voulait bien davantage. Peut-être fuirait-elle de nouveau. Peut-être avait-il encore tout gâché. Peut-être pour toute la vie. Peut-être pour toutes les vies. Il était probablement écrit que ça ne marcherait jamais entre eux. Il ne savait pas s'il devait encore tenter sa chance.

Elle le contempla un long moment. Elle pouvait se montrer dure quand elle le voulait. Elle posa les mains sur les épaules de Daniel qui espérait presque qu'elle le secoue, mais ce n'est pas ce qu'elle fit. Elle se pencha sur lui au point qu'il sentit la chaleur de son corps, se troubla et eut le plus grand mal à respirer.

– Tu veux que je te dise, Daniel ?

Il retint son souffle.

– Quoi ?

Voilà : le moment où elle allait lui dire au revoir et partir était venu. Il ne savait pas où elle irait, mais il était certain que c'était ce qui allait se produire. Il espérait seulement qu'elle lui permettrait de la mettre en sécurité quelque part.

– Bon, si tu trouves que ça n'a aucune importance, eh bien, ça n'a aucune importance.

Elle inclina la tête, posa la bouche dans le petit creux, à la base du cou et lui fit un très long baiser. Il sentit ses lèvres humides, sa langue...

Il était trop hébété pour réagir. Il était transi. Il ne savait pas quoi faire. Son corps n'était plus qu'une pelote de nerfs à vif, et son cerveau était paralysé.

Elle se redressa et, sans le quitter des yeux, entreprit de lui déboutonner sa chemise. Il était tellement ébahi qu'il la regardait faire avec l'impression que tout cela arrivait à quelqu'un d'autre. Elle lui enleva sa chemise et la laissa tomber derrière lui dans le sable. Il avait le souffle court, mais n'osait pas faire un geste.

– Si tu trouves que cela n'a aucune importance, eh bien, ceci non plus n'a aucune importance.

Elle se pencha sur sa poitrine et l'embrassa.

Il serra les poings et prit une brusque inspiration.

– Et ceci non plus n'a aucune importance.

Elle glissa ses mains dans le dos de Daniel et l'attira à elle afin de l'embrasser sur la bouche. Elle l'embrassa avec fougue, et il lui rendit son baiser, aussi violemment qu'une déferlante. Il ne pensait plus à rien. Il l'embrassait de toute son âme, parce que c'était plus fort que lui. Plus rien ne l'arrêtait. Ses mains empressées descendaient vers ses hanches lorsque, soudain, elle s'écarta de lui.

Elle le repoussa et le regarda, infligeant le martyre à ce grand corps tout bête. Il ne supportait plus d'être séparé d'elle ; elle avait déclenché en lui trop d'émotions. Cela aussi était plus fort que lui. Il avait l'impression de perdre pied.

Elle le regardait imperturbablement, mais ses yeux étaient pleins de larmes.

– Alors, ça n'a aucune importance, ce n'est rien du tout ?

Elle allait se mettre à pleurer, elle pleurerait à cause de lui, et cela, il ne le supportait pas.

Il ferma les yeux.

– Daniel, réponds-moi : est-ce que ça a de l'importance ? Parce que sinon, j'arrête tout de suite.

Il ne voulait pas rouvrir les yeux. Il sentit une larme se frayer un lent chemin au coin de son œil, sous sa paupière close. Il ne pouvait lui mentir. Il ne lui avait jamais menti, ce n'était pas aujourd'hui qu'il allait commencer.

– Continue, la supplia-t-il dans un souffle.

– Pourquoi ?

Il mourrait s'il ne pouvait plus la toucher.

– Parce que c'est important.

Lorsqu'elle se remit à l'embrasser, il pleura, de bonheur et de chagrin. Ils étaient allongés sur le sable, masse confuse et embuée de larmes et de baisers humides. Il ne chercha plus à comprendre ce qui lui arrivait. Il ne chercha plus à s'en souvenir pour plus tard. Ça lui appartenait. Et non seulement c'était important, mais c'était ce qui comptait le plus à ses yeux. Il l'embrassa sans retenue, car aimer était la seule chose qu'il avait à faire.

Il ne savait pas combien de temps ils étaient restés à s'embrasser sur le sable, dans la nuit noire, ni tout ce qu'il lui avait dit. Plus rien ne le séparait d'elle désormais. À un moment, sans presque réfléchir, il la souleva dans ses bras. Il ne pensait à rien, il laissait son corps agir à sa guise. Il avait cessé depuis longtemps de lutter contre lui. C'était un corps puissant qui la porta sans le moindre effort dans la maison, puis dans la chambre à coucher. Il écarta la moustiquaire et l'allongea sur le lit.

Le temps ne signifiait plus rien. Les événements successifs dont il avait jusqu'alors gardé précieusement la mémoire ne comptaient plus. La trajectoire de sa longue vie semblait avoir fait machine arrière pour le transformer en un homme neuf, qui repartait de zéro.

Il descendit la fermeture Éclair de sa blouse de femme de ménage avec une tendresse fiévreuse et la découvrit nue, comme surpris et émerveillé, alors qu'il savait qu'il en serait ainsi. Il lui semblait n'avoir jamais vu de femme nue, et lorsqu'il posa ses mains sur elle, il lui sembla n'avoir jamais touché personne avant elle. Il parcourut tout son corps du bout des doigts et du bout des lèvres comme pour la première fois, revenant régulièrement embrasser son visage humide de larmes et s'assurer en la regardant dans les yeux que leurs désirs étaient à l'unisson. Elle s'abandonnait sans réserve.

– Je t'aime, lui murmura-t-il, et s'il l'avait déjà dit à quelqu'un, il n'en avait pas le souvenir.

Lorsqu'il eut exploré la moindre parcelle de son corps, elle noua ses jambes autour de sa taille et se laissa pénétrer. Elle s'accrochait à lui, le tenant par le cou et l'embrassant fougueusement.

Il aurait pu rester en elle indéfiniment. Il était en elle, en Lucy. Et lui, il était lui, rien de plus. Lucy avait raison. C'est tout ce qu'ils étaient : eux-mêmes.

Il finit par jouir, jouir, jouir en elle. La sensualité à l'état brut. Et ce moment fut suffisamment bouleversant pour anéantir tout souvenir, d'avant comme d'après. Peut-être n'aurait-il pas la chance de le conserver dans sa mémoire, ce qui avait toujours été sa grande hantise. Mais cette fois, il éprouva une immense joie à se sentir l'esprit libre et léger. Il lâchait tout : le reste du monde et la mémoire de tout ce qui lui était advenu. Il plaqua son corps moite contre la peau douce et satinée de Lucy. Il se lova autour d'elle, aussi pur et innocent que l'enfant qui vient de naître.

JOLUTA, MEXIQUE, 2009

Un bruit la réveilla. Ce n'était ni la respiration de Daniel ni un soupir isolé, qui s'intégraient harmonieusement à son sommeil, mais un bruit qu'elle n'avait pas identifié. Elle se dégagea tout doucement et à regret de son corps endormi, lui rendant sa jambe à lui et reprenant son bras à elle. Comme il était allé aux toilettes un peu avant, il avait remis son caleçon.

La lueur ténue de l'aube commençait à s'infiltrer faiblement dans la chambre. Elle se leva sur la pointe des pieds et ramassa au passage la blouse qui traînait sur le sol. Elle l'enfila, puis remonta lentement la fermeture Éclair pour ne pas le réveiller et se tourna vers la fenêtre. Elle distinguait à peine les feuilles du manguier. Elle tendit l'oreille, aux aguets.

Elle entendit de nouveau un bruit, dans la même direction. Un oiseau probablement, ou quelque autre petit animal. Ils ne manquaient pas dans cet environnement tropical. Elle marcha vers la fenêtre en essayant d'accommoder son regard à la lumière ténue.

– Daniel! hurla-t-elle instinctivement.

Elle avait aperçu quelque chose. Elle n'avait pas vraiment distingué de visage, mais elle était à peu près certaine d'avoir vu quelque chose à la fenêtre entrebâillée. Était-ce une arme à feu?

Tout se précipita et plusieurs événements se produisirent simultanément, dans un désordre apparent. Daniel s'assit sur le lit en l'entendant crier son nom. Elle se précipita et se jeta sur lui. Un coup de feu retentit, elle poussa un cri, et Daniel fut soudain debout et hurla.

Elle n'avait aucune idée de ce qui se passait. Il la tenait dans ses bras et criait comme un fou. En voyant le sang, elle crut qu'il était blessé. Il la tira du lit et l'entraîna hors de la chambre. Elle entendit un autre coup de feu derrière eux.

– Tu es blessé? Tu n'as rien? Tu as été touché? hurlait-elle, sans savoir exactement ce qu'elle disait ni ce qu'elle imaginait.

Il traversa toute la maison en courant et sortit sur la plage. Il courait sur le sable avec elle, et c'est alors que retentit la troisième détonation. Ils allaient mourir. Où pouvaient-ils fuir? Impossible de retourner dans la maison. Et ils étaient des cibles faciles sur la plage. En face d'eux, il n'y avait que l'océan.

Il y avait du sang sur sa poitrine. Oh, non... était-il blessé?

Il courut avec elle jusqu'à l'eau et l'entraîna dans la mer. Ce ne fut qu'au moment où elle essaya de nager qu'elle réalisa qu'elle ne pouvait presque plus bouger le bras. Un autre coup de feu claqua au loin.

– Prends une grande respiration, lui ordonna-t-il.

Ils plongèrent tous deux sous l'eau, tandis qu'il la remorquait et qu'elle nageait tant bien que mal. Lorsqu'une violente douleur lui traversa l'épaule, elle se demanda si elle ne s'était pas blessée. Il nageait avec tant d'énergie pour deux qu'elle ne s'inquiéta pas outre mesure. Puis ils remontèrent à la surface pour reprendre leur souffle, avant de disparaître de nouveau sous l'eau.

Lorsqu'ils remontèrent pour la troisième fois à l'air libre, elle aperçut le ponton flottant droit devant eux. «C'est ce que nous aurions fait si nous avions été en vacances», se rappela-t-elle bêtement. Il l'aida à le contourner, la hissa dessus et se dépêcha d'y grimper à son tour.

Elle peinait à reprendre sa respiration et se tenait l'épaule. Quand elle vit la silhouette sur la plage, l'arme à la main, elle sut que c'était Joaquim.

Elle sentit Daniel la soutenir d'un bras tandis que, de l'autre, il descendait la fermeture Éclair de sa blouse et lui découvrait précipitamment l'épaule. C'était douloureux. Il la déshabillait, et ils allaient mourir d'un instant à l'autre, et tout cela la laissait parfaitement indifférente.

– Ce sera facile de nous tuer là-dessus, dit-elle cherchant toujours à retrouver sa respiration.

– S'il avait l'intention de nous tuer, il le ferait.

Il examinait son épaule, et elle réalisa soudain que c'était elle qui saignait.

Le revolver était braqué sur eux.

– Parce que ce n'est pas son intention?

– Je crois qu'il l'aurait déjà fait s'il avait été si pressé que ça.

– J'ai été touchée? demanda-t-elle, incrédule.

– Une balle qui ne t'était pas destinée t'a entamé l'épaule. Tu t'es carrément jetée dessus, ma chérie, et tu m'as fichu la trouille de ma vie.

Elle avait du mal à croire qu'il lui souriait, mais c'était pourtant vrai.

– C'est une belle entaille, mais la balle n'a pas pénétré. Nous avons eu de la chance ce coup-là.

– À qui était-elle destinée?

Elle jeta un nouveau regard suspicieux en direction de Joaquim et de son arme, sur la plage.

– Elle était destinée à nous intimider et à nous arrêter, mais pas à te blesser. Ça n'aurait pas du tout dérangé Joaquim de me tuer, mais il aurait été grandement déçu : il veut m'avoir à sa merci. Voilà le genre de type qu'il est ! Il veut te faire subir ce que je lui ai fait : t'enlever à moi, et que je sache que tu es quelque part sur cette terre et que tu ne peux pas être mienne. Il croit peut-être que tu lui appartiens toujours. Ça ne veut pas dire qu'il ne me tuera pas, ou qu'il ne nous tuera pas, en dernier ressort, mais ce n'est pas son intention première.

– Pourquoi ?

– Parce qu'il nous perdrait encore. Il nous a retrouvés dans cette vie-ci, mais il ne le pourra pas dans la prochaine, car il est incapable de reconnaître les âmes.

– C'est vrai ?

– Oui, tout du moins il en était incapable avant.

– Et toi ?

– Pas très bien, mais oui, j'y arrive.

– Bon, donc qu'est-ce qui va se passer maintenant ?

– Je n'en sais rien, et lui non plus. En t'amenant ici, il espérait probablement m'y attirer et me faire sortir du bois, mais il ne s'attendait certainement pas à ce que je parvienne à fuir avec toi. Je suis à peu près sûr que ça n'entrait pas dans ses plans. Il sait que nous n'avons pas tellement de choix, là tout de suite, mais lui non plus. À part nous tuer tous les deux, tout ce qu'il peut faire, c'est attendre de voir ce que nous, nous allons faire. Il ne peut pas nous laisser pour aller chercher un bateau. Nous en profiterions pour disparaître. Et il ne peut pas nous rejoindre à la nage.

– Alors, qu'est-ce qu'on fait ?

– Pour l'instant, nous sommes coincés. Nous allons tous devoir attendre.

– Ah, bon ?

– À moins que tu n'aies une autre idée.

– Je vais y réfléchir, répondit-elle, s'apercevant que cela faisait un moment qu'il tirait sur le bas de sa blouse. Est-ce que c'est vraiment le moment? demanda-t-elle en se redressant.

– J'aimerais bien, répondit-il en riant avant d'examiner l'ourlet du tablier. Écoute, je sais que tu n'as pas grand-chose sur le dos, mais vois-tu un inconvénient à ce que je raccourcisse ta blouse de quelques centimètres? Je voudrais te faire un bandage à l'épaule. Parce que moi, je n'ai pas tellement plus à t'offrir, ajouta-t-il en montrant son caleçon trempé.

– Je pensais que tu te sacrifierais.

– Bon d'accord.

Il se leva et entreprit de baisser son caleçon. Elle ne put s'empêcher d'admirer de la tête aux pieds ce corps à la beauté plastique irréprochable.

Elle n'était pas dans son état normal, trop ivre de bonheur pour se dégriser correctement. Daniel devait éprouver lui aussi la même impression. Le monde n'était pas assez vaste pour contenir tout ce qu'il était advenu la veille. De même qu'il n'était pas assez vaste pour contenir ce qui était en train de leur arriver. Elle n'avait aucune envie de retrouver ses esprits.

– Arrête, je plaisante. Tu peux déchirer ma blouse. On ne peut pas rester tout nus ici.

– Ah, non?

– Pas avec ce genre de spectateur.

Il déchira adroitement une bande de quelques centimètres au bas de la blouse, non sans avoir jeté un petit coup d'œil dessous.

– Tu me rends fou dans cette tenue...

Elle rit.

– Ce n'est pas exactement ce que j'aurais choisi pour nos retrouvailles, mais je reconnais que c'est facile à mettre et à enlever.

Elle avait du mal à croire qu'ils aient encore envie l'un de l'autre dans une telle situation.

Il enroula délicatement et d'une main experte la bande autour de son épaule afin de l'empêcher de saigner.

– On dirait que tu t'y connais.

– Je suis médecin. Je ne te l'ai pas dit ?

– Non, ce n'est pas vrai.

– Si, absolument. Je l'ai été plusieurs fois d'ailleurs.

– Mais tu es trop jeune.

– J'ai terminé mes études de médecine après avoir sauté une année.

– Une année ? Plusieurs années, oui !

– D'accord, plusieurs.

– Tu travailles dans un hôpital ?

– Oui.

Il finit de nouer la bande, lui déposa un baiser sur le sein, lui remit sa blouse convenablement et remonta la fermeture Éclair.

– Tout va bien, madame.

– Une cicatrice à ajouter à ma collection !

– Tu as plusieurs blessures par balle ?

– Je veux parler de celles que la vie nous laisse, qui restent après notre mort. Comme celle-ci, n'est-ce pas ? dit-elle en indiquant son aisselle.

Il renversa la tête.

– Comment es-tu au courant ?

– Par Constance.

– Et d'où connais-tu Constance ?

– J'étais Constance.

– Je sais, mais toi, comment le sais-tu ?

– J'ai lu la lettre qu'elle a laissée à mon intention.

Il jeta un rapide coup d'œil en direction de Joaquim qui n'avait pas bougé de la plage.

– Et comment as-tu fait ?

– Je suis allée au manoir de Hastonbury, en Angleterre, et je l'ai découverte dans son ancienne chambre.

– Tu te moques de moi, répliqua-t-il, impressionné. Je ne sais plus quoi dire.

C'était amusant de lui raconter tout ça.

– Tu te souviens de l'hypnotiseur dont je t'ai parlé ? J'ai fait une régression sous hypnose qui m'a conduite directement à Constance. Elle voulait à tout prix que je retrouve sa lettre. Elle n'avait de cesse de me tourmenter pour m'obliger à me rappeler certaines choses.

– Incroyable.

– Je t'assure.

– Je me suis trompé, tu sais.

– À quel sujet ?

– Lorsque tu étais Constance, je t'ai dit que ta mémoire était médiocre. Aujourd'hui, je m'aperçois que je t'ai sous-estimée.

– Mais c'est uniquement parce que cette fille ne m'a pas laissée tranquille. Elle savait qu'elle ne serait heureuse que le jour où nous serions réunis.

Daniel éclata de rire.

– Et elle est heureuse maintenant ?

Lucy rit à son tour, même si elle se sentait au bord des larmes.

– Oui, elle est très heureuse.

Daniel leva les yeux vers le ciel. Il avait l'impression de suivre la course du soleil et aurait souhaité de tout son cœur pouvoir la ralentir. L'eau clapotait contre le ponton. Une mèche de cheveux soyeux lui chatouillait le creux de l'aisselle. Il se sentait dans le même état que s'il avait fumé une tonne de hasch. Il savait qu'il n'avait pas le droit d'être aussi heureux avec un revolver qui les menaçait tous les deux. Il savait qu'il aurait dû éprouver de la colère et de l'indignation, mais c'était plus fort que lui. La peur supplantait presque toujours la joie, mais pas cette fois.

– Je devrais essayer d'inventer quelque chose pour nous sortir de là, dit-il en jouant avec une mèche des cheveux de Lucy, mais tout ce à quoi je pense, c'est à ton corps nu sous cette blouse.

Il roula sur le côté.

– Ça me dépasse.

– On pourrait peut-être faire l'amour là, devant lui, proposa Lucy. Ça lui apprendrait !

– Ça le pousserait certainement à nous tuer tous les deux, oui.

– Mais nous réapparaîtrions ensemble, non ?

Il se redressa et la fixa avec gravité.

– Si tu m'aimes ne serait-ce qu'un millionième de ce que je t'aime, moi, alors oui, je suis presque certain que nous pourrons revenir ensemble.

– Donc c'est ce qui se passera, car je t'aime, déclara-t-elle simplement. Peut-être est-ce exactement ce qu'il ne veut pas, ajouta-t-elle en envisageant une sombre perspective.

– C'est ce que je pense aussi.

– Peut-être ne lui donnerons-nous pas le choix, dit-elle en s'asseyant entre ses jambes et en se laissant aller contre sa poitrine. Il ne peut absolument pas t'atteindre sans me tuer avec toi. Il ne vise pas assez bien pour ça.

– Je ne suis pas sûr que cette idée m'enchante.

– Tu n'iras nulle part sans moi, riposta-t-elle en secouant la tête.

Elle aurait voulu dire cela sur le ton de la plaisanterie, mais elle n'y réussit pas.

– Quel que soit l'endroit où nous sommes censés aller, nous nous y rendrons ensemble, insista-t-elle.

Il lui jeta un regard réprobateur.

– Je suis très sérieuse, Daniel.

Il lui prit les mains et cala son menton sur son épaule valide.

– Bon, alors à part la solution qui consiste à ce qu'on se fasse tuer tous les deux, qu'est-ce que tu proposes d'autre ?

– Nous pourrions retourner à la nage sur la plage et tenter notre chance.

– Oui, et quels risques prendrions-nous en agissant ainsi ?

Il pinça les lèvres.

– Je n'en sais rien. Se retrouver à la merci de Joaquim. C'est peut-être bien ce qu'il cherche.

– Et après qu'est-ce qui se passera ? Il me prendra en otage ? Il me fera du mal et il t'obligera à regarder ? Il cherchera à t'humilier et finira de toute façon par te tuer ? C'est exactement le genre d'épreuve de force qu'il cherche, non ?

– J'en suis à peu près certain.

– Et il n'hésitera pas à tuer quelqu'un, non ? Il n'aura plus qu'à changer de corps s'il se fait prendre.

Daniel acquiesça.

– C'est la pire des hypothèses. Est-ce vraiment le genre de risques que nous avons envie de prendre ?

Il ferma les yeux un instant. Il ne voulait pas faire la liste de tout ce qui pouvait leur arriver, mais il ne pouvait pas empêcher Lucy de le faire.

– N'y a-t-il aucun endroit que nous pourrions atteindre à la nage ? On ne pourrait pas contourner le promontoire et rejoindre la terre ferme ?

– Il y sera avant nous.

– Personne ne vient jamais ici ?

– Ce n'est pas impossible, mais c'est un coin particulièrement isolé.

Elle réfléchit à sa réponse.

– Daniel.

– Oui.

– Si par quelque miracle nous arrivons à nous en sortir, que se passera-t-il ensuite? Existe-t-il un seul endroit au monde où il ne pourrait jamais nous retrouver?

– Non, pas longtemps, en tout cas.

Elle avait l'air abattue, et qui aurait pu l'en blâmer?

– Daniel?

– Oui.

– Est-ce que tu t'es déjà demandé si en réalité nous n'étions pas destinés à ne jamais être réunis?

Elle était extrêmement sérieuse, mais il ne put s'empêcher de sourire.

– Non. Au contraire. Nous sommes destinés à ne désirer que cela toute notre vie.

Elle répondit à son sourire malgré elle.

– Je suis à court d'idées. Et toi, tu n'en as pas une en réserve?

Il s'allongea sur le dos et contempla le ciel.

– Si : rester encore un peu avec toi.

– Est-ce que tu as peur de la mort? lui demanda-t-elle.

Le soleil montait rapidement vers son zénith. Daniel était couché sur le dos et Lucy blottie contre lui, la tête reposant sur sa poitrine. Il se sentait étonnamment détendu.

– Non. Je suis mort des tas de fois. Et pourtant, je n'ai fait l'amour avec toi qu'une seule fois, donc c'est sur ce miracle que je préfère me concentrer. En attendant, c'est bien l'unique chose que Joaquim ne pourra pas nous enlever.

– Crois-tu que nous allons mourir?

Il respira plusieurs fois profondément. Jamais il n'avait goûté aussi pleinement la chaleur du soleil.

– Je n'ai aucune envie d'y penser. Tout ce que je désire,

Lucy, c'est penser à toi. Mais si vraiment j'y suis obligé, je suppose que soit nous souffrirons beaucoup, soit nous mourrons. Je préférerais mourir et, franchement, je crois qu'aujourd'hui je peux mourir heureux.

– Ah, oui?

– Oui.

Elle s'allongea de nouveau près de lui.

– Est-ce que tu m'avais déjà appelée Lucy?

Il tourna la tête pour la regarder et se protégea les yeux du soleil pour la voir convenablement.

– C'est drôle, je te regarde maintenant et je ne vois que toi.

Elle secoua la tête.

– Nous sommes sur un ponton au milieu de l'océan et il n'y a que moi à voir.

Il rit en l'attirant contre lui pour la serrer dans ses bras. Il l'embrassa dans le cou, puis sur la bouche.

– Lucy… Lucy, répéta-t-il en haussant les épaules. Je ne sais pas… Je crois que ce prénom te va très bien. Lucy, c'est toi, conclut-il en lui embrassant le menton.

Au moment où le soleil se trouva exactement au-dessus de leur tête, la peau de Lucy était devenue rose vif et elle avait soif. Daniel aussi avait soif, elle le savait, mais ni l'un ni l'autre n'osaient y faire allusion.

– Il y a quelque chose d'embêtant à attendre comme ça.

– Quoi donc? demanda-t-il en la prenant sur ses genoux.

– Je vais être grillée comme une merguez, nous allons avoir tous les deux très soif, et ça ne va pas être une partie de plaisir. Je ferai des efforts pour me montrer courageuse, et toi tu t'inquiéteras pour moi, et tu feras quelque chose que tu regretteras.

– Tu as raison, répondit Daniel en l'embrassant sur la joue.

Donc, nous ferions mieux de nous déshabiller et de profiter du temps qu'il nous reste.

– Je ne veux pas qu'il nous tue.

– Moi non plus.

– Et nous ne pouvons pas attendre indéfiniment.

Il acquiesça. À son avis, Joaquim ne laisserait pas cette situation s'éterniser après le coucher du soleil. La patience n'avait jamais été son fort. Mais il se garda de lui en faire part.

Elle resta silencieuse pendant un certain temps. Il prit chacun de ses pieds dans ses mains.

– Puis-je te demander quelque chose?

– Tout ce que tu voudras.

– Quel effet ça fait de mourir noyé?

Il la regarda d'un air surpris.

– Que veux-tu dire?

– Je veux juste savoir comment ça fait. Est-ce que c'est douloureux? Est-ce que c'est long? Est-ce que c'est pire que d'être tué par balle, par exemple?

– Eh bien, répondit-il avant de réfléchir un moment. Ça m'est arrivé deux fois. Il y a très longtemps. Et j'ai été abattu deux fois par balle. C'était plus récemment. Je dirais que la mort par noyade est, dans l'ensemble, préférable.

Elle se frotta les mains et se passa la langue sur ses lèvres sèches et gercées.

– Donc c'est le pire qui puisse nous arriver, n'est-ce pas? Ce n'est pas bon du tout, mais c'est mieux que de lui laisser le plaisir de nous ôter la vie. Qu'en dis-tu? Nous n'avons qu'à sauter de ce ponton et nager droit devant nous, dit-elle en indiquant la haute mer. Et nous nous retrouverons en Chine, ou pas...

Il scruta l'horizon en direction de la Chine.

– Alors, qu'est-ce que tu réponds?

– Je réponds que le temps se gâte.

– C'est-à-dire?

– Une tempête se prépare, et on dirait qu'elle se dirige vers nous. Et ça, je ne sais pas si c'est bon pour nous ou pas.

– Comment cela pourrait-il être bon pour nous?

– Moins de coups de soleil, expliqua-t-il. Moins soif aussi, si nous arrivons à recueillir quelques gouttes de pluie.

Un coup de feu claqua, les faisant sursauter tous les deux.

– Je crois qu'il en a marre d'attendre, fit remarquer Daniel.

Elle se serra un peu plus contre lui, et il comprit pourquoi.

– Je pense qu'on devrait bouger, dit-elle. Allez, viens. Je sais que tu n'as pas l'intention de lui faire ce plaisir.

Il était dans un état second. Il voulait la caresser, lui parler, sentir son parfum, la regarder rire. Il ne voulait pas mourir. Il ne voulait pas que ça s'arrête là. Mais il devait se sortir de cette douce torpeur. S'il se moquait éperdument de ce qui pouvait lui arriver à lui, son sort à elle le préoccupait au-delà de toute mesure.

– Tu es vraiment sûre de toi? lui demanda-t-il.

– Oui.

Elle avança un pied au bord du ponton, au-dessus de l'eau. Il l'imita. Il remarqua qu'elle se tenait tout près de lui, que leurs corps avaient constamment un point de contact.

– C'est véritablement ce que tu choisis? Crois-tu à tout ce que je t'ai raconté au point de vouloir nager jusqu'en Chine?

– Oui, affirma-t-elle en le regardant dans les yeux.

Elle ne plaisantait pas. Prenant en compte son état d'esprit, il dut considérer les choses avec le même sérieux qu'elle.

– Attends un instant, Lucy. Réfléchis. Je vais le laisser me tuer, et tu retourneras tranquillement vers lui. Peut-être cela étanchera-t-il un temps sa soif de sang. Peut-être ne te fera-t-il aucun mal. Tu rentreras aux États-Unis et tu retrouveras une vie à peu près normale. C'est ce qu'il y a de plus intelligent à faire.

– Comment oses-tu dire une chose pareille? s'exclama-t-elle en lui tordant le pouce. Ça n'arrivera jamais, fais-moi confiance. Et de toute façon, tu crois vraiment qu'il me fichera la paix? Tu crois vraiment qu'il me laissera vivre à peu près normalement?

Il ne voulait pas lui mentir.

– Non. Mais c'est un risque à prendre.

Elle se mordilla la lèvre.

– Il me convient au moins autant que tous ceux que nous pourrions prendre! De toute façon, je n'irai nulle part sans toi. Nous partons en Chine à la nage ensemble. Et si le pire advient, je préfère mourir avec toi que vivre sans toi.

– Tu m'as dit quelque chose de semblable du temps où tu étais Constance, et je t'en ai dissuadée.

Elle lui jeta un regard noir.

– Je ne me ferai pas avoir deux fois, Daniel.

Elle lui tendit la main.

– Prêt?

– Je ne veux pas que ça s'arrête...

– Au contraire, ça ne fait que commencer, affirma-t-elle avec une conviction qu'il lui envia.

Ils se tournèrent vers l'ouest. Il se pencha et l'embrassa.

– Cap sur la Chine! s'exclama-t-il.

Elle hocha la tête, le menton tremblant, et n'osa pas ouvrir la bouche de peur de se mettre à pleurer.

– Je t'aime, déclara-t-il.

Elle lui jeta un dernier regard et lui fit un sourire déchirant. Elle lui serrait si fort la main qu'elle ne sentait plus ses doigts et, lorsqu'elle sauta, il sauta avec elle.

Un autre coup de feu claqua lorsqu'ils plongèrent. Il aurait voulu continuer à la tenir par la main, mais elle aurait été gênée pour nager, avec son épaule blessée. Ils nagèrent avec le sentiment d'avoir un but, mais il savait que cela ne durerait pas.

Le soleil se reflétait toujours sur la mer, mais il aperçut un éclair au loin et se dit que ce serait bientôt la fin, si elle ne survenait pas plus tôt. Il regardait ses jambes roses dans l'eau, la blouse en bataille. Il repoussait en permanence l'instant fatidique, mais il savait qu'il ne tarderait pas à le rattraper inéluctablement.

Il songea aussi à Joaquim. Les vagues étaient de plus en plus grosses et écumeuses, ce qui les rendrait plus difficiles à repérer depuis le rivage. Encore une centaine de mètres et ils seraient hors de vue et de portée. C'était ce qu'il estimait, tout comme Joaquim prob·· blement au même moment.

Ce dernier pourrait tenter de les rattraper en bateau, mais le temps ne s'y prêtait guère. Aucun propriétaire sensé n'aurait accepté de sortir son bateau dans la tempête. Joaquim s'était peut-être déjà procuré une embarcation, peut-être en avait-il même volé une. Mais en s'éloignant de la plage, ne serait-ce que quelques instants, il perdait le contrôle du rivage. Il avait dû se dire qu'ils finiraient par revenir. Il savait bien qu'ils n'avaient pas le choix. La seule chose qu'il n'avait pas prévue, c'était leur disposition à mourir. Là où ils allaient, il ne pourrait plus les suivre.

Ils nagèrent encore sur cinq cents mètres environ, lorsqu'il s'aperçut qu'elle était à bout de souffle et craignit qu'elle ne soit en difficulté. Il ralentit l'allure et tenta péniblement de se maintenir sur place quelques instants.

– Nous ne sommes pas obligés de foncer, lui dit-il. La Chine ne va pas s'envoler.

– Il ne peut plus nous tirer dessus, non ?

– Non, je ne crois pas. Je ne le vois même plus.

– Il n'y a rien que nous alors…, dit-elle toute frissonnante.

– Rien que nous, répéta-t-il en la prenant dans ses bras. Comment va ton épaule?

– Je dirais que c'est le moindre de nos soucis.

Il hocha la tête. Il aurait aimé qu'ils puissent s'épargner la suite, car ça n'allait pas être une partie de plaisir. L'eau, de plus en plus froide, allait ralentir toutes leurs fonctions vitales jusqu'à ce que mort s'ensuive.

– Qu'est-ce qui va se passer si on n'y arrive pas? demanda-t-elle, essoufflée. Comment meurt-on?

Elle avait l'air plus déterminée qu'effrayée.

– Tu ne te livres pas à la mort. Tu la laisses t'emporter. Tu continues jusqu'à ce qu'elle t'emporte.

– Ça met longtemps?

Il n'avait aucune envie d'entrer dans les détails, ça n'aurait fait que l'inquiéter davantage.

– Quelques minutes. Tu es forte et ton corps va se défendre, mais je te promets une chose.

– Quoi?

– Au moment le plus pénible, le plus douloureux, le plus sombre, quand tu n'en pourras plus et que tu seras terrorisée, je te promets que tu éprouveras une sensation de paix et de bien-être telle que tu n'en as jamais connu.

L'espoir sembla renaître dans ses yeux.

– Ça arrive à tout le monde?

– Ça t'arrivera à toi.

Pendant les minutes qui suivirent, un calme étrange les envahit. Ils nageaient sous l'eau, remontant par intermittence à la surface pour respirer. Il restait près d'elle et ne la lâchait pas du regard. Il était comme hypnotisé par la beauté languide de son corps sous l'eau. Il hésitait à lui venir en aide pour la soulager un peu et qu'elle puisse se reposer. Il ne voulait pas la remorquer. Mais, si terrible que soit la situation, il y avait quelque chose de beau dans la manière dont les vagues les assaillaient, avec le soleil qui filtrait à travers. Il songea à sa première vie à Antioche, lorsque à cinq ans il s'était retrouvé au fond du fleuve pendant le tremblement de terre. Il avait cru entrevoir l'éternité à ce moment, et il se demanda s'il la reverrait une nouvelle fois avec elle.

Elle était étonnamment vigoureuse. Son corps se propulsait avec une énergie qui se manifestait dans ses jambes et sur ses traits. Il savait qu'elle ne ressentait plus aucune douleur.

Puis, petit à petit, elle commença à donner des signes de fatigue. Ses mouvements ralentirent. Ses battements se firent moins précis. C'est ce qui était en train de lui arriver à lui aussi, mais ce qui ne le gênait pas personnellement lui fit mal, pour elle. Il aurait préféré ne pas la regarder, mais en même temps il ne pouvait s'épargner ce chagrin : c'était lui qui l'avait entraînée dans cette aventure.

Puis vint le moment, inopiné quoique prévisible, où elle cessa de lutter. Sous l'eau, elle tourna vers lui son visage moucheté de soleil. Ce n'était pas un sourire, mais un semblant de sourire. Son expression ne reflétait pas la peur, mais plutôt la foi : la foi qu'elle avait placée en lui et en ses promesses. Elle lui faisait toute confiance.

Voilà ce que c'était qu'être aimé. Au lieu de chasser cette douce sensation, comme à son habitude, il se laissa envahir par elle et s'efforça de s'en pénétrer par tous les pores de sa peau.

Puis, épouvanté, il la vit lever les bras au-dessus de la tête et commencer à sombrer comme au ralenti. Les rayons du soleil striaient les flots autour d'elle. Ses cheveux lui faisaient comme une auréole dorée autour de la tête et elle avait les mains grandes ouvertes.

Elle coulait. Il vit l'arrière de sa tête, puis ses doigts écartés passer à la hauteur de sa poitrine. Elle était happée par les obscurs abîmes. Elle quittait la lumière du soleil; elle le quittait, lui, Daniel, et la voir s'enfoncer ainsi le glaça d'effroi.

«Tu dois la laisser partir.»

«Pourquoi?» Une voix hurlait dans sa tête, cherchant à le faire réagir.

«Parce que c'est le seul moyen de nous sauver tous les deux. C'est ce que nous avons choisi. C'est le moment que nous attendons depuis des siècles.»

Que représentaient donc tous ces siècles? C'étaient des jours, des années, des mois de souvenirs. Ce n'était rien du tout. Ce n'étaient que des pensées dans sa tête et rien d'autre. Était-il bien certain de leur réalité? Avait-il une raison tangible, valable, de croire sans l'ombre d'un doute qu'il était revenu de la mort ou qu'il en reviendrait? Elle le croyait. Mais croyait-il seulement à ce qu'il disait? Était-il sûr de lui au point de la sacrifier?

Peut-être était-il fou. Peut-être était-ce aussi simple que ça. Il faisait partie du même hôpital psychiatrique que tous ceux qui partageaient ses idées. Pourquoi se croyait-il meilleur qu'eux? Uniquement parce qu'il arrivait à garder pour lui ces idées folles?

Comment pouvait-il être sûr qu'il y avait des vies avant celle-ci? C'était impossible. Comment pouvait-il savoir qu'il y en aurait d'autres après? C'était impossible. Et s'il s'était inventé cette fabuleuse mémoire à seule fin de supporter une vie faite d'abandons et de mauvais traitements? Les écorchés vifs sont capables des actes les plus étranges. Comment pouvait-il savoir qu'il n'était pas simplement fou? C'était impossible. Il était parfaitement envisageable qu'il ait vécu une grande illusion dans laquelle il l'aurait entraînée.

Tout cela n'était que des histoires, il ne le savait que trop.

Mais si elles n'étaient pas vraies? Avait-il le droit de prendre ce risque? Avait-il le droit de la laisser disparaître sur cette simple idée?

Les pensées n'étaient rien. Les souvenirs n'étaient rien. Ils étaient impalpables. Ils ne représentaient rien en termes de temps, et dans l'espace n'occupaient pas plus de place qu'une tête d'épingle. Tout votre univers pouvait être remis en question en quelques secondes.

Il suivit des yeux la nuée de cheveux blonds qui venaient de dépasser la hauteur de ses genoux. « N'essaie pas de la rattraper. Ne la condamne pas à une mort plus lente. » Son larynx allait se bloquer, ses poumons et son cerveau amorceraient leurs mouvements réflexes dans une dernière lutte pour la vie, et la retenir ou intervenir dans le processus n'arrangerait rien.

C'était la jeune fille qu'il aimait. Sa belle amie, si courageuse.

Il avait fait l'amour avec elle au moment le plus merveilleux de sa vie à lui, embrassé la moindre parcelle de son corps quelques heures auparavant, et à présent elle mourait sous ses yeux.

« Non. » Ce mot résonna avec insistance dans sa tête et gagna rapidement tout son être. Il galvanisa ses muscles, ses nerfs. « Non. » Elle le lâchait. « Non. » Il ne la laisserait pas partir.

« Non. » Avec ce simple mot, un souvenir remonta à la surface de sa mémoire. Il l'avait déjà regardée mourir une fois. Il l'avait regardée mourir car c'était lui qui l'avait tuée. Il avait incendié sa maison et l'avait regardée mourir. Depuis lors, il ne s'était pas écoulé un seul jour ni une seule nuit où ce souvenir n'avait cessé de le hanter. « Non. » Il ne la regarderait pas mourir cette fois-ci.

« Nous n'avons pas le choix. Nous n'avons pas de solution. »

Non! Quand il n'y avait pas le choix, il fallait faire un

choix. Quand il n'y avait pas de solution, il fallait en trouver une. On ne pouvait pas laisser le monde imposer sa loi. Cela faisait trop longtemps que Daniel la subissait.

Ce n'était pas l'éternité qu'il avait sous les yeux, mais la jeune fille qu'il aimait à cet instant-là et une chance infime de la sauver. Son corps sortit de son étrange engourdissement. Il savait ce qu'il avait à faire. C'était une véritable torture physique et mentale que de s'empêcher plus longtemps de la retenir. Il plongea et la saisit par la taille pour la remonter à la surface. Ses muscles puissants lui obéirent, ni plus ni moins, parce que c'était lui, parce que c'était elle aussi.

Il la tint contre lui tout en nageant sur place, la tête de Lucy reposant mollement sur son épaule, les membres inertes. Une décharge d'adrénaline l'envahit tandis qu'il palpait son cou et sa poitrine en quête d'un signe de vie.

Elle n'était pas morte. Elle n'avait pas d'eau dans les poumons, car elle les avait bloqués, et il y eut un angoissant instant de suspense avant qu'elle ne recommence à respirer librement.

– Tu ne vas pas mourir, lui confia-t-il la voix brisée par l'émotion. Je devais te laisser te noyer, je sais, mais c'est au-dessus de mes forces.

Il glissa son bras sous ses aisselles, ainsi qu'on le lui avait appris à Fairfax pour passer son brevet de sauvetage, et la remorqua. Il traversa l'orage, car il était inévitable. Le soleil disparut et il se mit à pleuvoir. Il fit des vœux pour que les éclairs s'éloignent vers la côte.

Il nagea aussi énergiquement que possible. Il ne savait pas où il se dirigeait ni ce qui l'attendait hormis la pluie et la mer. Il sentit le courant l'entraîner vers le nord, et il lutta au début avant de se laisser porter. Comment savoir dans quelle direction aller ?

Dans les moments de stress aigu, il avait l'habitude de se représenter le monde vu d'en haut. Mais cette fois, il ne vit que deux minuscules têtes blanches ballottées dans l'immensité de l'océan déchaîné.

Il avait les poumons en feu et commençait à avoir mal aux bras et aux jambes, mais il n'était pas question de ralentir la cadence. Il ne capitulerait pas. «Tu ne me la prendras pas, voulait-il hurler à l'océan indifférent autant qu'à Joaquim. Je la protégerai.»

Il ne voyait pas comment faire autrement qu'en continuant à nager. Il devait se battre. C'était tout ce qu'il avait comme arme. Les souvenirs, les expériences, les connaissances ne lui étaient d'aucun secours. Seule lui restait sa volonté. Et sa volonté lui ordonnait de se battre jusqu'à son dernier souffle.

Caché derrière les nuages noirs, le soleil disparut sans que cela fasse une grosse différence. Daniel comprit qu'il avait dû se coucher car l'air sembla s'épaissir soudain. Il y avait longtemps qu'il ne sentait plus son corps. Ses jambes étaient engourdies. Il savait que son bras était toujours là, puisqu'il n'avait pas lâché Lucy. Il savait que son corps s'efforçait d'alimenter en oxygène son cerveau et ses organes vitaux, mais ils étaient de plus en plus faibles. Son cerveau ralenti était en pleine confusion. Il aurait déjà dû se noyer. Dans son esprit embrumé, il en vint presque à regretter le temps où il pouvait se noyer en paix.

Lorsqu'il tourna la tête vers Lucy, il s'aperçut qu'elle avait les yeux grands ouverts et hallucinés. Ses membres ne bougeaient pas. Elle se laissait faire.

Il avait le visage si engourdi qu'il pouvait à peine ouvrir la bouche et remuer la langue.

– Hé, chérie…, haleta-t-il.

Il aurait aimé pouvoir lui parler normalement afin de ne pas l'affoler.

Elle battit plusieurs fois des paupières.

– Qu'est-ce qui se passe? murmura-t-elle, à peine audible.

– Nous ne sommes pas morts.

Elle leva légèrement la tête.

– Il pleut…

– Je sais.

– Tu es sûr que nous ne sommes pas morts?

– J'espère bien que non, bordel! réussit-il à articuler.

Le tonnerre grondait, mais les éclairs restaient au loin. Le vent faisait enfler les vagues qui les submergeaient sans répit. Dans le bref intervalle entre deux tombereaux d'eau, Daniel tournait la tête vers Lucy afin de s'assurer qu'elle reprenait bien sa respiration chaque fois.

«Qu'avons-nous fait?» songea-t-il.

Son cœur était sur le point d'éclater; gonflé tout d'abord par l'amour et le désir, et maintenant à cause de l'hypothermie et d'un infarctus du myocarde menaçant. En général, on perd connaissance avant que le cœur n'éclate, mais Daniel s'accrochait désespérément à ce qui lui restait de lucidité. Ses pensées étaient confuses et désordonnées, mais il s'efforçait de rester vigilant pour elle. «Ne me lâche pas tout de suite», implorait-il son cœur.

Elle avait la tête rejetée en arrière. De temps à autre, la lune apparaissait entre les nuages et elle la suivait des yeux. La structure de son visage, si blanc sous la lune, ressortait magnifiquement. Elle lui avait fait confiance au point de vouloir mourir avec lui, et à présent, avec le même abandon aveugle, elle se laissait conduire par lui à travers les flots tumultueux.

Il lui sembla distinguer autre chose que le vent et le fracas de l'orage, mais son cerveau était trop lent pour analyser ce bruit.

Il entendit vaguement Lucy prononcer une phrase et fit un effort surhumain pour l'attirer jusqu'à lui.

– Sortons-nous des ténèbres? hoqueta-t-elle.

Il tremblait de tous ses membres et claquait des dents.

– Pour... quoi de... mandes-tu ça?

– Regarde.

Il suivit la direction de son regard et aperçut, fendant le ciel et la pluie battante, un éclair blanc, bientôt suivi d'un cri strident. Il fixa le phénomène, hébété, incapable d'aligner deux idées.

– Tu vois?

– C'est une mou... ette.

Elle tournoya deux fois au-dessus d'eux, cherchant probablement le meilleur angle pour les attaquer et les dévorer, et disparut. Daniel repéra la direction qu'elle prenait et la suivit. Si son cerveau n'avait pas été capable de tirer les conclusions qui s'imposaient, son corps, lui, semblait savoir que les mouettes ne s'aventuraient jamais très loin des côtes, et encore moins par aussi mauvais temps. Elles ne s'éloignaient jamais en pleine mer sans avoir une terre ferme où se poser.

Daniel redoubla d'efforts. Il savait inconsciemment qu'il devait suivre la mouette et surtout ne pas la perdre de vue. L'oiseau s'élevait, hésitait, piquait et virevoltait, luttant contre le vent, et la pointe de jalousie que Daniel en ressentit l'aiguillonna. « Nous ne sommes faits ni pour l'eau ni pour l'air, songea-t-il avec amertume. Comment voudrais-tu que l'on te suive? »

– Elle va se poser quelque part, balbutia-t-il.

– Comment le sais-tu?

– Je... je... je le sais.

Elle le contempla, soudain atterrée, et brisa le silence tout relatif :

– Comment fais-tu? lui cria-t-elle par-dessus le fracas des

vagues. Comment fais-tu, Daniel, pour nager encore ? Je ne comprends pas !

Il l'ignorait. Il n'était même pas sûr d'avancer. Il était content de savoir que ses jambes continuaient à lui répondre, car il ne les sentait plus du tout. «Nous devons vivre», voulait-il lui dire, mais il n'avait plus assez de souffle pour prononcer ces trois mots.

Il avait du mal à voir. Bien qu'il garde en permanence les yeux ouverts, il distinguait avec difficulté les masses les plus volumineuses. Heureusement, Lucy veillait pour deux.

– Daniel, je vois quelque chose.

Il se retourna vers elle et plissa les yeux.

– Là-bas, juste devant nous. On dirait un gros rocher noir. Tu le vois ?

– Je... je ne sais pas.

– Encore un effort, il est tout près ! l'encouragea-t-elle en essayant de battre des pieds.

Il se dressait en effet juste en face d'eux, et Daniel faillit se fracasser dessus avant de le voir réellement. Dans un dernier sursaut, il réussit à la hisser sur le rocher qu'elle escalada à quatre pattes. Il lui restait juste assez d'énergie pour pousser un soupir de soulagement.

Puis il s'agrippa à la paroi escarpée pour se hisser à son tour et ferma les yeux. «Je me repose un petit instant, songea-t-il. Rien que pour reprendre mon souffle.»

Mais avant même qu'il ait compris ce qui lui arrivait, Lucy lui criait :

– Daniel ! Daniel ! Monte vite !

Il avait déjà dérivé sur quelques mètres, entraîné par un courant. «Je me repose encore un peu, avant de grimper là-dessus.»

– Daniel ! Daniel ! Ouvre les yeux. Regarde-moi. Reviens. On va s'en sortir ! Tu m'entends ?

«Je suis fatigué.»

– Je te rejoins si tu ne montes pas tout de suite! lui hurla-t-elle. Je suis sérieuse. Je retourne me noyer avec toi, si c'est ce que tu veux!

Ses yeux s'entrouvrirent une fraction de seconde, puis se refermèrent. Daniel entrevit les jambes blanches de Lucy qui descendaient vers l'eau. Que faisait-elle? «Que fais-tu?» voulut-il lui demander, mais ses lèvres refusèrent de lui obéir. Malgré son égarement, il sentit que ce n'était pas une bonne idée et chercha à l'empêcher. «Ne fais pas ça.» Il tendit la main vers elle et lui saisit la cheville.

– Tu... tu... vas... te... noyer.

Sa voix étant aussi confuse que ses pensées, il avait à peine conscience de ce qu'il disait.

– Grimpe, Daniel, ou je te jure que je me noie avec toi.

Elle lui avait attrapé l'autre poignet. Il le sentait. Puis elle lui posa les mains sur un méplat du rocher.

– Tu es prêt? Reste avec moi! Je compte jusqu'à trois. Prêt? Un, deux.

Il sentit ses paupières retomber.

– Daniel! s'écria-t-elle en lui serrant si fort le poignet qu'il rouvrit les yeux.

Il la voyait parfaitement à présent, face à lui.

– Un, deux, trois!

Dans un ultime effort et un râle inhumain, il se hissa sur le rocher. Telle une chenille, il se ramassa sur lui-même avant de se déplier et de progresser ainsi vers le sommet. Il renouvela l'opération afin de sortir ses pieds de l'eau, et ce fut à ce moment que son corps le lâcha et s'effondra, peut-être sans vie. Il avait atteint ses limites.

PETACALCO, MEXIQUE, 2009

Elle lui massa le dos en attendant que le jour se lève. De temps à autre, elle le secouait gentiment ou posait la main sur sa poitrine pour s'assurer qu'il était toujours en vie. De temps à autre, il poussait un gémissement rassurant.

Il faisait assez jour pour qu'elle puisse distinguer les contours de leur rocher. Il présentait trois pics et plusieurs ravines où s'était accumulée l'eau de pluie. Lucy avait grand besoin de se désaltérer, mais elle n'osait bouger de peur de réveiller Daniel affalé en travers de ses jambes. Le rocher était rouge par endroits et noir à d'autres. De vigoureuses plantes grimpantes poussaient tant bien que mal sur la roche déchiquetée couverte d'excréments d'oiseau. Quelques mouettes protestaient et cancanaient sur l'autre versant. L'air était limpide et le jour de plus en plus lumineux, mais il n'y avait aucune terre en vue. Daniel les avait entraînés très loin au large.

Elle frissonna au simple souvenir de la nuit qu'ils venaient d'endurer. Elle allait y repenser méthodiquement, analysant ses souvenirs les uns après les autres. Le premier qui lui revint à l'esprit fut celui de sa lente descente au fond de l'eau. Elle désirait mourir et lui non.

Elle ne savait pas comment il avait réussi cet exploit : nager pendant des heures et des heures, alors qu'elle-même ne pouvait plus faire un mouvement. Il avait nagé pour eux deux.

Ils allaient s'en sortir. Ce qu'elle n'aurait jamais cru possible le devenait grâce à lui. Ils avaient assez d'eau pour tenir deux jours. Le ciel était dégagé et la mer calme. Il passerait bien un bateau à un moment ou à un autre qui leur porterait secours.

Et ensuite? Que deviendraient-ils?

Il remua et se retourna sur le dos. Elle se pencha sur lui et l'embrassa sur la bouche. Ce rocher n'était pas des plus confortables et ses mollets étaient tout égratignés. Il fallait avoir été, comme Daniel, à l'article de la mort pour réussir à dormir dans de telles conditions.

Elle se demanda s'il n'était pas en train de faire un cauchemar en voyant ses traits se crisper soudain douloureusement et son corps trembler puis se raidir. Son visage refléta une angoisse incommensurable avant de se détendre de nouveau. Elle lui massa délicatement le ventre et la poitrine du bout des doigts, dans l'espoir de chasser ses mauvais rêves.

Les premiers rayons du soleil le forcèrent à ouvrir les yeux. Il les referma plusieurs fois de suite avant de parvenir à les garder ouverts.

– C'est toi, dit-il en la voyant.

– C'est moi, confirma-t-elle en lui embrassant le front et les tempes.

– Je suis content. Où sommes-nous?

– Nous avons suivi une mouette jusqu'à un rocher. Ça te rappelle quelque chose?

Il réfléchit un instant, ferma très fort les yeux puis les rouvrit.

– Non.

Elle secoua la tête en souriant.

– Tu es en train de perdre tes pouvoirs magiques, mon chéri.

Il sourit péniblement.

– Je suppose que tu as mal partout, dit-elle en lui passant tendrement la main dans les cheveux.

Il acquiesça.

Elle souleva tout doucement sa tête et la posa sur ses genoux.

– Franchement, Daniel, je ne comprends pas comment tu as fait pour nous ramener jusqu'ici. Je croyais que ton pouvoir magique résidait dans ta mémoire, mais maintenant que tu l'as perdu, il me semble que tu en as gagné un nouveau, d'un genre plus aquatique !

– Ça me fait mal quand je ris...

– Bon, alors nous allons parler de choses tristes.

Il acquiesça lentement, tendit la main et effleura la fermeture Éclair de sa blouse.

– Je me souviens de cette robe.

– Tu veux dire cette blouse ?

– Oui. J'adore. J'adore te l'enlever.

– Ce n'est pas encore trop triste.

Il secoua la tête avec peine.

– C'est ce qui m'est arrivé de mieux

Elle se pencha de nouveau sur lui et l'embrassa à l'envers sur la bouche. Lorsqu'elle se redressa, il avait ouvert les yeux et la regardait gravement.

– Il faut que je te dise quelque chose.

– D'accord.

– Sais-tu ce que j'ai fait la première fois que je t'ai vue ?

– Non.

– J'étais soldat et j'ai mis le feu à ta maison.

– Quand était-ce ?

– En 541 de notre ère.

– Je ne me souviens pas.

– Tu as péri dans l'incendie. Je suis désolé.

Il l'attira vers lui et enfouit son visage dans son cou. Cette tragédie s'était déroulée il y avait presque quinze siècles, et pourtant sa culpabilité était toujours aussi vive; Lucy ne pouvait pas se montrer indifférente. Sa respiration se faisant plus régulière, il lâcha la nuque de Lucy.

– C'est la chose la plus importante que j'avais à te dire. J'y pense en permanence. Il y avait si longtemps que je désirais te l'avouer.

– Je suis contente que tu l'aies fait, répondit-elle en lui massant tendrement le torse.

– C'est vrai?

– Oui, parce que maintenant tout est bien.

– Comment ça?

Elle fixa ses propres mains.

– Ce que Daniel a pris, Daniel l'a rendu.

– Que veux-tu dire?

– Tu m'as donné plus que tu ne m'as pris, mon amour. Nous sommes quittes. Tu es autorisé à oublier à présent.

Deux heures plus tard, il se reposait contre elle, lorsqu'il entendit un bruit de moteur.

– C'est un bateau, déclara-t-il juste avant qu'il ne leur apparaisse.

Une barque de pêche venait en effet dans leur direction. Ils se levèrent ensemble et agitèrent les bras. Lucy le siffla même comme un taxi, ce qui déchira les tympans de Daniel mais ne manqua pas de l'épater.

– Tu m'apprendras?

Le capitaine les repéra et obliqua vers le rocher. Il avait deux hommes avec lui, et un filet rempli de poissons. Il les fit aussitôt monter à bord. Daniel avait oublié à quel point leur accoutrement était incongru, jusqu'à ce que la mine des trois hommes le lui rappelle.

– Nous avons eu quelques petits problèmes, expliqua-t-il dans son espagnol littéraire.

– Je vois ça, répondit le capitaine. Tout va bien ?

– Oui, oui. Vous pourriez nous déposer sur la côte ?

– Bien sûr. Nous pouvons vous laisser à Petacalco. De là, vous pourrez vous rendre à Guacamayas ou à Lazaro Cardenas.

– C'est parfait. Merci beaucoup. Je regrette de ne rien avoir sur moi pour vous dédommager.

Le capitaine considéra une seconde ce jeune homme en caleçon et eut du mal à se retenir de rire.

– Apparemment, vous voyagez léger, vous.

Ils prirent place à l'arrière du bateau. Le capitaine prêta à Daniel son téléphone portable et, au bout d'une heure, juste avant d'arriver à Petacalco, il avait trouvé une voiture pour les conduire à Guacamayas, en avait loué une autre pour aller de Guacamayas à Colima, et avait réservé des places dans un avion pour New York qui devait décoller de Colima le soir même.

Lucy, qui ne parlait pas un mot d'espagnol, le regarda sans en croire ses yeux.

– Tu n'as ni argent, ni carte de crédit, ni papiers d'identité. Comment as-tu fait ?

– Tu n'as besoin que du numéro de ta carte et d'un bon réseau téléphonique.

– Et le numéro, il est où ?

– Là-dedans, répondit-il en indiquant sa tête.

AÉROPORT INTERNATIONAL JOHN-F.-KENNEDY, NEW YORK CITY, 2009

Ils patientèrent deux heures assis sur un banc du terminal. Il prit toutes les dispositions pour leur voyage grâce à son nouveau téléphone pendant que Lucy dormait, la tête sur les genoux de Daniel. Ensuite, il attendit qu'elle se réveille, puis l'emmena au bar où ils s'installèrent près de la baie vitrée pour regarder décoller les avions. Il commanda deux bourbons en souvenir du bon vieux temps.

Elle portait un jean, une chemise à fleurs, un pull, un gilet matelassé, des boots et des chaussettes, ainsi que des sous-vêtements neufs. Elle avait une valise remplie de vêtements qu'ils avaient achetés ces dernières heures. L'aéroport Kennedy ressemblait à une ville en miniature, avec son centre commercial, mais pas particulièrement attrayante. Il lui avait fait promettre de garder toute sa vie la blouse de femme de ménage et de la remettre quand ils se reverraient.

– Je t'ai tout noté, c'est bon ? lui dit-il en lui tendant un papier plié en quatre.

Elle hocha la tête. Ce n'était pas la première fois qu'il lui posait la question.

– Je t'ai enregistré tous les numéros dont tu pourrais avoir besoin dans ton téléphone.

– D'accord.

– Est-ce que tu as réfléchi à ce que tu allais dire à tes parents et à Marnie ?

– J'y pense.

– Tes billets, ton itinéraire, ton passeport, tes chèques de voyage et ton argent, j'ai tout mis dans l'enveloppe.

– Ton argent, corrigea-t-elle.

– Je te l'ai donné, maintenant il est à toi.

La somme qu'il venait de lui remettre en liquide n'était rien comparée à ce qu'il avait dû dépenser pour leur procurer deux faux passeports au marché noir, la veille au Mexique.

– Tu es riche ? lui demanda-t-elle.

– Oui.

– Très ?

– J'ai eu largement le temps de faire des économies pour les mauvais jours.

– Je n'aurais jamais cru ça en te voyant au lycée.

– Tant mieux. Et pour quelle raison ?

– Parce que si tu avais été riche, tu te serais acheté une paire de chaussures neuves.

Il rit en repensant à ses vieilles chaussures en daim qu'il avait envoyées valdinguer dans la chambre du bungalow dans le feu de la passion.

– Tu sais, ça m'a fait de la peine de les abandonner là-bas. Encore une chose que j'aurai à régler avec mon salaud de frère !

Elle lui prit la main et la mit sur sa joue.

– Daniel, je n'ai pas envie d'y aller.

– Je sais, moi non plus. Je n'ai aucune envie non plus d'être séparé de toi, et je ferai tout pour l'éviter, mais c'est la seule solution.

– J'aurais préféré qu'on meure noyés tous les deux.

Il prit ses deux mains dans les siennes et les embrassa, les paumes d'abord, puis les poignets à la peau si fine, et les dix doigts, les uns après les autres.

– C'est très beau là où tu vas. Et je te promets que tu seras en sécurité.

– Comment peux-tu le savoir?

– Parce que c'est le seul endroit au monde où Joaquim n'osera jamais mettre les pieds. Ils le perceraient à jour instantanément.

– Alors pourquoi ne viens-tu pas avec moi?

– Je viendrai. Dès que j'aurai terminé ce que j'ai à faire, je te rejoindrai. Et nous pourrons vivre où tu voudras. Tu pourras passer ton diplôme à Charlottesville, nous pourrons nous installer n'importe où, dans le district de Columbia, en Californie, à Chicago, à Pékin, au Bangladesh. Nous pourrons revenir à Hopewood et habiter juste à côté de chez tes parents!

Elle rit malgré elle.

– Nous pourrons aller où nous voudrons!

– Et quoi d'autre?

– Nous pourrons faire tout ce que nous voudrons. Nous pourrons nous marier. Nous pourrons ne pas nous marier et vivre dans le péché. Nous pourrons travailler. Nous pourrons ne pas travailler. Nous pourrons paresser. Nous pourrons habiter tout en haut d'un gratte-ciel. Nous pourrons décider de vivre sur l'eau, dans une maison sur pilotis. Nous pourrons faire l'amour tous les jours.

– Deux fois par jour.

– Trois fois par jour.

Elle haussa les sourcils.

– Trois fois par jour?

– Nous avons pas mal de retard à rattraper!

Elle hocha la tête.

– Nous pourrons vieillir ensemble.

– J'aimerais beaucoup.

– Avoir un ou deux bébés.

Elle avait l'air si enchantée par cette perspective qu'il craignit de la décevoir, mais il savait que sa réaction ne le trahirait pas trop.

– Ça, je ne sais pas si c'est écrit dans les astres pour moi, dit-il.

Il vit bien qu'elle était sur le point de lui en demander la raison, mais au même moment le haut-parleur annonça le vol de Lucy.

Il lui prit son sac et ils se précipitèrent vers la dernière porte du terminal. L'embarquement des première classe était presque achevé.

– C'est à toi.

– Ce sont les première classe.

– Oui, toi aussi.

– Mais, non... C'est vrai?

– Ces vacances au Mexique que je t'ai offertes au bord de la mer n'étant pas des plus reposantes, j'ai voulu que tu partes avec un bon souvenir de moi.

– Je préférerais ne jamais me reposer, mais avec toi.

– Je sais. Nous nous retrouverons très vite. Je suis en train de nous organiser nos premières vraies vacances. J'ai l'intention de t'emmener à Budapest et à Athènes, et après, j'aimerais te montrer de nouveau la Turquie. Je ne crois pas que tu t'en souviennes aussi bien que moi.

Elle secoua la tête.

– Nous descendrons dans un palace à Istanbul, et de là nous retournerons à Pergame, et ce sera le plus beau voyage de ta vie.

Elle hocha la tête, les yeux pleins de larmes.

– Une fois qu'il aura disparu, Lucy, dit-il en la prenant dans ses bras, nous pourrons faire tout ce que nous voudrons n'importe où dans le monde. Mais, en attendant, nous vivrons comme des prisonniers et ne pourrons rien faire d'autre. Je n'ai aucune envie d'attendre les bras croisés que les choses cessent de se produire d'elles-mêmes. J'ai passé trop de temps dans cet état d'esprit. J'ai été vaincu, découragé, et je suis mort en me disant chaque fois que tout irait mieux dans la prochaine vie. Mais il n'y aura jamais rien de mieux que cette vie-ci, parce que tu es là.

Elle le serra fort contre elle.

– Où vas-tu aller ? sanglota-t-elle.

– Je pars à sa recherche. Je le tuerai avant qu'il ne nous tue.

– Comment peux-tu imaginer tuer quelqu'un comme lui ? Est-ce seulement possible ?

– Oui, je crois. J'en suis même certain. Il faut que j'y réfléchisse sérieusement, mais j'ai un ami qui peut m'aider.

Elle releva la tête.

– J'ai peur quand je t'entends dire ce genre de chose. Il est retors et cruel, et toi non. J'ai trop peur que tu ne reviennes jamais.

– Je reviendrai.

– Dans cette vie-ci.

– Dans cette vie-ci.

– Mais comment peux-tu en être certain ?

Elle pleurait à chaudes larmes, sans plus de retenue, tandis que les derniers passagers étaient sur le point d'embarquer.

– Parce que j'ai une excellente raison de vivre, alors que lui n'a que sa vengeance. Et parce que je vois, et lui non.

– Oui, mais il a probablement dix revolvers, cinq bombes et toute une panoplie de couteaux en stock.

– Eh bien, je ferai pareil. Je suis beaucoup plus intelligent que lui, Lucy. Et si j'ai un peu de temps devant moi pour y réfléchir, j'aurai l'avantage sur lui. Je suis plus grand que lui, et il n'est pas question que je sois sa victime. Je ne le fuirai pas.

– Et si tu ne reviens pas ? Je suis dans le même état que Constance et Sophia, qui ont été abandonnées, le cœur brisé.

– C'est moi qui ai eu le cœur brisé, Lucy. Et je l'ai eu plus longtemps que quiconque.

Elle le regarda d'un air songeur.

– Je peux te poser une question ?

– Bien sûr.

– Est-ce que... avant... nous avions fait... des choses ensemble ?

Il adorait la voir rougir.

– Comme l'amour, par exemple ? la taquina-t-il.

– Oui, acquiesça-t-elle en souriant. Est-ce qu'on avait déjà fait l'amour ensemble ?

– Non, jamais.

– Jamais ? s'exclama-t-elle en s'essuyant les yeux du revers de la main.

– Il me semble que je m'en souviendrais.

– Pas une seule fois pendant ces centaines d'années ?

– Pas une seule fois.

– Je ne parle pas précisément d'un rapport sexuel, mais tu vois, dit-elle en riant. Genre flirter ?

– Non, rien du tout. Rien de rien. À peine un baiser, peut-être.

– Bon, eh bien, nous pouvons être fiers de nous, non ?

Il éclata de rire et la souleva dans ses bras.

– Si cela ne suffit pas à me garder en vie et à ce qu'on se retrouve, Lucy, alors il n'y a rien au monde qui pourra me retenir !

PARO, BHOUTAN, 2009

Le site était encore plus fabuleux que ce qu'il lui avait promis. Le monastère était perché au sommet d'une montagne surplombant la vallée de Paro, dans l'Himalaya oriental. Tous les matins, elle se réveillait en ayant sous les yeux la ligne des crêtes blanches et étincelantes qui se découpaient au loin.

Lucy était traitée par les moines en hôte de marque et elle devait ce privilège à l'intervention d'une Indienne, grande amie de Daniel, qui portait le prénom étrange de Ben.

Elle comprenait pourquoi Daniel avait tant insisté pour qu'elle y aille. Leur dévotion spirituelle était plus convaincante que tout ce qu'elle avait pu expérimenter jusqu'alors et leur croyance en la réincarnation était fondamentale. Ils choisissaient leur chef spirituel non héréditairement, mais en allant chercher l'enfant en lequel l'ancien lama s'était réincarné. Et elle comprenait pourquoi Joaquim ne pourrait jamais se rendre dans un tel lieu.

Elle avait fait quelques petites excursions. Escortée de son guide zélé, Kinzang, qui n'avait pas plus de douze ans, elle avait visité la capitale, Thimphu, où elle avait assisté à une compétition de tir à l'arc et s'était promenée dans le marché. Elle avait fait des randonnées dans la vallée et vu des choses extraordinaires : des rizières en terrasses, des vergers à flanc de montagne, un monastère, que l'on appelait le Nid du Tigre, perché sur une falaise. Elle avait travaillé en compagnie des moines dans le jardin du monastère et appris les noms en dzongkha de dizaines de plantes inconnues. Une vieille femme du village lui avait également enseigné l'art du tissage, et elle avait manifesté de grandes dispositions pour cette technique ancestrale. Elle s'était mise aussi à porter la jupe traditionnelle bhoutanaise, la kira.

Mais elle passait l'essentiel de son temps dans l'enceinte du monastère, à lire, écrire des lettres, jardiner et s'initier à la méditation. Les moines étaient gentils avec elle et disposés à lui transmettre ce qu'ils savaient, mais ils parlaient fort peu, et les rares mots qu'ils prononçaient, elle ne les comprenait pas. Elle était coupée du monde et se sentait très seule. Ses parents lui manquaient, et Marnie également. Elle leur avait dit qu'on lui avait offert à la dernière minute un poste de recherche – proposition qu'elle ne pouvait refuser – pour aller étudier les jardins de l'Himalaya et qu'on ne pourrait la joindre que par lettre.

Mais c'était Daniel qui lui manquait plus que quiconque. La souffrance due à son absence la suivait telle une nuée et elle ne pouvait faire un pas sans la ressentir douloureusement. L'air qu'elle respirait en était lourdement chargé.

Elle lisait et relisait ses lettres des centaines de fois, s'efforçant d'en extraire la moindre impression, la moindre bribe d'information, la moindre molécule de son parfum ou de sa personne qui aurait pu voyager avec. Elle restait des heures à contempler la liste qu'il lui avait faite à l'aéroport. C'était une liste sans aucun intérêt, mais il avait renversé dessus une goutte de sa boisson quand ils étaient tous les deux au bar, et aujourd'hui, en posant le doigt sur la tache brune, elle pouvait s'imaginer qu'il était là, en chair et en os.

Elle avait commencé à avoir mal au ventre au bout d'un

mois. Elle crut au début que c'était à cause de la viande de yak, ou du thé au beurre, ou encore des divers piments qui relevaient tous les plats. La nourriture était en règle générale exquise, mais elle dut en déduire qu'elle ne lui convenait pas. Elle avait bien essayé d'en supprimer certains ingrédients jusqu'au moment où elle ne mangea presque plus et où elle eut encore plus mal au ventre. Le deuxième mois, elle s'aperçut qu'elle n'avait pas eu ses règles depuis le Mexique et en tira les conclusions qui s'imposaient.

Puis, elle commença à s'affoler. Un bébé était la seule chose dont Daniel n'avait pas rêvé pour leur future vie à deux. Il n'en voulait pas. Lucy ignorait pourquoi, et elle ne savait que décider à ce sujet. Elle ne pouvait pas lui en parler. Elle avait bien essayé, mais n'y était pas parvenue. Elle avait vingt-trois ans, n'était pas mariée, et seule dans un monde étranger. Il lui était inenvisageable d'avoir un bébé, mais elle ne voyait pas comment ne pas en avoir. Elle lui écrivit plusieurs lettres, dans l'intention de le lui annoncer, mais finalement elle n'en fit rien.

Au début de son troisième mois à Paro, il cessa de lui écrire. Elle continua pour sa part à lui envoyer des lettres tous les jours, mais au fil du temps perdait peu à peu espoir qu'il les reçoive jamais. Elle pensait à lui avec une angoisse grandissante.

Le temps lui paraissait horriblement long, mais le réconfort lui parvint de trois côtés différents et des plus inattendus. Il y eut tout d'abord les lettres de Marnie, pleines de questions et de doutes auxquels Lucy ne pouvait répondre, mais débordantes d'un amour aussi spontané que généreux. La façon dont Marnie était capable d'aimer même sans comprendre tenait du miracle.

Ensuite, il y eut les lettres de son père qui lui parlait avec humour de sa dernière reconstitution de la guerre de Sécession, et avec sollicitude de ses inquiétudes la concernant. À l'ère du téléphone portable et du courrier électronique, elle ne s'était jamais aperçue qu'il était aussi doué pour l'écriture. Autant il était réservé dans la vie, autant il se montrait démonstratif avec un stylo. Elle se demanda d'ailleurs pourquoi il n'avait jamais eu l'idée d'écrire à Dana.

Et enfin, les semaines passant, son ventre s'arrondit considérablement. Si le goût des aliments s'en trouva altéré désagréablement, Lucy commença néanmoins à trouver une certaine saveur à cette étrange compagnie. Elle n'était plus tout à fait seule. C'était son bébé à elle et le sien aussi, qu'il en veuille ou non. Elle espérait toutefois que cet enfant ne serait pas tout ce qui lui resterait de Daniel.

«Tu m'as promis, lui répétait-elle en pensée tous les matins et tous les soirs, et toute la journée aussi. Je t'aime. Je compte sur toi.»

LA NOUVELLE-ORLÉANS,
LOUISIANE, 2009

Ma très chère Lucy,

Il se peut que je ne parvienne pas à envoyer cette lettre aujourd'hui, ni même demain, mais tu es dans mon cœur et dans toutes mes pensées à chaque instant. Je n'essaierai pas de te décrire précisément où je me trouve, mais sache que je vais bien et je te raconterai tout dès que ce sera terminé. Il y a trop de choses qui ne peuvent pour l'instant ni s'écrire ni même se penser.

J'ai commencé à me rendre compte de quoi un tel adversaire était capable, et cela dépasse tout ce que j'avais imaginé. Ce que j'essaie de faire doit être accompli. J'en suis plus convaincu que jamais. Le tuer n'est pas suffisant. J'ai appris à réfléchir à plus grande échelle et à plus long terme encore, à défaut d'autre chose. Je sais ce que j'ai à faire et comment procéder.

Alors, tu veux savoir ce que je fais pour me divertir?

Je pense à toi. Je t'imagine en kira, travaillant de tes mains la terre du jardin. Je t'imagine ôtant tes chaussures et tes chaussettes, et trempant tes pieds dans l'étang. Je t'imagine glissant tes cheveux derrière tes oreilles. Je t'imagine en train de boire ton thé. Je t'imagine en train de dormir. (Je t'assure, c'est vrai. Voilà comment je m'amuse, et peu importe ce que tu en diras.) J'imagine les différentes parties de ton corps – et non pas uniquement celles auxquelles tu crois que je pense. J'imagine la cicatrice sur ton épaule et je me revois en train de l'embrasser, comme si mon baiser pouvait la guérir. Je nous imagine tous les deux. Je nous imagine faisant l'amour trois fois par jour. (Tu me l'as promis.) Je t'imagine dans mes bras des heures et des heures après l'avoir fait, me racontant tout ce qui t'est arrivé. C'est toute une histoire, et elle n'en sera que plus belle parce que à ce moment-là je saurai comment elle se termine.

Je ne veux pas t'en dire davantage pour l'instant. Tu es avec moi, Lucy, dans toutes mes pensées, tous mes projets, mes plaisirs, mes errements, mes réussites et mes chagrins. Ce que je vois, je le vois avec tes yeux aussi, et avec toi je suis plus déterminé et mieux que je ne pourrais jamais l'être sans toi.

Je sais que cette lettre ne contient pas de réelles informations, et je te prie de m'en excuser. Tu pourras toujours me frapper pour cela plus tard. Mais je m'aperçois que je t'ai écrit une sorte de prière. Je prie pour que sans l'avoir reçue (la lettre que je t'ai écrite hier soir ou celle que je t'écrirai demain, et après-demain et après-après-demain) tu saches ce qu'elle contient : que je vais bien et surtout que je suis avec toi où que je me trouve, qu'il n'est pas de force sur cette terre ni de longueur de temps capables de nous séparer. Je reviendrai. Mon amour pour toi est plus sincère que tout ce que j'ai connu au cours de ma très, très longue vie.

L'amour est très exigeant, paraît-il, mais le mien ne demande qu'une seule chose : quels que soient les événements et le temps qu'il faudra attendre, tu me conserveras ta confiance, tu te rappelleras qui nous sommes et tu ne perdras jamais espoir.

À toi, pour toujours,
Daniel

REMERCIEMENTS

Je voudrais témoigner mon affection et adresser mes remerciements à Jennifer Rudolph Wash, qui a été la muse de ce récit. Merci à mon éditrice, Sarah McGrath, qui m'a offert généreusement son immense talent. Merci à mes deux lecteurs et conseillers les plus enthousiastes, Margaret Riley et Britton Schey. J'ai une dette particulière envers Tracy Fisher et Alicia Gordon, qui ont formidablement défendu ce livre. Et je remercie du fond du cœur la géniale équipe de Riverhead et Penguin, notamment Sarah Stein, Stephanie Sorensen, Geoff Kloske et Susan Petersen Kennedy.

Un grand merci à mes merveilleux parents, Jane Easton Brashares et Bill Brashares. Enfin, je tiens à remercier ma famille adorée, Sam, Nate, Susannah et Jacob. Nous sommes tous les cinq d'excellents constructeurs de trampoline !

Ann Brashares est née aux États-Unis. Elle passe son enfance dans le Maryland, avec ses trois frères, puis part étudier la philosophie à l'université de Columbia, à New York.

Pour financer ses études, elle travaille un an dans une maison d'édition. Finalement, le métier d'éditrice lui plaît tant qu'elle ne le quitte plus. Très proche des auteurs, elle acquiert une bonne expérience de l'écriture. En 2001, elle décide à son tour de s'y consacrer. C'est ainsi qu'est né *Quatre filles et un jean*, son premier roman.

Aujourd'hui, Ann Brashares vit à Brooklyn avec son mari et ses trois enfants.

Visitez son site (en anglais) : annbrashares.net

Découvrez un extrait de
Toi et moi à jamais

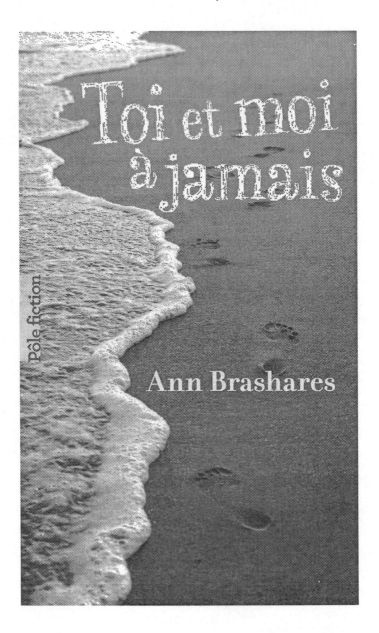

1 . ATTENDRE

Alice attendait Paul sur le quai. Il avait laissé un message inaudible sur le répondeur, pour prévenir qu'il arriverait par le ferry de l'après-midi. C'était tout lui. Il ne pouvait pas préciser s'il prenait celui de 13 h 20 ou celui de 15 h 55. Elle était là depuis une éternité, plantée devant le panneau des horaires, à essayer de deviner ses intentions.

En se maudissant intérieurement, Alice s'était postée sur le ponton dès 13 h 20, sachant pertinemment qu'il ne serait pas à bord du premier bateau. Elle avait vaguement regardé défiler les visages des passagers qui en descendaient, en se répétant que, de toute façon, elle était venue pour rien. Elle s'était assise sur un banc un peu à l'écart, pieds nus, son livre sur les genoux, pour éviter d'avoir à entrer en contact avec quiconque. En pensée, elle le détrompait : «Je sais que tu n'es pas dans ce bateau, Paul ! Ne va pas t'imaginer que je me fais des idées.» Mais même là, sous son contrôle, il restait taquin et imprévisible.

Avant l'arrivée du ferry de 15 h 55, elle étala du baume sur ses lèvres et se brossa les cheveux. Le suivant était à 18 h 10, ce que Paul aurait raisonnablement appelé «le soir». À moins qu'il n'ait raté le «ferry de l'après-midi», comme il disait, ce qui était fort possible.

Elle essayait souvent d'imaginer ce qui pouvait se passer dans sa tête. Elle attachait trop d'importance à ce qu'il pensait, restait marquée par ses avis péremptoires alors qu'il les avait sans doute depuis longtemps oubliés.

C'était une chose d'essayer de pénétrer son esprit quand il se trouvait là, devant elle, et que chacun de ses mots lui fournissait un indice pour confirmer ou infirmer ses hypothèses au fur et à mesure. Mais après trois ans de silence toute supposition devenait hasardeuse. Dans un sens, c'était plus difficile, mais d'un autre côté, cela lui simplifiait la tâche : elle était libérée de son emprise. Libre de s'approprier ses pensées et de les interpréter à sa guise.

Il avait été absent deux étés de suite. Elle avait du mal à en comprendre la raison. Sans lui, l'été n'était que l'ombre de lui-même. Toute émotion semblait atténuée, à peine ressentie, si vite passée. Les souvenirs s'effaçaient aussitôt. Il n'y avait rien de neuf depuis la dernière fois. Elle se retrouvait sur ce ponton, à l'attendre, sur un banc de bois ou sur l'autre. En fait, elle n'avait jamais cessé de l'attendre.

En son absence, elle n'arrivait pas à se représenter son visage. Chaque été, il revenait avec la même tête, dont elle ne se souvenait jamais.

D'un œil distrait, elle voyait les gens arriver, partir, attendre. Elle faisait signe à ceux qu'elle connaissait, en général les parents de ses amis. Le souffle du vent atténuait la morsure du soleil sur ses épaules. Lentement, avec l'ongle de son gros orteil, elle gratta le bois du banc,détachant une longue écharde.

Quand il s'agissait d'attendre, Riley avait toujours mieux à faire. Paul était pourtant son meilleur ami. Il lui manquait, mais elle n'aimait pas attendre. Alice non plus n'aimait pas attendre. Personne n'aime attendre. Mais Alice était la plus jeune des deux sœurs. Elle n'avait pas encore le réflexe de refuser quelque chose simplement parce que ça ne lui plaisait pas.

Elle guettait le ferry, petit triangle blanc surgissant à l'autre bout de la baie. Tant qu'il n'était pas là, elle arrivait à peine à se le figurer. Comme s'il n'allait jamais arriver. Puis, soudain, il apparaissait et prenait forme rapidement. Il finissait toujours par arriver.

Elle se leva. C'était plus fort qu'elle. Abandonnant son livre sur le banc, la couverture battant au vent. Serait-il là ? Était-il à bord ?

Avez-vous lu
Quatre filles et un jean,
la série best-seller
d'Ann Brashares?

On lit plus fort .com

Le blog officiel
des romans
Gallimard Jeunesse
Sur le web, le lieu
incontournable
des passionnés
de lecture.

ACTUS

AVANT-PREMIÈRES

LIVRES À GAGNER

BANDES-ANNONCES

EXTRAITS

CONSEILS DE LECTURE

INTERVIEWS D'AUTEURS

DISCUSSIONS

CHRONIQUES
DE BLOGUEURS...

Le papier de cet ouvrage est composé de fibres naturelles,
renouvelables, recyclables et fabriquées à partir de bois
provenant de forêts plantées et cultivées expressément
pour la fabrication de la pâte à papier

PAO : Dominique Guillaumin

Imprimé en France
par CPI Firmin Didot
Dépôt légal : avril 2011
ISBN : 978-2-07-063473-6
Numéro d'édition : 176318
Numéro d'impression : 105122